D1253312

19 LUNES

KAMI GARCIA • MARGARET STOHL

Traduit de l'anglais (États-Unis)
par Luc Rigoureau

hachette

Photographie de couverture : © PhotoAlto/Michèle Constantini/Getty Images

Traduit de l'anglais (États-Unis) par Luc Rigoureau

L'édition originale de cet ouvrage a paru en langue anglaise chez Little, Brown and Company, a division of Hachette Group Book, Inc., sous le titre :

BEAUTIFUL REDEMPTION

Hachette Livre, 43, quai de Grenelle, 75015 Paris.

À nos pères,
Robert Marin et Burton Stohl,
qui nous ont appris à croire que nous étions capables de tout,
et
à nos maris,
Alex Garcia et Lewis Peterson,
qui nous ont poussées à faire
ce dont nous ne nous croyions pas capables.

La mort est le commencement de l'éternité.

Maximilien de Robespierre,
dernier discours à la Convention nationale,
8 thermidor an II (26 juillet 1794).

LENA
Nouveau départ

Certains rêves sont d'envol ; les miens étaient de chute – des cauchemars. Je n'arrivais pas à en parler, à ne pas y penser non plus.

À lui.

À Ethan qui tombait.

Sa chaussure s'écrasant au sol quelques secondes avant lui.

Elle avait dû se détacher pendant qu'il s'abîmait.

Je me demandais s'il s'en rendait compte.

S'il s'en était rendu compte.

Je voyais cette basket noire terreuse qui dégringolait du château d'eau dès que je fermais les yeux. Parfois, j'espérais rêver. J'espérais me réveiller : il m'attendrait dans l'allée, devant Ravenwood, afin de m'emmener au lycée.

Debout, la Belle au bois dormant ! Je suis presque chez toi. Voilà ce qu'il aurait Chuchoté.

Je percevrais les échos de la mauvaise musique de Link par la vitre ouverte de la voiture avant même de distinguer Ethan au volant.

C'est ainsi que je m'imaginais la scène.

Il avait hanté mille de mes cauchemars, avant. Avant que je ne le rencontre ou, du moins, avant que je ne sache qu'il allait être Ethan. Mais ceux-ci n'étaient en rien comparables aux précédents.

Ça n'aurait pas dû se produire. Sa vie n'était pas censée prendre ce tournant. La mienne non plus.

Cette Converse noire terreuse n'était pas destinée à tomber.

L'existence sans Ethan était pire qu'un cauchemar.

Elle était réelle.

Si réelle que je refusais d'y croire.

2 février
Les cauchemars ont une fin.
Ce qui permet de les identifier comme tels.
Ceci...
Ethan... tout... est infini et ne montre
aucun signe
de vouloir s'achever.
Je sens... je me sens... coincée.
Comme si ma vie avait explosé lorsqu'il...
lorsque
tout le reste s'est achevé.
Elle s'est brisée en fragments minuscules.
Quand il s'est fracassé par terre.

Je ne supportais plus de regarder mon journal intime. Je ne pouvais plus écrire de vers ; ne serait-ce que les lire était douloureux.

Tout était si vrai.

L'être le plus important de mon existence avait péri en se jetant du château d'eau de Summerville. Je connaissais ses raisons ; ça ne me soulageait en rien.

Qu'il l'ait fait pour moi était encore pire, même.

Il m'arrivait de songer que le monde ne le méritait pas.

Ce salut, s'entend.
Il m'arrivait de songer que je ne le méritais pas non plus.
Ethan avait cru bien agir. Il était conscient que c'était dingue. Il n'avait pas envie de mourir, il le fallait pourtant.
Il était comme ça, Ethan.
Même s'il était mort.
Il avait sauvé le monde, il avait détruit le mien.
Et maintenant ?

Livre Un
Ethan

Chapitre 1
Retour à la maison

Un pan flou de nue bleue au-dessus de ma tête.

Sans nuages.

La perfection incarnée.

Image exacte du ciel dans la vraie vie, sinon que celui-ci était un tantinet plus bleu, et que le soleil m'irritait un tantinet moins les yeux.

J'imagine que, dans la vraie vie, le ciel est loin d'être parfait ; c'est peut-être le secret de sa perfection.

C'était.

J'ai refermé les paupières – fort.

Histoire de gagner du temps.

Je n'étais pas sûr d'être prêt à découvrir ce qu'on m'avait réservé. Le firmament était ici plus joli, bien sûr. C'était le paradis et tout le bataclan, après tout.

Sans préjuger du fait que j'y avais été envoyé, toutefois. À mon humble avis, j'avais été un gars plutôt correct. Cependant, j'en avais assez vu pour avoir appris que mes certitudes se révélaient souvent fausses. Jusqu'à maintenant, du moins.

J'avais l'esprit ouvert. À l'échelle de Gatlin en tout cas. Aucune théorie ne m'avait été épargnée. J'avais subi plus que ma part de catéchisme, le dimanche. Puis, après la mort de ma mère, Marian m'avait entretenu de séances de bouddhisme qu'elle suivait à l'université de Duke et de son prof, surnommé Bouddha Bob, qui soutenait que l'éden était une larme à l'intérieur d'une larme à l'intérieur d'une larme, un truc dans le genre. L'année précédente, ma mère m'avait poussé – en vain – à lire *L'Enfer* de Dante. Link affirmait que le bouquin racontait l'incendie d'un immeuble de bureaux ; en vérité, il s'était trouvé porter sur le voyage d'un type à travers les neuf cercles de la géhenne. Je me souvenais juste que ma mère m'avait parlé de monstres et de démons prisonniers d'un abîme glacé. Je crois qu'il s'agissait de la neuvième et dernière étape, mais il y en avait tant, de ces cercles, que, au bout d'un moment, ils s'étaient mélangés dans mon crâne.

Après mon initiation aux mondes souterrains, autres, parallèles et à tout le fatras qui formaient les couches du gâteau à trois étages de l'univers des Enchanteurs, ce premier aperçu de ciel bleu me convenait très bien. J'étais soulagé d'être accueilli par une espèce de carte de bienvenue à la noix. Je ne m'étais pas attendu à découvrir des portes de perle ou des chérubins à poil. Il n'empêche, cette nue paisible était une attention plutôt sympa.

J'ai rouvert les yeux. Encore du bleu.

Celui de la Caroline.

Une grosse abeille a voleté au-dessus de moi, a grimpé très haut jusqu'à se cogner à la voûte céleste, spectacle dont j'avais été témoin des centaines de fois.

Ce bleu n'était pas le ciel.

C'était le plafond.

Je n'étais pas au paradis.

J'étais couché dans le très ancien lit en acajou de mon encore plus ancienne chambre.

À la maison.

Dingue.

J'ai battu des cils.

Pas de changement.

Avais-je rêvé ? Je l'ai vivement espéré. Rien de plus que ce qu'avaient été tous mes matins au cours des six premiers mois ayant suivi la mort de ma mère.

Pitié ! Faites que ce soit un rêve !

Baissant le bras, j'ai tâtonné dans la poussière accumulée sous le lit. J'ai senti le contour familier d'une pile de livres. J'en ai attrapé un.

L'*Odyssée.* L'un de mes romans illustrés préférés, quand bien même je me doutais que l'éditeur avait pris pas mal de libertés par rapport à la version originale d'Homère.

Un peu hésitant, je me suis emparé d'un second bouquin. *Sur la route*, Kerouac. Ça, c'était une preuve irréfutable. J'ai roulé sur le flanc jusqu'à ce que je distingue un carré pâle sur le mur, là où, encore quelques jours auparavant – seulement quelques jours ? –, avait été suspendue la carte du monde décatie marquée des lignes vertes qui reliaient les endroits empruntés à mes lectures favorites et que j'avais projeté de visiter.

J'étais bel et bien dans ma chambre.

L'antique réveil sur ma table de nuit semblait avoir cessé de fonctionner. À cette exception près, rien n'avait changé. Si j'en jugeais par la lumière presque surnaturelle qui se déversait à flots par la fenêtre, il paraissait faire chaud, pour une journée de janvier. À croire que j'étais dans l'un des mauvais scénarios que Link concoctait pour les clips de son groupe, les Crucifix Vengeurs. Hormis cette lueur cinématographique, la pièce était telle que je l'avais quittée. À l'instar des livres sous le lit, les boîtes de chaussures qui renfermaient l'histoire complète de mon existence étaient toujours entassées le long des parois. Tout ce qui était censé se trouver là s'y trouvait.

Sauf Lena.

L ? Tu es là ?

Je ne l'ai pas sentie. D'ailleurs, je ne sentais rien.

J'ai contemplé mes mains. Elles avaient l'air normal. Pas d'hématomes. J'ai inspecté mon tee-shirt blanc tout bête. Pas de sang.

Pas de trous dans mon jean ni sur mon corps.

Gagnant ma salle de bains, je me suis examiné dans la glace, au-dessus du lavabo. C'était moi. Ce brave vieux Ethan Wate.

J'étais encore plongé dans mon reflet lorsqu'un bruit m'est parvenu depuis le rez-de-chaussée.

— Amma ?

Mon cœur a donné l'impression de s'emballer, ce qui était assez bizarre puisque, depuis mon réveil, je n'étais pas du tout certain qu'il battait. Quoi qu'il en soit, j'ai perçu les sons intimes de la vie domestique en provenance de la cuisine. Le plancher grinçait au rythme des déplacements d'une personne circulant entre les placards, la gazinière et la table usée. Les pas habituels de quelqu'un veillant à la routine d'un matin ordinaire.

Si c'était bien le matin, naturellement.

L'arôme se dégageant de notre poêle noircie par l'usage qui chauffait sur le feu a voltigé jusqu'à moi par l'escalier.

— Amma ? Ce n'est pas du bacon, ça ! Je me trompe ?

— Voyons, chéri, a répondu une voix claire et sereine, tu sais ce que je prépare. Je ne connais qu'une recette. Qu'on peut difficilement qualifier de cuisine, d'ailleurs.

Ce timbre.

Si familier.

— Ethan ? Combien de temps encore vas-tu me faire lanterner avant de me laisser t'embrasser ? Voilà un bon moment que je suis ici, mon cœur.

Je n'ai pas saisi le sens des phrases tant j'étais obnubilé par ces intonations. Jamais elles n'avaient été aussi nettes et pleines de vie, y compris lorsque je les avais entendues pour la dernière fois, naguère. Comme si elle était en bas.

Ce qui était le cas.

Ses paroles étaient une musique qui a dissipé mon chagrin et mes incertitudes.

— Maman ? Maman ?

J'ai dévalé les marches quatre à quatre sans lui accorder le loisir de me répondre.

Chapitre 2
Beignets de tomates vertes

Elle était là, en effet, debout dans la cuisine, pieds nus, coiffée comme dans mes souvenirs, les cheveux à moitié relevés et à moitié tombants. Une chemise d'homme blanche repassée de frais – l'une de celles que mon père surnommait son « uniforme » –, tachée d'encre ou de peinture, stigmates de ses dernières recherches en cours. Comme toujours, en dépit des diktats de la mode, elle avait relevé le bas de son jean sur ses chevilles. Ma mère n'avait jamais prêté attention à ces détails. D'une main, elle tenait notre poêle à frire remplie de tomates vertes ; de l'autre, un livre. Elle avait sûrement cuisiné en bouquinant, concentrée sur sa lecture. Elle fredonnait une mélodie sans s'en rendre compte et, très certainement, sans s'entendre non plus.

Ma mère. Pareille à elle-même.

Si ça se trouve, j'étais le seul à avoir changé.

Je me suis approché, elle s'est tournée vers moi, lâchant son ouvrage au passage.

— Te voici enfin, mon garçon adoré.

Un soubresaut a agité mon cœur. Personne d'autre qu'elle ne m'appelait ainsi. Qui en aurait eu envie ? Quand bien même, je l'aurais interdit. L'expression n'appartenait qu'à elle. Lorsque ses bras m'ont enlacé, j'ai enfoui mon visage dans son cou, et le monde s'est replié autour de moi. J'ai humé l'odeur de chaleur, la sensation de chaleur et toute la chaleur qui la résumait à mes yeux.

— Maman, ai-je soufflé en me redressant. Tu es revenue.

— L'un de nous l'est, a-t-elle soupiré.

C'est à cet instant que la réalité m'a frappé. Ma mère était là dans ma cuisine, j'étais là dans ma cuisine, ce qui, entre deux explications possibles, ne pouvait signifier qu'une chose : soit elle avait repris vie, soit...

J'avais perdu la mienne.

Ses prunelles se sont voilées – de larmes, d'amour, de compassion –, et elle m'a de nouveau serré contre elle. Ma mère comprenait toujours tout.

— Je sais, mon garçon adoré, je sais.

Mon menton a retrouvé sans peine sa vieille cachette dans le creux de son épaule. Elle a déposé un baiser sur mon crâne.

— Que s'est-il passé ? a-t-elle murmuré. Ce n'était pas censé arriver. Ça ne devait pas se terminer ainsi, a-t-elle ajouté en reculant.

— Non.

— En même temps, ce n'est pas comme s'il existait une bonne façon d'en finir avec la vie, n'est-ce pas ?

Elle m'a pincé la joue en me regardant droit dans les yeux et m'a souri. Je l'avais mémorisé, ce sourire. Ses traits également. Tout. Les seules branches auxquelles me raccrocher lorsqu'elle m'avait abandonné.

J'avais toujours considéré qu'elle vivait quelque part, à sa manière. Elle avait sauvé Macon, elle m'avait envoyé les chansons qui m'avaient guidé au cours de chaque étrange étape de mon existence en compagnie des Enchanteurs.

Elle n'avait pas cessé d'être présente, exactement comme de son vivant.

Notre échange muet n'a duré qu'un moment ; je m'y suis agrippé le plus longtemps possible.

J'ignore comment nous avons rejoint la table. Je ne me souviens que de la tiédeur réconfortante de son étreinte. Pourtant, j'ai fini par me retrouver assis à ma place attitrée – à croire que ces dernières années n'avaient jamais existé. Il y avait partout des livres que, d'après ce que j'en voyais, ma mère était en train de lire simultanément. Une chaussette, sans doute à peine sortie de la machine à laver le linge, marquait une page de *La Divine Comédie* de Dante ; une serviette émergeait à demi de *l'Iliade* et, pour couronner le tout, une fourchette déformait un volume de mythologie grecque. La table disparaissait sous l'amoncellement de ses chers bouquins, les ouvrages à couverture rigide entassés en une pile plus haute que les autres. J'aurais pu tout aussi bien être à la bibliothèque avec Marian.

Les tomates grésillaient dans la poêle, et j'ai respiré le parfum maternel – papier jauni et huile brûlée, tomates fraîches et vieux carton, le tout parsemé de poivre de Cayenne.

Pas étonnant que les bibliothèques m'aient tellement aiguisé l'appétit depuis l'enfance.

Elle a déposé une assiette à motifs bleus et blancs entre nous. Sa porcelaine chinoise. Sa préférée ; ça m'a fait sourire. Elle a placé les légumes bouillants sur un morceau de papier absorbant, les a saupoudrés de poivre.

— C'est prêt ! Pioche !

J'ai planté ma fourchette dans la première tranche qui s'offrait à moi.

— Tu sais, je n'en ai pas mangé depuis que tu... depuis l'accident.

Le plat était si chaud que je me suis brûlé la langue. Ensuite, j'ai dévisagé ma mère.

— Sommes-nous... Est-ce...

Elle m'a regardé d'un air interrogateur. J'ai tenté une nouvelle approche.

— Au ciel, genre ?

Elle s'est esclaffée, a versé du thé glacé dans nos verres – le thé, sa seconde et ultime spécialité culinaire.

— Non, EW. Pas exactement.

Je devais arborer une mine soucieuse, comme si je redoutais que nous ayons atterri au sous-sol opposé. Ce qui n'était pas plausible, parce que retrouver ma mère, c'était le paradis, aussi gnangnan que ça puisse sonner, et quoi qu'en pense l'univers. OK, ces derniers temps, l'univers et moi n'étions pas tombés souvent d'accord.

Elle a posé la paume sur ma joue et a secoué la tête en souriant.

— Non, cet endroit n'est en aucune sorte un lieu de repos éternel, si c'est ce à quoi tu songes.

— Alors, pourquoi y sommes-nous ?

— Je ne sais pas trop. On ne te distribue pas de manuel de l'utilisateur quand tu débarques. (Elle s'est emparée de ma main.) J'ai toujours eu l'intuition que j'étais ici à cause de toi, d'une espèce de tâche inachevée, de quelque chose que j'étais censée t'enseigner, te dire ou te montrer. D'où les chansons que je t'ai envoyées.

— Les Airs Occultes.

— Oui. Tu m'as donné bien du travail. À présent que tu m'as rejointe, j'ai l'impression que nous n'avons jamais été séparés. (Une ombre a traversé son visage.) J'espérais te revoir depuis le début. J'aurais juste souhaité que ce soit plus tard. Je suis vraiment navrée. Ça doit être affreux, pour toi, d'avoir quitté Amma et ton père. Et Lena.

— Oui, ai-je opiné. C'est carrément naze.

— Je comprends. Je ressens la même chose.

— Par rapport à Macon ?

Les mots sont sortis avant que j'aie eu le temps de tourner la langue dans ma bouche.

— Je mérite cette remarque, j'imagine, a-t-elle répondu, rougissante. Néanmoins, une mère n'a pas forcément à discuter de tous les événements de sa vie avec son fils de dix-sept ans.

— Désolé.

Elle a serré mes doigts entre les siens.

— Tu as été celui que j'ai le plus regretté de perdre. Celui pour lequel mon absence m'a causé le plus de soucis. Toi et ton père. Heureusement, ce dernier est l'objet de tous les soins des Ravenwood. Lena et Macon le protègent à grands coups de sortilèges, et Amma dévide des histoires bien à elle. Mitchell n'a aucune idée de ce qui t'est arrivé.

— Ah bon ?

— Amma lui a raconté que tu étais à Savannah, chez ta tante, et il l'a crue.

Son sourire a flanché, et son regard m'a délaissé pour se plonger dans quelque lieu ombreux. J'ai deviné que, malgré la magie des Enchanteurs, elle s'inquiétait pour lui. Mon départ brutal de Gatlin la peinait sûrement autant que moi. Et son statut de témoin impuissant l'attristait aussi.

— Mais ce n'est pas une solution à long terme, Ethan. Pour l'instant, ils agissent au mieux en fonction des circonstances. Il en va toujours ainsi, n'est-ce pas ?

— Oui, ai-je acquiescé.

J'étais moi-même passé par là. Ma mère et moi nous rappelions en quelle occasion.

Ensuite, elle n'a plus rien dit. Elle s'est contentée d'attraper une fourchette. Nous avons mangé en silence, durant le restant de l'après-midi ou rien qu'un petit moment, je ne saurais le déterminer et, de toute façon, ce n'était sûrement pas très important.

Assis sur le perron arrière de la maison, nous mangions des cerises luisantes d'humidité placées dans une passoire tout en contemplant les étoiles qui avaient commencé à scintiller. Le ciel avait viré à un bleu légèrement plus sombre, et les astres y formaient des bouquets qui étincelaient de manière hallucinante. Certaines appartenant au monde des Enchanteurs, d'autres à celui des Mortels. La lune fendue flottait entre les étoiles polaires du nord et du sud. Je ne comprenais pas comment il était possible que deux firmaments, deux constellations coexistent ; il n'empêche, c'était le cas. Rien ne m'échappait, maintenant, et c'était comme si j'avais été deux personnes différentes en même temps. À la réflexion, l'aboutissement logique de ce pataquès d'Âme Fracturée. L'un des avantages de ma mort était peut-être d'avoir récupéré les deux moitiés de mon âme.

Tu parles !

Les morceaux s'étaient recollés, à présent que c'en était terminé. Ou *parce que* c'en était terminé. La vie n'était sans doute qu'une dynamique de cet acabit. Elle paraissait si simple, si facile, vue d'ici. Si incroyablement brillante.

Pourquoi a-t-il fallu que ce soit la seule solution ? Pourquoi a-t-il fallu que ça s'achève ainsi ?

— Maman ? ai-je lancé en appuyant la tête contre son épaule.

— Chéri ?

— Je dois parler à Lena.

On y était. J'avais craché le morceau, avoué l'unique raison qui m'avait empêché d'expirer durant cette journée. Qui m'avait donné l'impression de ne pas être en mesure de me poser, de me tenir tranquille ; de devoir me lever et aller quelque part, quand bien même je n'avais nulle part où aller.

Comme disait Amma, la seule bonne chose dans la vérité, c'est qu'elle est vraie ; inutile de vouloir en discuter. Elle ne plaît peut-être pas, ça ne la rend pas moins vraie pour autant. Pour l'instant, je n'avais rien de plus solide à quoi me raccrocher.

— Tu ne peux pas, a répondu ma mère en fronçant les sourcils. Enfin, si, mais ce n'est pas aisé.

— Il faut qu'elle sache que je vais bien. Je la connais. Elle guette un signe de ma part. Exactement comme j'en attendais un de la tienne.

— Nous ne disposons pas ici d'un Carlton Eaton susceptible de lui porter une lettre, Ethan. On n'expédie pas de courrier, dans notre univers, et tu n'es pas en mesure de lui apparaître. Au demeurant, si tu avais la possibilité de lui écrire, tu n'y parviendrais pas. Tu n'imagines pas le nombre de fois où je l'ai regretté !

Allons, il existait forcément un moyen.

— Je m'en doute. Sinon, j'aurais eu plus souvent de tes nouvelles.

Elle a levé la tête, et les astres se sont reflétés dans ses yeux.

— Chaque jour, mon garçon adoré. Chaque jour sans exception.

— N'empêche, tu as trouvé des façons de communiquer avec moi. À travers les livres de ton bureau et les chansons. Et puis la fois dans ma chambre, tu t'en souviens ?

— Ce sont les Grands qui m'ont soufflé l'idée des Airs Occultes. Sûrement parce que je chantais en ta présence depuis ta naissance. Chacun est différent, cependant, et je ne crois pas que tu puisses utiliser la même méthode avec Lena.

— Il faudrait d'abord que j'aie le talent pour ça.

Comparés à mes tristes tentatives, les refrains de Link le hissaient au niveau des Beatles.

— Ça n'a pas été facile pour moi non plus, et je traîne mes guêtres ici depuis bien plus longtemps que toi. Sans compter que j'ai bénéficié de l'aide d'Amma, de Twyla et d'Arelia. N'oublie pas qu'Amma et les Grands détiennent des pouvoirs dont j'ignore tout.

Elle a plissé les paupières sans cesser d'admirer le firmament.

— Tu étais une Gardienne, tout de même !

Elle connaissait forcément des choses qui leur échappaient.

— En effet. Mais je faisais juste ce que la Garde Suprême me demandait de faire, j'évitais de faire ce qu'elle ne souhaitait pas que je fasse. On ne s'oppose pas à ses membres. On ne fouille pas dans leurs fichiers non plus.

— Les *Chroniques des Enchanteurs* ?

Attrapant une cerise, elle l'a inspectée, en quête d'éventuelles tavelures. Elle a mis un tel moment à répondre que je me suis demandé si elle m'avait entendu.

— Que sais-tu des *Chroniques* ?

— Avant le procès de Marian, le Conseil de la Garde Suprême nous a rendu visite à la bibliothèque. Ils avaient le livre avec eux.

Elle a reposé l'égouttoir sur une marche.

— Oublie les *Chroniques des Enchanteurs*. Tout cela n'a plus aucune importance.

— Pourquoi donc ?

— Je ne plaisante pas, Ethan. Ni toi ni moi ne sommes hors de danger, ici.

— Hein ? Je te signale que nous sommes m...

Elle a secoué la tête.

— Non, nous sommes juste en transit. Il nous faut découvrir ce qui nous retient ici, puis nous continuerons notre trajet.

— Et si je n'ai pas envie de partir ? ai-je protesté.

Je n'étais pas prêt à renoncer. Pas tant que Lena m'attendrait. Encore une fois, ma mère n'a pas relevé durant de longues minutes ; et lorsqu'elle s'y est résolue, elle s'est exprimée d'une voix lugubre qui ne lui ressemblait pas.

— À mon avis, tu n'as guère le choix, a-t-elle lâché.

— Tu l'as bien eu, toi.

— Ce n'en était pas un. Tu avais besoin de moi. D'où ma présence ici. Je suis là pour toi. Cependant, même moi, je ne suis pas capable de modifier les événements passés.

— Ah ouais ? Et si tu commençais par essayer ?

Je me suis aperçu que j'étais en train d'écraser une cerise, dont le jus coulait entre mes doigts.

— Il n'y a rien à essayer, Ethan. C'est terminé. Trop tard.

Elle avait chuchoté, mais le résultat aurait été le même si elle avait hurlé. La colère a enflé en moi. J'ai balancé un fruit dans le jardin, puis un deuxième, puis tout le contenu de l'égouttoir.

— Eh bien, sache que Lena, Amma et papa ont besoin de moi, et que je n'ai pas l'intention d'abandonner. J'ai le sentiment que ma place n'est pas ici. Que tout ceci est une formidable erreur.

J'ai regardé le récipient vide entre mes paumes.

— Et puis, ce n'est pas la saison des cerises, ai-je enchaîné. On est au cœur de l'hiver. On est censés être en hiver.

J'ai regardé le ciel, ma vision obscurcie par les larmes, des larmes de rage surtout.

— Ethan, a dit ma mère en posant la main sur la mienne.

Je me suis écarté.

— Inutile de me réconforter. Tu m'as manqué, maman. Vraiment. Plus que tout. Cependant, si content que je sois de te voir, je veux me réveiller et que ceci n'ait pas eu lieu. Je comprends pourquoi j'ai dû agir ainsi. Je pige très bien. Pour autant, je refuse de rester coincé ici à jamais.

— Mais qu'espérais-tu ?

— Aucune idée. Pas ça, en tout cas.

Était-ce vrai ? Avais-je réellement cru que je ne paierais pas mon sacrifice pour sauver le monde ? Avais-je pris pour une plaisanterie cette histoire d'Unique en valant deux ? J'imagine qu'il avait dû être plutôt facile de jouer les héros. Cependant, maintenant que c'était fait, maintenant que j'avais à accepter que j'avais l'éternité pour réfléchir à ce et à ceux que j'avais perdus, c'était drôlement moins fastoche.

Les prunelles de ma mère se sont mouillées de larmes encore plus grosses que les miennes.

— Je suis désolée, EW. Si j'avais le don de changer la situation, je n'hésiterais pas.

Elle paraissait aussi malheureuse que moi.

— Mais si c'était possible ?

— Je ne peux pas intervenir sur tout, a-t-elle murmuré en fixant ses pieds nus. Je ne peux intervenir sur rien.

— Pas question de flotter sur un crétin de nuage ! Pas question que des ailes me poussent dans le dos !

J'ai jeté la passoire. Elle a dégringolé les marches dans un fracas métallique, puis a roulé sur la pelouse.

— Je veux être avec Lena, je veux vivre, je veux aller au cinoche et me gaver de pop-corn jusqu'à en être malade, je veux foncer au volant et récolter une amende pour excès de vitesse, je veux être amoureux de ma copine au point de me conduire comme un crétin tous les jours jusqu'à la fin de ma vie.

— Je sais.

— Je ne crois pas, non ! ai-je riposté, plus brutalement que je l'aurais souhaité. Tu as vécu. Tu as aimé. Deux fois. Tu as fondé une famille. J'ai dix-sept ans. Mon heure n'a pas sonné. Il est inacceptable que je me réveille demain avec la perspective de ne plus jamais revoir Lena.

En soupirant, ma mère a glissé un bras autour de mes épaules et m'a attiré à elle.

— C'est inacceptable, ai-je répété, faute de mots plus convaincants.

Elle a ébouriffé mes cheveux comme si j'étais un petit garçon triste et apeuré.

— Tu la verras, ne t'inquiète pas. C'est même le plus aisé. Mais je ne te garantis pas que tu pourras lui parler. D'ailleurs, elle ne te verra pas.

— Explique-moi.

— Tu existes. *Nous* existons. Ici. Lena, Link, ton père et Amma existent à Gatlin. Ce sont deux niveaux d'existence différents, et aucun n'a plus de réalité que l'autre. Tu es ici, Lena là-bas. Dans son univers, tu ne seras jamais entièrement présent. Pas comme avant, du moins. Et dans le nôtre, elle ne sera jamais comme nous. Cela ne signifie pas pour autant que tu ne pourras pas l'apercevoir.

— Comment ?

C'était ma seule préoccupation, désormais.

— Rien de plus simple. Il te suffit de la rejoindre.

— Pardon ?

Elle laissait supposer une facilité déconcertante ; je soupçonnais cependant quelque chose de plus compliqué.

— Tu imagines l'endroit où tu souhaites te rendre et tu y es.

Ça semblait inconcevable. Pourtant, ma mère ne m'aurait menti pour rien au monde.

— Donc, je n'ai qu'à désirer me trouver à Ravenwood pour y être ? ai-je insisté.

— Pas à partir de notre véranda. Il faut d'abord que tu quittes la maison. À mon avis, nos foyers, dans l'Autre Monde, possèdent un pouvoir équivalent au sortilège du Sceau. Lorsque tu es chez nous, tu es avec moi et nulle part ailleurs.

Ces paroles ont déclenché un frisson le long de ma colonne vertébrale.

— L'Autre Monde ? C'est ici que nous sommes ? C'est ainsi qu'on l'appelle ?

Elle a opiné tout en essuyant sur son jean ses mains tachées de jus de cerise. J'avais déjà compris que j'étais dans un endroit où je n'avais pas encore mis les pieds. Ce n'était pas Gatlin, ce n'était pas le paradis non plus. Cet environnement avait quelque chose de très lointain. De plus lointain que la mort, même. Bien que je hume l'odeur poussiéreuse de la terrasse en béton, le parfum de l'herbe fraîchement tondue au-delà, bien que je sente la morsure des moustiques, la caresse du vent et les échardes des marches en bois dans mon dos. Il se dégageait de tout cela une impression d'immense solitude. L'univers se réduisait à nous, ici et maintenant. Ma mère et moi, notre jardin plein de cerises. Une part de moi avait espéré ces retrouvailles depuis l'accident qui l'avait tuée ; l'autre savait, pour la première fois peut-être, qu'elles ne suffiraient jamais.

— Maman ?
— Mon garçon adoré ?
— Penses-tu que Lena m'aime encore, là-bas dans le royaume des Mortels ?
Ma mère a souri et m'a ébouriffé les cheveux.
— Quelle question idiote !
J'ai haussé les épaules.
— Permets-moi de t'en poser une autre. M'aimais-tu, après que je suis morte ?
Je n'ai pas répondu. Ce n'était pas nécessaire.
— J'ignore ce qu'il en est pour toi, EW, mais pas un seul jour depuis notre séparation, je n'ai douté de ton amour pour moi. Y compris au début, alors que je ne savais rien de l'endroit où j'étais ni de ce que j'étais censée faire. Même alors, tu étais mon Pilote. Tout me ramenait sans cesse à toi. Absolument tout.
Elle a écarté les mèches qui me tombaient sur le front.
— Crois-tu qu'il en aille différemment pour Lena ? a-t-elle ajouté.
Elle avait raison. Ma question était idiote. Je lui ai donc souri, j'ai pris sa main, et nous sommes retournés à l'intérieur de la maison. Je devais réfléchir à la suite des événements, trouver des lieux où aller – cela au moins était clair. Cependant, il y avait des éléments auxquels il était inutile que je songe. Certaines choses n'étaient plus les mêmes, d'autres resteraient immuables.
Mais pas moi. J'avais changé, et j'aurais donné n'importe quoi pour redevenir comme avant.

Chapitre 3
Ce côté-ci ou l'autre

— Allez, Ethan, vas-y.

Je ne me suis pas retourné vers ma mère, au moment d'ouvrir la porte. Ses encouragements n'amoindrissaient guère mon malaise. Certes, il y avait la couleur du battant, le métal lisse de la poignée, mais rien ne me permettait de prédire si Cotton Bend se trouvait de l'autre côté.

Lena. Pense à elle. À là-bas. C'est la seule solution.

Mouais.

Ceci n'était plus Gatlin. Qui savait ce qui m'attendait derrière cette porte ? Ça pouvait être n'importe quoi. Le regard fixe, je me suis souvenu de ce que m'avaient enseigné les Tunnels sur les seuils et les sorties.

Sur les portails.

Les coutures.

Ce battant avait beau avoir l'air normal – tous les sas se ressemblaient plus ou moins –, ça ne signifiait pas qu'il l'était. Il suffisait de penser à la *Temporis Porta*, par exemple. Elle réservait toujours des surprises. Je l'avais appris à mes dépens.

Arrête de te trouver des excuses, Wate.

Fonce.

Tu es une poule mouillée, ou quoi ? Qu'as-tu à perdre, maintenant ?

Fermant les yeux, j'ai actionné la poignée. Lorsque je les ai rouverts, ce n'est pas ma rue que j'ai découverte. Loin de là.

J'étais sur le porche de chez nous, mais en plein dans Son Jardin du Repos Éternel, le cimetière de Gatlin. Au milieu de la concession de ma mère.

Les gazons bien entretenus s'étalaient devant moi ; cependant, des maisons remplaçaient les tombes et les mausolées décorés d'angelots et de faons en plastique. Je me suis soudain rendu compte qu'il s'agissait des répliques de celles qu'avaient habitées les défunts ensevelis ici. La vieille demeure victorienne d'Agnes Pritchard, avec ses volets jaunes et ses rosiers tordus qui ombrageaient l'allée, était plantée à l'endroit exact de sa sépulture. Elle n'avait pas vécu sur Cotton Bend comme nous, mais le petit rectangle d'herbe qui lui avait été réservé dans Son Jardin du Repos Éternel était situé juste en face de celui de ma mère. De celui où, désormais, notre maison de famille était installée.

Celle d'Agnes ressemblait en tout point à celle qu'elle avait possédée à Gatlin. Seule différence, la porte d'entrée rouge avait disparu, remplacée par la stèle en ciment usée de sa tombe.

AGNES WILSON PRITCHARD
ÉPOUSE, MÈRE ET GRAND-MÈRE REGRETTÉE
PUISSE-T-ELLE REPOSER PARMI LES ANGES

L'épitaphe était toujours gravée dans la pierre qui épousait parfaitement l'encadrement peint en blanc. Le même phénomène se répétait dans toutes les demeures que je distinguais alentour, de la construction restaurée de style fédéral, propriété de Darla Eaton, à la masure écaillée de

Clayton Weatherton : les portes avaient laissé la place aux inscriptions funéraires des trépassés.

Lentement, j'ai pivoté sur mes talons, espérant voir notre battant blanc au cadre bleu. Mais c'est sur la stèle de ma mère que je suis tombé.

LILA EVERS WATE
ÉPOUSE ET MÈRE REGRETTÉE
SCIENTIAE CUSTOS

Au-dessus du nom dominait le symbole celtique d'Awen, trois lignes représentant des rayons de lumière qui se rejoignaient à leur sommet. Pour peu qu'on néglige que les dimensions de la pierre s'étaient adaptées à celles de la porte, elle était identique à l'originale, éclats entaillés sur les bords et craquelures presque invisibles compris. J'ai caressé les lettres du bout des doigts.

La sépulture maternelle.

Parce qu'elle était morte. Comme je l'étais. Et il était à peu près sûr que je venais de sortir de sa tombe.

C'est alors que j'ai pété un plomb. Normal, non ? La situation était un brin accablante, du genre auquel il est assez difficile de se préparer. Bref, j'ai poussé la stèle, je l'ai martelée de toutes mes forces jusqu'à ce qu'elle cède. Je suis rentré chez nous, j'ai claqué le battant derrière moi.

Appuyé contre la porte, j'ai inspiré à fond. Le hall ne s'était pas modifié durant ma brève incursion à l'extérieur.

Installée sur la première marche de l'escalier, ma mère a relevé la tête. Elle avait *La Divine Comédie* à la main. À sa façon de tenir sa chaussette marque-page, j'ai deviné qu'elle venait d'ouvrir le livre. Presque comme si elle avait guetté mon retour.

— Ethan ? Tu as changé d'avis ?

— Maman ! C'est le cimetière, là-dehors.

— En effet.

— Et nous sommes...

Le contraire de vivants. Ça commençait seulement à s'inscrire dans ma cervelle.

— Oui, a-t-elle acquiescé en me souriant.

Elle ne pouvait guère le nier, n'est-ce pas ?

— Tu es resté là-bas aussi longtemps que tu le devais, a-t-elle ajouté en baissant le regard et en feuilletant son livre. Dante est d'accord. Prends ton temps. Ce n'est que… (Elle a tourné une page.) « *la notte che le cose ci nasconde* ».

— Pardon ?

— « La nuit qui nous cache les choses[1]. »

Sur ce, elle s'est remise à lire, cependant que je la toisais d'un air éberlué. Puis, pigeant que je n'avais pas d'autre choix, j'ai tiré la porte et je suis ressorti.

Il m'a fallu un moment pour m'adapter à cet environnement, à l'instar des yeux qui s'ajustent progressivement de l'ombre à la lumière. Au bout du compte, l'Autre Monde s'est révélé n'être que ça : un autre monde, un Gatlin en plein cimetière où les défunts de la ville célébraient leur propre version de la fête des morts. La différence, c'est que leur Toussaint à eux durait apparemment plus d'un jour.

Descendant le perron, j'ai foulé l'herbe, histoire de m'assurer qu'elle existait bel et bien. Les rosiers d'Amma poussaient là où ils avaient toujours poussé, et ils refleurissaient, épargnés par la canicule record qui avait submergé le comté et les avait malmenés. Refleurissaient-ils aussi dans le vrai Gatlin ?

J'ai espéré que oui.

C'était sûrement le cas, si la Lilum tenait sa promesse. Or j'étais d'avis qu'elle le ferait. La Lilum n'était ni Lumière ni Ténèbres, ni bonne ni maléfique. Elle incarnait la vérité et l'équilibre dans leur forme la plus pure. Je ne la pensais pas capable de mentir, sinon elle aurait un peu édulcoré

---

1. Dante, *La Divine Comédie*, « Le Paradis », chant 23. *(Toutes les notes sont du traducteur.)*

la vérité pour ce qui me concernait. Parfois, je regrettais qu'elle ne l'ait pas fait.

Je me suis retrouvé à errer sur les pelouses soigneusement tondues, entre des maisons familières éparpillées à travers le cimetière, comme si un ouragan les avait soulevées et transportées ici. Pas seulement les habitations, d'ailleurs – leurs occupants aussi.

J'ai décidé de me diriger vers la Grand-Rue, l'instinct me poussant à chercher la Nationale 9. L'idée était, j'imagine, de faire du stop jusqu'au croisement d'où je pourrais gagner Ravenwood. Malheureusement, l'Autre Monde ne fonctionnait pas ainsi. Chaque fois que j'atteignais l'extrémité d'une rangée de tombes, je revenais à mon point de départ. Le cimetière formait une sorte de cercle dont j'étais prisonnier.

J'ai compris qu'il fallait que je cesse de raisonner en termes de rues pour raisonner en termes de sépultures, de concessions et de cryptes. Si je souhaitais rejoindre le centre de Gatlin, ce ne serait pas en marchant. Ni en empruntant une quelconque Nationale 9. C'était évident, désormais.

Qu'avait dit ma mère ? Que je n'avais qu'à me représenter l'endroit où je désirais aller, et que je m'y retrouverais tout simplement. Était-ce vraiment l'unique obstacle qui me séparait de Lena ? Mon imagination ?

J'ai fermé les yeux.

L...

— Qu'est-ce que tu fiches par ici, gamin ?

Miss Winifred me regardait depuis sa véranda, qu'elle était en train de balayer. Elle portait sa blouse à fleurs roses, comme elle l'avait fait presque quotidiennement de son vivant. De *notre* vivant.

— Rien de spécial, madame, ai-je répondu, interloqué.

Elle se tenait devant sa stèle. Un magnolia avait été gravé à l'eau-forte au-dessus de son nom, le mot « Respect » en dessous. Ce n'est pas ce qui manquait, dans le coin, les magnolias sculptés. Il faut croire qu'ils étaient les portes rouges de l'Autre Monde. Sans eux, on n'était personne.

Ayant remarqué que je la dévisageais, Miss Winifred a cessé une seconde de s'agiter.

— Eh bien, a-t-elle reniflé, va faire ça ailleurs !

— Oui, madame.

J'ai deviné que je m'empourprais, conscient qu'il allait m'être impossible de me transporter mentalement ailleurs sous le feu de ces vieux yeux scrutateurs. Apparemment, même dans les rues de l'Autre Monde, Gatlin n'était pas ville à laisser beaucoup de place à l'imagination.

— Et n'approche pas de ma pelouse, Ethan. Tu risques de piétiner mes bégonias.

C'est tout. Comme si je m'étais aventuré sur sa propriété dans la vie réelle.

— Oui, madame.

Miss Winifred m'a gratifié d'un hochement de tête et s'est remise à manier le balai, à croire que cette journée ensoleillée n'était qu'une journée ensoleillée de plus sur Old Oak Road, où était présentement située sa maison.

Bon. Il était exclu de me laisser décourager par Miss Winifred.

J'ai essayé le banc en béton au bout de notre allée de sépultures. J'ai essayé la cachette ombreuse des haies entourant Son Jardin du Repos Éternel. J'ai même essayé de m'asseoir durant un bon moment le dos à la barrière de notre concession.

En vain. Je n'étais pas plus proche de me frayer une voie jusqu'au Gatlin réel que je n'étais prêt à réintégrer la tombe.

Chaque fois que je fermais les paupières, j'étais envahi par la terreur absolue d'être mort et enterré. D'être un trépassé qui n'irait plus jamais nulle part, condamné à gésir au pied d'un château d'eau.

Que le retour chez moi relevait de l'illusion.

Comme mes retrouvailles avec Lena.

J'ai fini par renoncer. Il existait sûrement une autre solution.

Puisque je souhaitais regagner Gatlin, quelqu'un savait sûrement comment je devais m'y prendre.

Quelqu'un qui s'était fait une spécialité de connaître tout sur tout le monde, sans faute depuis une centaine d'années.

J'ai alors eu un flash sur l'endroit où il me fallait me rendre.

J'ai suivi le sentier qui menait à la partie la plus ancienne du cimetière. J'avoue que je redoutais vaguement de découvrir les rebords calcinés du toit et de la chambre à coucher de tante Prue. L'incendie n'aurait pas dû m'inquiéter, cependant. Quand j'ai vu la maison, c'était la même que celle de mon enfance. La balancelle de la véranda s'agitait en grinçant doucement sous l'effet de la brise, un verre de limonade était posé sur la table à côté. Exactement comme dans mes souvenirs.

La porte était en solide granite bleu du Sud ; Amma avait passé des heures à le choisir en personne. « Une femme aussi bonne que ta tante mérite la bonne stèle, avait-elle décrété. En plus, si ça ne lui plaît pas, je n'ai pas fini d'en entendre parler. » Les deux allégations étaient sûrement vraies. Au sommet de la pierre, un ange délicat brandissait une boussole entre ses mains tendues. J'aurais parié que nul autre chérubin n'était armé d'un compas, tant dans Son Jardin du Repos Éternel que dans n'importe quel cimetière du Sud. Les angelots de la nécropole de Gatlin tenaient toutes les sortes de fleurs possibles, d'aucuns s'accrochaient même à leurs perchoirs comme à des bouées de sauvetage. Mais pas une seule boussole. Jamais au grand jamais. Le symbole était cependant justifié, pour une femme qui avait consacré la majeure partie de son existence à dresser en secret la carte des Tunnels des Enchanteurs.

Sous la sculpture, l'épitaphe :

PRUDENCE JANE STATHAM
LA BELLE DU BAL

C'était tante Prue qui avait elle-même décidé de cette inscription. Dans son testament, elle avait exigé qu'on ajoute les lettres « le » au mot « bal », ce qui aurait donné « balle », l'ensemble formant une phrase sans queue ni tête. Tante Prue estimait que ça sonnait plus français ainsi. Mon père avait souligné que, en vraie patriote, elle n'aurait rien à redire à ce que son épitaphe soit rédigée en bon vieil américain sudiste. J'avais mes doutes là-dessus, mais je n'avais pas eu très envie de me lancer dans des arguties. De toute manière, ce n'était qu'un détail parmi les innombrables instructions qu'elle avait laissées derrière elle, de même qu'une liste d'invités si longue qu'elle avait requis l'embauche d'un service d'ordre à l'entrée de l'église.

N'empêche, rien que de lire ces mots, j'ai souri.

Je n'ai pas eu le loisir de frapper, car des jappements ont retenti, et la lourde porte s'est ouverte. Tante Prue est apparue sur le seuil, des bigoudis roses sur la tête, une main sur la hanche. Trois yorkshire-terriers s'enroulaient autour de ses jambes – les trois premiers Harlon James.

— C'est pas trop tôt !

Elle m'a attrapé par l'oreille avec une vivacité que je ne lui avais pas connue de son vivant et m'a entraîné à l'intérieur de la maison.

— T'as toujours z-été têtu comme une mule, Ethan. Ce que t'y as fait c'tte fois, c'était pas bien. Ch'sais pas ce qui t'est Dieu possib' passé par le crâne, mais j'ai drôlement envie de t'envoyer dans le jardin me chercher une badine.

C'était là une charmante habitude de tante Prue : permettre au malheureux moutard qu'elle voulait corriger de choisir la verge pour se faire fouetter. Cependant, elle et

moi savions pertinemment qu'elle ne me frapperait jamais. Sinon, elle s'y serait collée des années auparavant.

Comme elle agrippait toujours mon lobe et qu'elle était deux fois plus petite que moi, j'étais obligé de me pencher. La meute de Harlon James qui continuait de s'égosiller nous a suivis dans la cuisine.

— Je n'avais pas le choix, tante Prue, ai-je plaidé. Tous ceux que j'aimais risquaient de mourir.

— Pas la peine d'ergoter, a-t-elle riposté. J'ai tout vu, et ch't'assure que ch'portais mes bonnes lunettes. Quand je pense que c'est moi qu'avais la réputation d'être Mé-lo-dra-ma-tique ! a-t-elle ajouté avec un reniflement méprisant.

J'ai eu du mal à ne pas éclater de rire.

— Tu as besoin de tes lunettes, ici ?

— Bah, j'y suis habituée. J'me sens toute nue, sans elles. Main'ant qu't'en causes, j'y avais pas pensé...

S'interrompant, elle a tendu un doigt osseux dans ma direction.

— Mais essaye don' pas d'changer d'sujet, petit voyou ! C'te coup-ci, t'as encore plus salopé le boulot qu'un peintre en bâtiment aveugle.

— Et si t'arrêtais un peu d'enguirlander c'te pauv' garçon, Prudence Jane ? a lancé une voix de vieillard depuis la pièce voisine. Ce qui est fait est fait.

Sans lâcher mon oreille, tante Prue m'a ramené dans le hall.

— Ch't'interdis de me commander, Harlon Turner !

— Turner ? Ce n'était pas...

Elle m'a poussé dans le salon, et je me suis retrouvé non pas devant l'un de ses maris, mais face aux cinq. Les trois plus jeunes, les premiers sûrement, mangeaient des grains de maïs grillés et jouaient aux cartes, les manches de leurs chemises blanches roulées au niveau des coudes. Le quatrième, assis sur le canapé, lisait le journal. Levant les yeux, il m'a salué d'un hochement de menton avant de pousser un petit bol blanc vers moi.

— Grains de maïs ?

J'ai secoué la tête.

Je me rappelais bien le cinquième époux, Harlon, celui en l'honneur duquel tante Prue avait baptisé tous ses chiens. Quand j'étais enfant, il me glissait en douce des pastilles au citron pendant la messe. Il en avait toujours dans ses poches, et je les boulottais sans barguigner, même si elles étaient couvertes de poussière. On se rasait tellement pendant le service qu'on était prêt à avaler n'importe quoi. Un jour, Link avait vidé un flacon entier de spray buccal durant un sermon sur le repentir. Il avait d'ailleurs passé tout l'après-midi et une bonne partie de la soirée à se repentir de son geste.

Harlon était tel que dans mon souvenir. Face à la réplique de sa femme, il a aussitôt battu en retraite. Non sans une dernière pique cependant.

— Prudence, ch't'assure que j'ai jamais connu plus grande rouspéteuse que toi !

C'était vrai, et nous le savions tous. Une expression de compassion amusée a envahi le visage des quatre autres maris. Me libérant enfin, tante Prue s'est tournée vers son ultime époux.

— Sauf erreur de ma part, Harlon James Turner, c'est pas moi qu'ai demandé à te passer la bague au doigt. Et d'mon côté, ch't'assure que moi, j'ai jamais connu d'homme plus sot que toi !

Les cabots avaient dressé les oreilles en entendant leur nom. Le mari qui lisait le journal s'est mis debout et est venu tapoter l'épaule de Harlon.

— M'est avis que tu f'rais mieux d'laisser notre p'tit feu d'artifice se calmer, lui a-t-il conseillé avant d'ajouter plus bas : À moins qu'tu veux connaître une seconde mort.

Apparemment satisfaite, tante Prue a regagné la cuisine d'un pas martial, docilement suivie par ses trois chiens et moi. Dans la pièce, elle m'a désigné d'autorité une chaise avant de remplir deux grands verres de thé glacé.

— Si j'aurais su que j'devrais vivre avec ces cinq bonshommes, j'y aurais réfléchi à deux fois avant d'en marier un seul ! a-t-elle maugréé.

Ils étaient tous réunis, en effet. J'ai failli demander pourquoi avant de songer que ce n'était pas une bonne idée. Quelles que soient les affaires qu'elle avait encore à régler avec ses cinq époux et à peu près autant de clebs, je ne tenais pas à les connaître.

— Bois, mon garçon.

J'ai jeté un coup d'œil au thé qui était fort alléchant, bien que je n'aie pas du tout soif. Que ma mère me prépare des tomates était une chose. Je n'avais pas hésité à avaler ce qu'elle me donnait. Maintenant que j'étais sorti du tombeau afin de rendre visite à ma grand-tante défunte, je me rendais compte que j'ignorais tout des règles qui gouvernaient cet endroit – quel qu'il soit. Tante Prue n'a évidemment pas manqué de remarquer mes réticences.

— Tu peux y aller même si t'en as pas besoin, a-t-elle dit. C'est pas pareil, de c'te côté.

— Comment ça ?

J'avais tant de questions à lui poser que je ne savais pas par laquelle commencer.

— Là-bas, dans le royaume des Mortels, tu peux point manger ou boire. Mais tu peux déplacer des trucs. Rien qu'hier, j'ai planqué le dentier de Grace. J'y ai fourré dans le pot d'chicorée.

C'était bien d'elle, ça, de se débrouiller pour embêter ses frangines depuis l'au-delà.

— Un instant ! Tu es allée à Gatlin ?

Si elle était en mesure de rendre visite aux Sœurs, alors je devrais réussir à voir Lena, non ?

— J'ai pas dit ça, s'est-elle défendue.

Elle détenait donc la réponse à ma plus grande interrogation. Mais la connaissant, elle ne cracherait pas le morceau si elle estimait que mieux valait me maintenir dans l'ignorance.

— Si, ai-je objecté.

Dis-moi comment rejoindre Lena !

— Ch'suis restée pas plus d'une seconde, a-t-elle éludé. Pas la peine de t'emballer. P'is ch'suis revenue à toute berzingue à Son Jardin. Ni vu ni connu, ch't'embrouille.

— Sois sympa, tante Prue.

Malheureusement, elle a secoué la tête. J'ai laissé tomber. Elle était aussi butée dans cette vie qu'elle l'avait été dans la précédente. J'ai tenté d'aborder un autre sujet.

— Nous sommes vraiment dans Son Jardin du Repos Éternel ?

— Un peu, mon neveu ! Chaque fois qu'y z-enterrent que'qu'un, une nouvelle baraque surgit de terre. (Elle a ponctué sa phrase d'un nouveau reniflement.) Enfin, on va pas les empêcher de débarquer, même les ceusses que t'as pas envie de fréquenter.

J'ai songé aux stèles qui remplaçaient les portes, à toutes ces maisons qui peuplaient le cimetière. J'avais toujours trouvé que le plan de Son Jardin du Repos Éternel ressemblait à celui de notre ville : les concessions respectables alignées ensemble, les tombes plus discutables repoussées aux confins. Visiblement, l'Autre Monde suivait des préjugés identiques.

— Alors, pourquoi n'ai-je pas de maison à moi, tante Prue ?

— Les jeunots, y z-ont pas la leur, sauf si leurs parents leur ont survécu. De toute façon, vu comment que tu tiens ta chambre, j'vois pas comment t'arriverais à garder une maison propre.

Il m'était difficile de lui donner tort, là-dessus.

— Est-ce aussi pour cela que je n'ai pas de pierre tombale ?

Elle a détourné le regard, signe évident qu'elle me dissimulait quelque chose.

— Ce serait peut-êt' mieux que tu d'mandes à ta maman.

— C'est à toi que j'ai posé la question.

Elle a poussé un gros soupir.

— T'es pas enterré à Son Jardin du Repos Éternel, Ethan Wate.

— Quoi ?

Il était peut-être trop tôt. Je ne savais même pas combien de temps s'était écoulé depuis la soirée au château d'eau.

— Sûrement parce que mes obsèques n'ont pas encore eu lieu, ai-je suggéré.

La manière dont mon interlocutrice s'est tordu les doigts n'a fait que renforcer ma nervosité.

— Tante Prue ?

Elle a avalé une gorgée de thé, histoire de gagner une ou deux minutes. Au moins, ça lui occupait les mains.

— L'Amma réagit pas trop bien à ta disparition, a-t-elle fini par lâcher. Et c'est pas mieux avec la Lena. Va pas croire que je les surveille pas, ces deux-là. Ch'te rappelle que j'ai offert la rose de mon beau collier en or à la Lena. Rien que pour la soulager un peu de ce qu'elle ressent.

Les images de Lena sanglotant et d'Amma hurlant mon nom juste avant que je ne saute du château d'eau m'ont vivement traversé l'esprit. Ma poitrine s'est contractée.

— Rien de tout ça était censé arriver, continuait tante Prue. Amma le sait. Elle, la Lena et le Macon, y z-ont des tas de problèmes avec ton trépas.

« Mon trépas. » Deux mots qui avaient une drôle de résonance. Soudain, une idée atroce m'est venue.

— Une seconde ! Es-tu en train de me dire qu'ils ne m'ont pas enterré ?

— Bien sûr que si, s'est-elle récriée en portant une paume à son cœur, horrifiée par pareille incongruité. Tout de suite, même. Simplement, pas au cimetière de Gatlin. (Derechef, elle a soupiré et secoué la tête.) J'ai bien peur que t'as pas eu droit à une vraie cérémonie. Pas d'assistance, pas de sermons. Pas de psaumes ni de chants funèbres.

— Pas de chansons ? Alors ça, ça me tue.

Je plaisantais, mais elle arborait une mine aussi lugubre qu'un cimetière la nuit.

— Pas de service religieux, a-t-elle enchaîné. Pas de réunion après. Même pas de repas ! Et pas de livre de condoléances non p'us. Y z'auraient aussi bien pu te fourrer dans une de ces boîtes à chaussures que tu collectionnes.

— Et où suis-je enseveli ?

Un méchant pressentiment avait commencé à s'emparer de moi.

— Là-bas, à Greenbrier. Près des vieilles tombes des Duchannes. Y t'ont flanqué dans la boue comme un zoziau qu'aurait été bouffé par un 'possum.

— Pourquoi ? ai-je demandé en l'observant, alors qu'elle refusait obstinément de me regarder, signe qu'elle me faisait des cachotteries. Réponds-moi, s'il te plaît. Pourquoi m'ont-ils enterré à Greenbrier ?

Croisant les bras sur sa poitrine d'un air de défi, elle s'est enfin résolue à me fixer droit dans les yeux.

— Monte pas sur tes grands chevaux, d'accord ? Ç'a été une cérémonie complètement minab'. Vraiment pas de quoi fouetter un chat. Figure-toi que pas un pékin de Gatlin, y sait que t'es mort.

— Comment ça ?

Les pékins de Gatlin raffolaient pourtant des funérailles.

— L'Amma a raconté à tout le monde qu'une Ur-gence te réclamait à Savannah. Auprès de ta tante Caroline. Que t'es allé là-bas pour l'aider.

— Hein ? Ils font comme si j'étais encore vivant ?

Amma pouvait tenter de convaincre mon malheureux père que je n'avais pas disparu ; essayer d'en persuader la ville entière était une autre paire de manches. Même pour elle.

— Et papa ? ai-je poursuivi. Ne va-t-il pas finir par se douter de quelque chose à force de ne pas me voir rentrer ? Il ne gobera pas éternellement ces salades.

Tante Prue s'est approchée du plan de travail et d'une boîte de chocolats ouverte. Elle en a retourné le couvercle afin d'inspecter le dessin qui représentait chaque type de friandise assortie nichée dans son petit emballage marron. Au bout d'un moment, elle en a choisi une, a mordu dedans.

— Une griotte ? ai-je demandé.

— Non, une noisette, a-t-elle répondu en me montrant la moitié du bonbon. Ch'comprendrais jamais pourquoi les gens, y gaspillent leur bel argent à acheter des 'colats de lusque. Si tu veux mon avis, ceux-ci sont les plus bons de la terre, de ce côté-ci ou de l'autre.

— Oui, madame.

Radoucie par ses chocolats industriels, elle m'a avoué la vérité.

— Les Enchanteurs, y z-ont lancé un sortilège sur ton papa. Il sait r'en de r'en de ta mort. Chaque fois qu'il a l'air de soupçonner que'que chose, les Enchanteurs, y lui en redonnent une dose, de magie. Si bien qu'il distingue plus son endroit de son envers. C'est pas naturel, je trouve, moi. Mais bon, y a plus grand-chose de naturel, par chez nous à Gatlin. C't'endroit, y l'est tout de traviole, main'ant.

Elle m'a tendu son assortiment à demi mangé.

— Tiens, prends-y donc une douceur. Le 'colat, ça rend tout meilleur. Un praliné ?

J'étais enseveli à Greenbrier, pour que Lena, Amma et mes amis puissent dissimuler le secret de mon décès à tous, y compris à mon père, lequel était sous l'influence d'un sortilège si puissant qu'il ignorait tout bonnement que son fils était mort. Ce que ma mère m'avait signalé m'est soudain revenu.

Le monde ne recèlerait jamais assez de chocolat pour améliorer la situation.

Chapitre 4
À LA PÊCHE AU POISSON-CHAT

Amener tante Prue à dire ce que vous vouliez entendre quand vous vouliez l'entendre, c'était comme croire que vous étiez en mesure de demander au soleil de briller. Tôt ou tard, et assez tôt en général, force vous était d'admettre que vous étiez entièrement à sa merci. C'est ce qui s'est produit pour moi, en tout cas.

Parce que, à sa merci, je l'étais.

Gavé de chocolats cireux que je devais faire passer avec un énième verre de thé glacé sous les regards insistants d'une meute de petits chiens, tout ça pour tenter d'obtenir le renseignement que je souhaitais – ça a fini par être trop. J'ai tapé du poing sur la table.

— Il faut que j'aille à Ravenwood, tante Prue ! Que je voie Lena. Tu dois m'aider !

Avec un reniflement, elle a balancé la boîte de friandises sur le plan de travail, directement depuis le fauteuil à bascule où elle s'était assise.

— Tiens donc ! s'est-elle offusquée. Voilà que tu me commandes, main'ant ! Est-ce que la place se s'rait libérée et que tu s'rais devenu le nouveau général ? À c'te rythme, tu vas bientôt ec-siger ta propre statue et ta propre pâture !

Nouveau bruit nasillard plein de dédain. J'ai aussitôt baissé d'un ton.

— Tante Prue… Je suis désolé.

— Y a intérêt !

— J'ai seulement besoin de savoir comment me rendre à Ravenwood.

J'avais conscience de supplier comme un désespéré, mais je m'en fichais, parce que, désespéré, je l'étais. Je m'étais révélé incapable d'aller là-bas, physiquement et mentalement, par moi-même. Il existait sans aucun doute un autre moyen.

— On n'attrape pas les mouches avec du vinaig', Ethan Wate. Ton transfert d'un côté à l'autre n'a en r'en amélioré tes mauvaises manières. Oser bousculer une vieille dame comme moi !

J'ai recommencé à perdre patience.

— Je te répète que je suis navré. Je viens d'arriver, je te rappelle. Je suis ignorant du fonctionnement des choses ici. Alors, s'il te plaît, acceptes-tu de m'aider ? As-tu la moindre idée de comment je pourrais me rendre à Ravenwood ?

— Et toi, t'as idée de combien c'tte conversation m'agace ?

— Tante Prue !

Elle a serré la mâchoire et tendu le menton, comme les Harlon James quand ils avaient décidé de ne pas lâcher leur os.

— Il y a forcément une méthode. Ma mère m'a rendu visite à deux reprises. Une fois grâce à un feu qu'Amma et Twyla avaient allumé dans le cimetière Bonaventure. La seconde, dans ma chambre.

— C'est pas fastoche, de se transférer comme ça. Mais bon, ta maman a toujours été plus forte que le commun des mortels. Et si tu lui demandais à elle, hein ?

Elle était irritée.

— Transférer ?

— *Se* transférer. C'est pas un truc pour les froussards. La plupart d'ent' nous, on n'est pas capables d'aller là-bas depuis ici.

— Qu'est-ce c'est censé signifier ?

— Qu'on fait pas de gelée sans avoir inventé l'eau bouillante d'abord, Ethan Wate. Faut le temps. Faut s'habituer à l'eau avant de plonger dedans.

Alors ça, c'était fort de café, de la part de quelqu'un qui, d'après Amma, préparait des confitures si acides qu'elles risquaient de perforer vos tartines. J'ai croisé les bras, assez énervé.

— Et pourquoi je me flanquerais à la flotte, hein ?

Elle m'a toisé tout en s'éventant avec une feuille de papier pliée, comme le dimanche autrefois, lorsque je la conduisais à la messe. Elle a cessé de se balancer dans son rocking-chair. Mauvais signe. J'ai rectifié le tir.

— Pardon.

J'ai attendu que le fauteuil reprenne son mouvement avant d'ajouter, d'une voix plus mesurée :

— Si tu sais quelque chose, je t'en supplie, aide-moi. Tu m'as dit être allée voir tante Grace et tante Charity. Et je me souviens très bien de t'avoir aperçue à tes funérailles.

Elle a tordu la bouche comme si son dentier lui faisait mal. Ou comme si elle essayait de ne pas se trahir.

— T'avais l'âme coupée en deux, à c'moment-là. Un vrai bazar. Tu voyais des choses qu'un Mortel est pas censé voir. Moi, j'ai pas recroisé Twyla depuis c'te jour non plus, alors que c'est elle qui m'a transférée.

— Je n'y arriverai pas tout seul.

— Bien sûr que si. Seulement, tu peux pas débarquer ici, espérer en faire qu'à ta tête et réussir tes doigts sales dans ton nez morveux. C'est comme ça, avec le transfert, comme avec la pêche. Pourquoi je te donnerais le poisson-chat alors que je peux t'apprendre à pêcher ?

J'ai failli m'arracher les cheveux. En cet instant précis, j'aurais volontiers accepté d'accomplir n'importe quoi qui se réalise les doigts dans le nez. Même si les doigts étaient sales, et le nez morveux.

— Et où un gars est-il supposé apprendre à pêcher le poisson-chat, par ici ?

Pas de réponse.

Levant les yeux, j'ai constaté que tante Prue somnolait ; elle avait lâché son éventail improvisé sur ses genoux. La réveiller de ses siestes était mission impossible. Avant en tout cas ; maintenant aussi, sûrement.

En soupirant, j'ai retiré le papier d'entre ses doigts. Il s'est déplié, révélant les contours d'un dessin. On aurait dit l'une de ses cartes, à moitié établie, plus une esquisse brouillonne qu'un véritable état des lieux. Tante Prue était incapable de rester longtemps assise sans se mettre à dresser le plan de son environnement, même dans l'Autre Monde.

C'est alors que je me suis rendu compte que cette feuille-là ne représentait pas Son Jardin du Repos Éternel. Ou si ça l'était, le cimetière était rudement plus grand que je ne l'avais cru.

Ceci n'était pas n'importe quelle carte.

C'en était une de la *Lunae Libri*.

— Comment peut-il y avoir une *Lunae Libri* dans l'Autre Monde ? Ce n'est pas un tombeau ! Personne n'y est mort, si ?

Plongée dans son exemplaire de Dante, ma mère n'a pas réagi. Elle n'avait pas bronché non plus lorsque j'étais rentré brusquement. Elle n'entendait plus rien dès lors qu'elle était absorbée dans sa lecture. Lire était sa version d'un Voyage.

J'ai plaqué une main sur les pages jaunies, claqué des doigts de l'autre.

— Maman !

— Quoi ?

Elle a sursauté, comme si je m'étais amusé à lui flanquer la frousse.

— Permets-moi de t'éviter un gaspillage d'énergie. J'ai vu le film. Le bâtiment de bureaux prend feu. Fin.

J'ai fermé le livre avant de lui tendre l'éventail de tante Prue. Elle s'en est emparée, l'a lissé sur ses genoux.

— Voilà qui confirme ce que j'ai toujours pensé, a-t-elle marmonné avec un sourire. Dante était en avance sur son temps.

Puis elle a retourné la feuille.

— Pourquoi tante Prue a-t-elle dessiné ceci ? ai-je demandé.

Elle n'a pas répondu, concentrée sur le papier.

— Si tu te mets à t'interroger sur les motivations de ta grand-tante, a-t-elle fini par murmurer, prépare-toi à en avoir pour l'éternité.

— Pour quelle raison avait-elle besoin d'une carte ? ai-je insisté.

— Elle aurait surtout besoin de parler à quelqu'un d'autre qu'à toi.

Elle n'en a pas dit plus. Puis, avec un air las, elle s'est mise debout et a passé un bras autour de mes épaules.

— Viens, je vais te montrer.

Je l'ai suivie dans la rue qui n'en était pas une, jusqu'à une concession qui n'était pas que ça et à un tombeau familier qui n'en était même pas un. Dès que j'ai compris où nous étions, je me suis arrêté net.

Ma mère a posé une main sur la stèle de Macon, un sourire nostalgique aux lèvres. Puis elle a poussé la pierre, qui a cédé sans difficulté. Le hall de Ravenwood nous est apparu, désert et fantomatique, étrangement familier, sinon que la parentèle de Lena serait partie pour la Barbade ou une île de ce genre.

— Et alors ? ai-je chuchoté.

L'idée d'entrer ne me tentait guère. À quoi me servirait Ravenwood sans Lena et les siens ? Me retrouver entre ses murs et pourtant très loin d'elle était presque pire.

— Alors, c'est toi qui veux aller à la *Lunae Libri*, n'est-ce pas ? a soupiré ma mère.

— Tu penses à l'escalier secret qui donne sur les Tunnels ? Va-t-il m'y conduire ?

— En tout cas, il ne te mènera pas à la bibliothèque municipale de Gatlin.

L'écartant, je me suis engouffré dans le hall, me suis mis à courir le long du couloir. Le temps qu'elle me rattrape, j'étais déjà dans l'ancienne chambre à coucher de Macon. J'ai soulevé le tapis, puis vivement ouvert la trappe.

Elles étaient bien là.

Les marches invisibles qui descendaient dans l'obscurité des Enchanteurs.

Et, au-delà, dans leur bibliothèque.

Chapitre 5
Une autre Lunae Libri

L'obscurité, s'est-il avéré, est toujours très noire, quel que soit le monde dans lequel on se trouve. Les gradins indécelables sous la trappe, ceux-là mêmes que j'avais dégringolés et montés à tant de reprises au risque de me rompre le cou, étaient tout aussi invisibles qu'autrefois.

Et à la *Lunae Libri* ?

Rien n'avait changé dans les corridors de roche moussue qui nous y ont menés. Les longues rangées de livres et de parchemins antiques conservaient leur allure familièrement spectrale. Des torches continuaient à dispenser leurs reflets vacillants sur les rayonnages.

La bibliothèque des Enchanteurs était identique à ce que j'avais connu de mon vivant, quand bien même j'étais désormais très loin de tout Enchanteur existant.

Notamment de celle, parmi eux, que j'aimais par-dessus tout.

Me saisissant d'un flambeau, je l'ai agité devant moi.

— Ça semble tellement réel, ai-je dit.

— Oui, a acquiescé ma mère. Intact par rapport à mes souvenirs. De bons souvenirs, a-t-elle précisé en effleurant mon épaule. J'adorais cet endroit.

— Moi aussi.

C'était le seul qui m'avait donné quelque lueur d'espoir, lorsque Lena et moi avions été confrontés au problème apparemment inextricable de sa Seizième Lune. Je me suis retourné vers ma mère, à peine discernable dans la pénombre.

— Tu ne m'as jamais rien raconté, maman. J'ignorais que tu étais une Gardienne. Je ne savais rien de cet aspect de ta vie.

— C'est vrai. Pardonne-moi. Mais tu es ici, à présent, et je vais pouvoir tout te montrer. Enfin.

Elle a pris ma main et m'a entraîné dans les profondeurs ténébreuses des rayonnages. Seule la torche nous séparait.

— Bon, a enchaîné ma mère, je ne suis pas bibliothécaire diplômée, mais je connais très bien les lieux. Attaquons-nous à ces manuscrits. J'espère, a-t-elle ajouté en me regardant en biais, que tu ne les as jamais touchés. Sans porter de gants, s'entend.

— T'inquiète. Je m'y suis risqué une fois, je me suis brûlé.

Un grand sourire a étiré mes lèvres. Il était étrange d'être ici en sa compagnie. Même s'il apparaissait désormais comme évident qu'elle y avait autant sa place que Marian. Elle m'a rendu mon sourire.

— Enfin, cela ne doit sans doute plus être un souci, a-t-elle commenté.

— J'imagine que non, en effet.

Les yeux brillants, elle a tendu le doigt vers l'étagère la plus proche. C'était bon de la voir dans son environnement naturel.

— T pour « transfert », a-t-elle décrété en attrapant un parchemin.

Au bout de ce qui a paru durer des heures, nous n'étions pas plus avancés.

— Pourquoi ne me révèles-tu pas tout simplement comment m'y prendre ? ai-je grogné. Pourquoi faut-il que je cherche moi-même ?

Des piles de volumes nous cernaient, entassés sur la table centrale de la *Lunae Libri*. Même ma mère paraissait agacée.

— Je te répète qu'il me suffit d'imaginer l'endroit où je veux aller, et j'y suis. Si ça ne fonctionne pas pour toi, comment veux-tu que je te renseigne plus avant ? Ton âme diffère de la mienne, surtout depuis qu'elle a été fracturée. Tu as besoin d'aide, les livres sont là pour ça.

— Je ne crois pas du tout qu'ils traitent des défunts et de leurs apparitions aux vivants, ai-je rouspété. Du moins, ce n'est pas ce que dirait Mme English.

— Tu n'en sais rien. Les livres ont des tas de raisons d'être. À l'instar de Mme English.

Elle a posé une nouvelle liasse de parchemins poussiéreux sur ses genoux.

— Tiens ! Que penses-tu de celui-ci ?

Elle en a déroulé un et l'a aplati.

— Il ne s'agit pas d'un sortilège. Plutôt d'un texte méditatif. Destiné à aider les moines à se recueillir.

— Je ne suis pas un moine. Et la réflexion intérieure n'est pas mon fort.

— Ça ne m'étonne pas. Tu ne risques rien à t'y frotter, cependant. Allez, fais attention et écoute.

Se penchant sur le rouleau, elle l'a déchiffré à voix haute. Je l'ai lu par-dessus son épaule.

Dans la mort, gisant.
Dans la vie, pleurant.
Porte-moi à la maison
pour que je me rappelle,
pour qu'ils se rappellent.

Les mots ont flotté dans l'air, telle une drôle de bulle argentée. Quand j'ai voulu les toucher, ils se sont évaporés aussi vite qu'ils étaient apparus.

— Tu as vu ça ? ai-je demandé à ma mère.

— Oui. Les sortilèges sont différents, ici-bas.

— Pourquoi est-ce que ça ne marche pas ?

— Essaye l'original en latin. Là. Lis de ton côté.

Elle a rapproché la feuille du flambeau, je me suis penché. La voix tremblante, j'ai déclamé les paroles :

Mortus, iace.
Vibus, fle.
Ducite me domum
ut meminissem,
ut in memoria tenear.

J'ai fermé les yeux. Malheureusement, je ne suis parvenu à songer qu'à la distance qui me séparait de Lena. À ses boucles qui se recourbaient sous l'effet du Souffle Enchanteur. Aux pépites luisantes vertes et dorées de ses prunelles, aussi brillantes et sombres qu'elle-même l'était.

Lena, que je ne reverrais sans doute jamais.

— Allons, un effort, EW !

J'ai soulevé les paupières.

— Ça ne sert à rien.

— Concentre-toi.

— C'est ce que je fais, figure-toi !

— Non. Arrête de penser à l'endroit où tu te trouves en ce moment. À ce que tu as perdu. Au château d'eau, à tout ce qui a suivi. Oblige ton esprit à rester dans la partie.

— J'essaye.

— Non.

— Qu'est-ce que tu en sais ?

— Si c'était le cas, tu ne serais plus ici devant moi. Tu serais à mi-chemin de la maison, avec un pied à Gatlin.

Ah bon ? J'avais du mal à y croire.

— Ferme les yeux.

J'ai docilement obtempéré.

— Répète après moi, a-t-elle ajouté à voix basse.

En silence, ses paroles sont parvenues à mon esprit comme si elle me parlait tout fort.

Nous Chuchotions, elle et moi. Dans la mort, hors du tombeau, dans un univers très lointain. Ça paraissait naturel, comme une activité familière que nous aurions perdue en cours de route.

Porte-moi à la maison.

Porte-moi à la maison, ai-je dit.

Ducite me domum.

Ducite me domum, ai-je dit.

Pour que je me rappelle.

Ut meminissem, ai-je dit.

Pour qu'ils se rappellent.

Ut in memoria tenear, ai-je dit.

Tu te rappelles, mon fils.

Je me rappelle, ai-je dit.

Tu te rappelleras.

Je me rappellerai toujours, ai-je dit. *Je suis l'élu.*

Tu te...

Je me... rappellerai...

Chapitre 6
Le bouton argenté

J'ai ouvert les yeux.

Je me tenais dans le hall de la demeure de Lena. Ça avait marché. Je m'étais transféré. J'étais de retour à Gatlin, dans le monde des vivants qui existait toujours. Le soulagement m'a submergé.

Gatlin n'avait pas disparu. Par conséquent, Lena non plus. Ce qui signifiait que tout ce que j'avais perdu, tout ce que j'avais accompli ne l'avait pas été en vain.

Je me suis adossé à la paroi derrière moi. La pièce ayant cessé de tourbillonner, j'ai relevé la tête et regardé les anciens murs de plâtre alentour.

Puis les marches en volute que je connaissais si bien.

Puis les parquets polis et luisants.

Ravenwood Manor.

Le véritable Ravenwood. Mortel, solide et résistant sous mes pieds. J'étais de retour.

Lena.

J'ai fermé les paupières afin de retenir mes larmes.

Je suis là, L. J'ai réussi.

J'ignore combien de temps je suis resté figé sur place à attendre une réponse. Avais-je vraiment cru qu'elle allait surgir comme ça et se jeter dans mes bras ?

Quoi qu'il en soit, ça ne s'est pas produit.

Elle n'a même pas perçu mon Chuchotement.

J'ai inspiré un bon coup. Je ne me remettais pas de l'énormité de la situation.

Ravenwood était différent par rapport à mon dernier séjour. Ça ne m'a guère étonné, car la maison ne cessait de se modifier. Malgré tout, j'ai compris, aux draps noirs suspendus à tous les miroirs et fenêtres, que, cette fois, elle avait changé pour le pire.

Ce n'était pas seulement les tentures. C'était la neige qui tombait, alors même que j'étais à l'intérieur. Les flocons blancs et froids s'empilaient sur les seuils et dans la cheminée, virevoltaient dans l'air comme des cendres. J'ai contemplé le plafond bondé de nuages orageux qui s'enroulaient le long de la cage d'escalier, jusqu'à l'étage supérieur. Même pour un fantôme, il faisait sacrément froid, et j'ai frissonné.

Ravenwood avait toujours eu une histoire, une histoire qui était celle de Lena. Elle contrôlait les allures de la plantation au gré de ses humeurs. Donc, si la demeure avait cette apparence…

Allons, L. Où te caches-tu ?

Je n'ai pu m'empêcher de tendre l'oreille, guettant une réaction. Je n'ai eu droit qu'au silence.

J'ai traversé le hall glissant de glace, me suis approché du majestueux escalier. Je l'ai grimpé, une marche à la fois, jusqu'au palier.

Quand je me suis retourné, je me suis rendu compte que je n'avais laissé aucune empreinte sur le sol.

— L ? Tu es là ?

Elle n'a rien dit et, lorsque je me suis faufilé par la porte entrouverte de sa chambre, j'ai presque été soulagé de constater qu'elle n'était pas là. J'ai même vérifié le plafond – je l'y avais surprise un jour, allongée.

Cette pièce aussi avait changé – vieille habitude. L'alto ne jouait plus tout seul, il n'y avait plus de gribouillis partout, et les parois n'étaient plus des vitres. L'endroit ne ressemblait plus à une prison. Le plâtre n'était plus fendillé, le lit n'était plus cassé.

Tout s'était volatilisé. Les bagages de Lena étaient bouclés et soigneusement entassés au milieu de la chambre. Les murs et le plafond étaient intacts, immaculés, comme ceux d'une pièce ordinaire.

Apparemment, Lena s'apprêtait à partir en voyage.

Je me suis tiré de là avant d'avoir saisi ce que cela allait signifier pour moi. Avant que j'essaye de trouver une façon de lui rendre visite à la Barbade ou dans tout autre endroit où elle comptait se rendre.

Ça s'est révélé presque aussi difficile que de l'avoir quittée, la première fois.

J'ai gagné la vaste salle à manger où j'avais vécu tant d'autres jours et nuits bizarres. Une épaisse couche de glace recouvrait la table et mouillait le tapis dessous d'un rectangle sombre. J'ai franchi un battant, me suis échappé par la véranda de derrière, celle donnant sur la colline verdoyante qui descendait en pente douce vers la rivière. Là, il ne neigeait pas ; le ciel était juste couvert et lugubre. Rejoindre l'extérieur m'a fait du bien. J'ai emprunté le sentier qui serpentait à l'arrière de la demeure, jusqu'à ce que je parvienne aux citronniers et aux murs de pierre écroulés me signalant que j'étais arrivé à Greenbrier.

J'ai su ce que je cherchais à la seconde où je l'ai vue.

Ma tombe.

Elle était là, au milieu des branches nues des citronniers, tas de terre fraîchement remuée bordé de cailloux et saupoudré d'une neige fine.

Il n'y avait pas de stèle, juste une croix en bois. Ce monceau de terre n'avait guère l'apparence d'une ultime demeure, ce qui, au lieu de m'accabler, m'a quelque peu rassuré.

Les nuages se sont déplacés et, sur la sépulture, un scintillement a attiré mon regard. Quelqu'un avait abandonné l'une des amulettes du collier de Lena au sommet de la croix. Mon estomac a tressauté.

C'était le bouton argenté qui s'était détaché de son pull, le soir de notre rencontre, sous la pluie, sur la Nationale 9. Il s'était coincé dans le vinyle craquelé des sièges avant de La Poubelle. En quelque sorte, j'ai eu l'impression que la boucle était désormais bouclée, entre la première fois que je l'avais vue et la dernière, dans ce monde-ci, du moins.

Le cercle était clos. Début et fin. Si ça se trouve, j'avais vraiment creusé un trou dans le ciel et délité l'univers comme on dévide une pelote de laine. Si ça se trouve, aucun nœud coulant, aucun demi-point, aucun ourlet n'était en mesure de l'empêcher de se détricoter. Il y avait un lien entre mon premier aperçu de ce bouton et l'instant présent, alors qu'il s'agissait du même objet. Un petit bout de l'univers était passé de Lena à moi, à Macon, à Amma, à mon père et à ma mère – peut-être même à Marian et à tante Prue – avant de revenir à moi. J'imagine que Liv et John Breed figuraient quelque part dans cette chaîne, voire Link et Ridley. Et – pourquoi pas ? – tout Gatlin.

Était-ce vraiment important, d'ailleurs ?

La première fois que j'avais aperçu Lena, au lycée, comment aurais-je pu deviner à quoi cela me mènerait ? Au demeurant, aurait-ce été le cas, aurais-je dévié d'un pouce ? J'en doutais fort.

J'ai ramassé le bouton en argent avec précaution. À l'instant où mes doigts l'ont effleuré, ils ont ralenti, comme si j'avais plongé la main au fond d'un lac. J'ai éprouvé le poids de l'étain sans valeur comme s'il avait été celui d'un tas de briques.

Ensuite, je l'ai reposé sur la croix, mais il a roulé et est tombé sur le monceau de terre. J'étais trop fatigué pour tenter de le déplacer de nouveau. Si quelqu'un d'autre que moi était présent, avait-il vu l'objet bouger ? Ou était-ce

seulement moi qui hallucinais ? Quoi qu'il en soit, j'avais du mal à le regarder. Je n'avais pas réfléchi à la manière dont je réagirais en découvrant ma sépulture. Et je n'étais pas encore prêt à gésir, que ce soit ou non en paix.

Je n'étais prêt à rien de tout cela.

Je ne m'étais pas penché sur l'aspect mourir-pour-sauver-le-monde. Quand on est en vie, on ne s'attarde pas sur la manière dont on va passer le temps quand on sera mort. On songe juste qu'on ne sera plus. Quant au reste, advienne que pourra.

À moins qu'on se dise qu'on ne sera pas vraiment mort. Qu'on sera le premier dans l'histoire de l'humanité à y échapper. Peut-être un mensonge que nous sert notre cerveau pour nous éviter de devenir fou lorsqu'on vit.

Sauf que rien n'est aussi simple.

Pas quand on se retrouvait là où j'étais présentement.

Or, si l'on y réfléchit bien, personne n'est tout à fait différent d'autrui.

Voilà le genre d'idées qui traversent l'esprit d'un type qui se rend sur sa propre tombe.

Je me suis assis près de la croix, me suis couché sur le sol dur. J'ai arraché un brin d'herbe qui transperçait la neige. Il était vert, ce qui était toujours ça de gagné. Plus de nature brune et grillée, plus de criquets.

Grâce au Rédempteur du monde, comme aimait à dire Amma.

Tout le plaisir a été pour moi. C'est ce que j'aurais aimé pouvoir dire.

J'ai ramassé une poignée de terre, l'ai laissée couler entre mes doigts. Elle était humide. La situation avait donc vraiment changé, à Gatlin.

Ayant été élevé en bon chrétien sudiste, je n'aurais jamais profané une sépulture. J'avais arpenté des cimetières avec ma mère en veillant soigneusement à éviter de marcher sur la concession sacrée de quelque défunt. C'était Link qui ne trouvait rien de plus rigolo à faire que de s'allonger sur les tombes et de feindre le sommeil là où dormaient les trépassés. Sous prétexte, affirmait-il, de s'entraîner. Des « manœuvres », qu'il appelait ça. « Je tiens à découvrir quelle vue j'ai depuis ici. On ne peut pas attendre d'un gars qu'il parte pour le restant de sa vie sans savoir où il finira, non ? »

Il n'empêche. Manquer de respect à son propre tombeau, c'était une autre affaire.

Soudain, une voix familière a voleté jusqu'à moi, portée par le vent. Étrangement proche.

— On s'habitue, à force.

J'ai tourné les yeux en direction des sépultures voisines et je l'ai vue, avec ses cheveux roux décoiffés. Genevieve Duchannes. L'ancêtre de Lena, la première Enchanteresse à avoir utilisé le *Livre des lunes*, dans une tentative pour ressusciter son bien-aimé, l'Ethan Wate d'origine, mon arrière-arrière-arrière-grand-oncle. Ça n'avait pas mieux fonctionné pour lui que pour moi. Genevieve avait échoué, et la famille avait été maudite.

La dernière fois que je l'avais croisée, c'était quand j'avais creusé sa sépulture en compagnie de Lena pour en déterrer le *Livre des lunes*.

— Genevieve... Madame ?

Je me suis redressé.

Elle a opiné en roulant et déroulant l'une de ses mèches.

— Je pensais bien que tu viendrais. Mais j'ignorais quand exactement. Ça a beaucoup jacassé dans le landerneau.

Elle a souri avant de continuer :

— Si la majorité des tiens a tendance à rester coincée dans Son Jardin, nous autres Enchanteurs nous déplaçons sans contrainte. La plupart d'entre nous préfèrent les Tunnels, cependant. Personnellement, je m'y sens mieux.

Des bavardages ? Je n'en doutais pas une seconde, même s'il était difficile d'imaginer une ville pleine de Diaphanes spectraux en train de s'adonner aux ragots. Certainement, ces derniers étaient plutôt le fait de personnes comme tante Prue.

— Tu n'es qu'un tout jeune homme, a repris Genevieve, dont le sourire s'est estompé. C'est pire, non ? D'être aussi jeune.

— Oui, madame, ai-je acquiescé.

— Enfin, tu es ici, à présent, et il n'y a que cela qui compte. Il me semble que j'ai une dette envers toi, Ethan Lawson Wate.

— Pas du tout, madame.

— J'espère être en mesure de la régler un de ces jours prochains. Que tu m'aies rendu mon médaillon a une très grande importance pour moi. Ne t'attends pas toutefois à beaucoup de gratitude de la part d'Ethan Carter Wate. Où qu'il soit en ce moment. Il a toujours été un peu buté, concernant ces choses.

— Qu'est-il devenu ? Si ce n'est pas trop indiscret, madame.

Je m'étais souvent interrogé sur Ethan Carter Wate, après qu'il eut recouvré la vie durant une seconde. Après tout, il était à l'origine de tout ceci, de tout ce qui nous était arrivé, à Lena et à moi. Il était l'autre extrémité du fil sur lequel nous avions tiré, celui qui avait dévidé l'univers. N'étais-je pas en droit de savoir comment son histoire se terminait ? Elle ne devait pas être pire que la mienne, n'est-ce pas ?

— Je l'ignore. Ils l'ont emmené à la Garde Suprême. Il nous était interdit d'être ensemble, ce que tu sais, bien sûr. Je l'ai appris à mes dépens.

Ses intonations étaient tristes et distantes. Ses paroles ont déclenché un écho dans mon esprit, réveillant des pensées que j'avais essayé de repousser jusqu'à maintenant. La Garde Suprême. Les Gardiens des *Chroniques des Enchanteurs*. Ceux-là mêmes dont ma mère refusait de parler. Genevieve non plus n'avait pas l'air d'avoir envie de s'étendre sur ce sujet.

Pourquoi personne ne souhaitait-il aborder ce thème ? Sur quoi exactement portaient donc les *Chroniques* ?

Mon regard est allé de Genevieve aux citronniers. Nous étions sur le site du premier grand incendie. L'endroit où les terres de sa famille avaient brûlé et où Lena avait tenté d'affronter Sarafine pour la première fois.

Amusant de constater la façon dont l'histoire se répétait, dans ces parages.

Encore plus amusant que je sois la dernière personne de Gatlin à l'avoir compris.

Néanmoins, j'avais moi aussi découvert quelques petits trucs malgré moi.

— Vous n'êtes pas fautive, ai-je murmuré. Le *Livre des lunes* joue des tours aux gens. Je ne crois pas qu'il ait été destiné aux Enchanteurs de la Lumière. À mon avis, il voulait vous vouer aux Ténèbres.

Elle m'a lancé un tel regard que je me suis excusé, puis tu.

— Peut-être, a-t-elle commenté avec un haussement d'épaules. Durant les cent premières années, c'est ce que j'ai cru. Que cet ouvrage m'avait dérobé quelque chose. Que j'avais été dupée…

Elle s'est interrompue. Elle n'avait pas tort. Elle avait tiré la courte paille.

— Mais, a-t-elle poursuivi, j'ai fait mes propres choix. Bons ou mauvais. Il ne me reste plus qu'eux, désormais. Ils sont ma croix, et c'est à moi de la porter.

— C'était par amour, ai-je protesté.

Comme Lena et Amma avec moi.

— En effet. Cette idée m'aide à endurer mon fardeau. Je regrette juste que mon Ethan ait également à en subir les conséquences. La Garde Suprême est un endroit cruel. (Elle a contemplé sa propre tombe.) Ce qui est fait est fait. On ne triche pas plus avec la mort qu'avec le *Livre des lunes*. Il faut toujours que quelqu'un paye le prix. (De nouveau, elle a eu un sourire mélancolique.) J'imagine que tu le sais, sinon tu ne serais pas ici.

— Je crois, oui.

En vérité, je le savais mieux que quiconque.

Tout à coup, une branche s'est brisée, puis quelqu'un a crié :

— Arrête de me suivre, Link !

Genevieve Duchannes s'est aussitôt évaporée. J'ignore comment elle s'y est prise, mais j'en ai été tellement dérouté que j'ai commencé à m'effacer à mon tour. Cependant, je me suis accroché à la voix, parce qu'elle m'était si familière que je l'aurais reconnue n'importe où. Parce qu'elle avait des allures de foyer, de chaos, de tout.

C'était elle qui à présent m'ancrait dans le monde des Mortels, comme elle avait enchaîné mon cœur à Gatlin du temps de mon vivant.

L.

Je me suis pétrifié. Alors qu'elle ne pouvait me voir.

— Et toi, n'essaye pas de me semer !

Link galopait lourdement derrière pour ne pas se laisser distancer par Lena qui filait entre les citronniers. Elle a secoué la tête comme si ce geste pouvait la débarrasser de lui.

Lena.

Elle a surgi des broussailles, et j'ai croisé son regard vert et or. C'en était trop. Je n'ai pas pu me retenir.

— Lena ! ai-je hurlé de toutes mes forces, et mon cri s'est élevé dans le ciel blanc.

Je me suis rué sur le sol gelé, foulant les mauvaises herbes jusqu'au sentier pierreux. Je me suis jeté dans ses bras... ai roulé par terre, de l'autre côté d'elle.

— Je n'essaye rien du tout, a-t-elle rétorqué. Je te sème, point barre.

J'avais presque oublié que je n'étais pas réellement là, pas d'une façon qu'elle était en mesure de sentir en tout cas. Je suis resté allongé en tâchant de recouvrer mon souffle. Puis je me suis hissé sur les coudes, car Lena, elle, était bien là, et il était hors de question que je loupe une seconde du spectacle.

Sa façon de bouger, l'inclinaison de sa tête, la douceur de sa voix – elle était la perfection incarnée, pleine de vie, de beauté et de tout ce que je n'étais plus en droit de posséder.

De tout ce qui ne m'appartenait pas.

Je suis là. Juste à côté. Tu ne le devines donc pas, L ?

— Ce n'est rien qu'une petite visite, a-t-elle argué. Je ne suis pas venue ici de toute la journée. Je ne veux pas qu'il se sente seul, qu'il s'ennuie ou qu'il soit fâché. Ou n'importe quoi d'autre.

Elle s'est agenouillée près de ma tombe, a plongé ses doigts dans l'herbe glacée.

Je ne suis pas seul. Mais tu me manques.

Link a passé une main dans ses cheveux.

— Je te signale que tu viens d'aller chez lui, a-t-il répondu. Puis tu l'as cherché au château d'eau et enfin dans ta chambre. Maintenant, c'est sa tombe. Tu devrais sûrement trouver mieux à faire.

— Et toi, tu devrais trouver mieux à faire que de m'embêter, Link.

— J'ai promis à Ethan de veiller sur toi.

— Tu ne piges rien.

Link avait l'air aussi irrité qu'elle était agacée.

— De quoi ? s'est-il récrié. Je te rappelle qu'il était mon *meilleur ami* depuis le jardin d'enfants !

— Ne parle pas comme ça. Il est toujours ton meilleur ami.

— Lena !

Link était dans l'impasse.

— Il n'y a pas de Lena qui tienne. Je pensais que, plus que n'importe qui, tu saisirais comment les choses fonctionnent, par ici.

Lena était blême, sa bouche se plissait d'une drôle de manière, entre sourire et larmes, comme si elle était impuissante à décider laquelle des deux émotions favoriser.

Ça va aller, Lena. Je suis juste ici.

Cependant, à l'instant même où j'exprimais ceci, j'ai eu conscience que personne ne parviendrait à réparer les dégâts. La vérité, c'était que, dès lors que j'avais sauté du château d'eau, tout avait changé, et ce, de manière irrémédiable.

Pour un bon moment, en tout cas.

En revanche, je ne m'étais pas douté à quel point ce serait difficile à supporter de ce côté-ci du monde. Pour moi au moins. Parce que, si j'étais témoin de tout, je ne pouvais pas intervenir.

Je me suis levé et rapproché. J'ai tendu les doigts, les ai enroulés autour de ceux de Lena. Ma main a glissé à travers la sienne. En me concentrant, j'en ai toutefois éprouvé le poids et la consistance.

Pour la première fois, je n'ai pas subi de choc. Pas de brûlure. Pas de décharge électrique.

C'est sûrement ça, la mort.

— Facilite-moi la tâche, Lena ! a plaidé Link. Je ne cause pas la langue des poulettes, tu le sais bien, et Rid n'est pas là pour traduire.

— Les *poulettes ?* a piaillé Lena en le foudroyant du regard.

— Oh, ça va. J'ai déjà du mal à parler un anglais qui ne soit pas celui des péquenots du coin.

— Je croyais que tu étais censé chercher Ridley.

— Je l'ai fait, figure-toi. Dans les Tunnels, partout où Macon m'a expédié, et même dans des lieux qu'il n'aurait jamais souhaité que je voie. Bon sang de bois ! Je n'ai trouvé personne qui l'ait croisée.

Lena s'est assise et a entrepris de rectifier l'ordonnancement des cailloux bordant ma sépulture.

— Il faut qu'elle revienne à la maison, a-t-elle dit. Ridley sait comment tout ça marche. Elle m'aidera à agir comme il se doit.

— Tu débloques ou quoi ?

À son tour, Link s'est assis par terre, près d'elle, près de moi.

Comme au bon vieux temps, quand nous nous perchions tous les trois sur les gradins du stade, au lycée. La différence, c'est qu'ils n'avaient pas la moindre idée de ma présence.

— Il n'est pas mort, s'est entêtée Lena. Exactement comme oncle Macon ne l'était pas. Ethan reviendra, tu verras. Je suis certaine qu'il essaye de me contacter à cette heure.

J'ai serré ses doigts. Elle avait raison.

— Ne penses-tu pas que tu le sentirais, si c'était vrai ? a objecté Link, dubitatif. S'il était ici, il nous avertirait, non ?

De nouveau, j'ai tenté de me manifester à travers la main de Lena. En vain.

Vous ne pourriez pas être plus attentifs, vous deux ?

— C'est compliqué, a répondu Lena en secouant la tête. Je ne suis pas en train de prétendre qu'il est juste là, entre nous, un truc dans le genre.

Et pourtant, si. J'étais là entre eux, un truc dans le genre.

Les enfants ? Je suis ici !

Je Chuchotais avec l'impression de m'époumoner en vain.

— Ah ouais ? Et comment sais-tu où il est ou pas ?

L'éducation religieuse de Link ne l'aidait pas franchement, sur ce coup-là. Il imaginait sûrement des maisons dans les nuages et des chérubins ailés.

— D'après oncle Macon, les esprits de fraîche date ignorent qui ils sont et ce qu'ils font. Ils savent à peine comment ils sont morts et ce qui leur est arrivé dans la vraie vie. C'est bouleversant, de débouler brusquement dans l'Autre Monde. Ethan n'est peut-être pas encore au courant de qui il est ou de qui je suis.

Oh que si ! Comment aurais-je pu oublier quelqu'un comme elle ?

— Ben tiens ! Enfin, admettons que tu aies raison. Il n'y a donc pas de quoi t'inquiéter. Liv m'a promis qu'elle le locali-

serait. Elle a bidouillé son espèce de montre. Elle l'a transformée en Ethan-Watomètre.

— J'aimerais bien que ce soit aussi facile ! a soupiré Lena.

Elle a attrapé la croix.

— Ce machin s'est encore affaissé.

— N'importe quoi ! s'est énervé Link. Aucune médaille ne récompense les pilleurs de tombes lors des rencontres sportives des scouts de Gatlin, ma vieille !

— Je te parle de la croix, pas de la tombe.

— C'est toi qui as refusé qu'on installe une stèle.

— Il n'en a pas besoin puisqu'il n'est pas...

Elle s'est brusquement interrompue et figée net. Elle venait de remarquer que le bouton argenté n'était plus à sa place.

Évidemment, puisque je l'avais fait tomber.

— Regarde, Link !

— Je regarde. C'est une croix. Ou deux simples bouts de bois, selon l'angle d'où tu les observes.

Link a louché. Il commençait à décrocher, il suffisait de voir la façon dont ses yeux se voilaient, comme j'en avais été le témoin chaque jour au bahut.

— Mais non ! a rectifié Lena en tendant le doigt. Le bouton.

— Ouais. C'en est un. Y a pas à tortiller.

Link a contemplé Lena comme si c'était elle la débile. Une perspective probablement terrifiante.

— C'est le *mien*. Et il n'est plus là où je l'avais mis.

— Et alors ?

— Tu ne comprends pas ? s'est-elle écriée, pleine d'espoir.

— Ça m'arrive rarement.

— Ethan est venu ici. C'est lui qui l'a déplacé.

Alléluia, L ! Ce n'est pas trop tôt.

On avançait. J'ai tendu les bras vers elle, qui s'est jetée dans ceux de Link. Elle l'a serré très fort. Ben tiens ! Puis elle s'est reculée, excitée comme une puce.

— Du calme ! a maugréé Link, gêné. C'est peut-être le vent. Ou je ne sais pas, moi, une bestiole.

— Non.

J'ai reconnu son ton définitif. Rien ni personne ne parviendrait à changer l'opinion de Lena, si irrationnelle soit-elle.

— Tu m'as l'air bien sûre de toi.

— Je le suis.

Les joues de Lena étaient roses, ses yeux brillaient. Ouvrant son calepin, elle a détaché son marqueur miniature du collier qu'elle ne quittait presque jamais. J'ai souri par-devers moi. C'était moi qui le lui avais offert, au sommet du château d'eau de Summerville, il n'y avait pas si longtemps de cela.

Puis mon sourire s'est mué en une grimace.

Elle a gribouillé quelques lettres, a arraché la page et, à l'aide d'un caillou, l'a coincée au sommet de la croix. Le papier a voleté dans la brise, mais ne s'est pas envolé.

Elle a souri en essuyant une larme.

Elle n'avait écrit qu'un mot. Elle et moi en connaissions cependant l'importance. C'était une référence à l'une des premières conversations que nous avions eues, quand elle m'avait révélé quelle était l'épitaphe du poète Bukowski. Rien que trois mots : « N'essaye pas. »

Seul un terme baptisait la feuille déposée sur ma sépulture. En lettres majuscules. Encore humides et sentant le feutre.

Le feutre, les citrons et le romarin.

Tout ce qui résumait Lena.

ESSAYE

Je le ferai, L.
Je te le promets.

Chapitre 7
Mots croisés

Après avoir observé Lena et Link qui s'éloignaient en direction de Ravenwood, j'ai deviné qu'il me restait encore un endroit où aller, une personne à qui rendre visite avant de me retirer. Elle était plus propriétaire de notre maison qu'aucun Wate ne le serait jamais. Elle la hantait tel un fantôme, alors même qu'elle était constituée de chair et de sang.

Je redoutais un peu ces retrouvailles, parce qu'elle devait être dévastée. Il n'empêche, il me fallait la voir.

Les choses avaient mal tourné.

Je n'étais pas en mesure de revenir là-dessus, quelle qu'en soit mon envie.

Tout semblait biaisé, et même avoir retrouvé Lena n'améliorait rien.

Comme aurait dit tante Prue, tout était de traviole.

Or, dans ce royaume-ci comme dans l'autre, Amma avait toujours été la seule à pouvoir me remettre d'aplomb.

Assis sur le trottoir opposé, j'attendais que le soleil se couche. Je ne parvenais pas à bouger. Je ne le voulais pas.

Je voulais regarder le soleil disparaître derrière la maison, l'étendage à linge, les vieux arbres et la haie ; je voulais observer la lumière du jour qui s'estompait et assister à l'allumage progressif des lampes à l'intérieur. J'ai guetté le halo familier dans le bureau de mon père, mais il ne s'est pas produit. Il bossait sûrement à la fac, comme si de rien n'était. Travaillait-il encore sur son projet de livre intitulé *Dix-huit Lunes* ? À moins que le rétablissement de l'Ordre des Choses ait mis fin à cela également.

La fenêtre de la cuisine était éclairée, elle.

Amma.

La petite vitre carrée voisine émettait des lueurs intermittentes. Les Sœurs regardaient sans doute la télévision.

Soudain, dans le jour déclinant, j'ai remarqué quelque chose de curieux. Notre ancestral lilas des Indes n'était plus adorné de bouteilles. C'était à lui qu'Amma suspendait des flacons vides et fêlés, afin d'éloigner ou de piéger tout mauvais esprit susceptible de rôder dans le coin.

Qu'étaient-elles devenues, ces bouteilles ? Pourquoi avait-elle éprouvé le besoin de les enlever ?

Me levant, je me suis légèrement rapproché. À présent, je distinguais l'intérieur de la cuisine. Amma était installée à l'antique table en bois, certainement occupée à faire des mots croisés. J'imaginais son crayon n° 2 en train de gratter la page, je l'entendais presque crisser.

Traversant la pelouse, je me suis planté dans l'allée, juste devant la fenêtre. Pour une fois, je n'ai pas regretté d'être invisible : qui osait épier par les carreaux, le soir à Gatlin, incitait les habitants bien élevés à sortir leurs carabines. Mais bon, il y en avait beaucoup, des choses qui donnaient aux gens du coin des démangeaisons dans la crosse de leur flingue.

Redressant la tête, Amma a fixé l'obscurité, telle une biche prise dans les phares d'une voiture. J'aurais juré qu'elle m'avait vu. C'est alors que de véritables phares ont lui dans mon dos, et que j'ai compris que ce n'était pas moi qu'elle guettait.

C'était mon père, au volant de la vieille Volvo de ma mère. Il m'a carrément roulé dessus quand il s'est garé. Comme si je n'étais pas là.

Ce qui, à bien des égards, était le cas.

Debout devant la demeure que j'avais passé tant d'étés à repeindre, j'ai caressé les coups de pinceau apparents près de la porte. Ma main s'est à moitié enfoncée dans le mur. Un peu comme si je l'avais fichée dans l'accès magique à la *Lunae Libri*, celui qui avait des allures de grille toute bête.

Retirant mes doigts, je les ai examinés.

Rien à redire.

Avançant d'un pas, je me suis carrément enfoui dans la paroi. Et m'y suis retrouvé prisonnier. Ça brûlait, comme si j'étais entré dans une cheminée où crépitait un feu. Il faut croire que glisser une main chez moi était une chose, vouloir y projeter mon corps tout entier en était une autre.

J'ai contourné la maison pour tester la porte de devant. Sans résultat. Je ne suis même pas arrivé à balancer mon pied dedans. J'ai alors tenté la fenêtre qui surplombait la table, puis celle de l'évier. J'ai essayé les vitres de derrière, les latérales, et même la chatière qu'Amma avait fait installer pour Lucille.

Que dalle.

Lorsque je suis revenu à la vitre de la cuisine, et que j'ai découvert ce que fabriquait Amma, j'ai enfin saisi les raisons de ce phénomène. Ce n'étaient pas les mots croisés du *New York Times*, encore moins ceux du *Stars and Stripes*[1]. Elle tenait une aiguille et non un crayon dans une main, un bout de tissu et non une feuille de papier dans l'autre. Elle s'adonnait à une tâche que je l'avais vue accomplir des milliers de fois, une tâche qui n'était pas destinée à amélio-

---

1. Autrement dit, le drapeau américain. Journal fondé à l'origine par les armées confédérées lors de la guerre de Sécession.

rer le vocabulaire de quiconque ni à entretenir l'astuce des fins esprits new-yorkais.

Tout cela avait pour but de protéger les âmes des gens, de protéger le comté de Gatlin.

En effet, Amma cousait une petite bourse d'ingrédients, l'un de ses infâmes sachets magiques comme ceux que je trouvais dans mes tiroirs, sous mon matelas et, parfois, dans mes poches. À en juger par la façon dont ma maison m'était totalement interdite, elle avait dû s'activer sans répit depuis que j'avais plongé du château d'eau.

Comme d'habitude, ses charmes – infranchissables – étaient censés écarter le malheur de chez nous. La ligne de sel répandue sur le rebord de la croisée était encore plus épaisse que d'ordinaire. Pour la première fois, je me suis rendu compte que ses folles manigances étaient efficaces. Pour la première fois, j'ai remarqué l'étrange lueur qui émanait du sel, comme si la substance qui l'animait fuyait autour du cadre de la fenêtre pour se répandre dans l'atmosphère.

Super !

Je m'escrimais à secouer la moustiquaire de la porte arrière lorsque j'ai entraperçu l'escalier qui descendait à la cave et au stock de conserves d'Amma. J'ai aussitôt songé au passage secret situé au fond de la petite réserve, derrière les rayonnages de provisions, celui qui avait sûrement servi au Chemin de fer clandestin[1]. Je me suis efforcé de me rappeler d'où venait le tunnel à l'intérieur duquel nous avions découvert la *Temporis Porta*, le portail enchanté qui ouvrait sur la Garde Suprême. Je me suis alors souvenu de la trappe sise dans le champ, de l'autre côté de la Nationale 9. Je l'avais empruntée pour sortir de chez moi un jour ; elle m'y ramènerait peut-être ce soir-là.

---

1. *Underground Railroad* en anglais. Réseau de chemins et de refuges qui permit aux esclaves noirs de fuir le Sud vers le Canada ou le Mexique à travers une quinzaine d'États. On estime que plus de cent mille fugitifs ont ainsi réussi à échapper à leur condition avec l'aide des abolitionnistes.

Fermant les yeux, je me suis focalisé de toutes mes forces sur cet endroit. J'avais déjà essayé de m'imaginer ailleurs, sans résultat. Ça ne voulait pas dire pour autant que je n'avais pas le droit de recommencer. Ma mère soutenait que c'était efficace pour elle. Il me suffisait sûrement de me représenter quelque part avec assez de conviction pour que je m'y retrouve. Un peu comme les souliers rubis du *Magicien d'Oz*. Sans les godasses, s'entend.

Bref, j'ai pensé à la fête foraine.

Je me suis concentré sur les mégots de cigarettes, les herbes foulées, la terre tassée qui portait encore les stigmates des tentes et des caravanes des forains, pourtant partis depuis belle lurette.

Rien.

J'ai recommencé. Toujours rien.

J'ignorais comment le Diaphane moyen se débrouillait. Par conséquent, j'étais bel et bien coincé. J'ai failli renoncer et partir, dans l'idée que si j'arrivais à la Nationale 9, je pourrais toujours grimper en douce à bord d'un pick-up.

J'étais à deux doigts de laisser tomber, lorsque j'ai songé à Amma. J'avais une telle envie d'entrer chez moi que j'en ai eu le goût sur le bout de la langue, comme si j'avais englouti toute une assiettée du bœuf braisé en cocotte de ma gouvernante. J'ai pensé combien elle me manquait, combien je désirais l'embrasser, me faire enguirlander par elle, dénouer son tablier – autant de rites qui avaient rythmé ma vie entière.

À l'instant où ces réflexions se formaient clairement dans mon cerveau, mes pieds se sont mis à bourdonner. J'ai baissé les yeux, mais je ne les voyais plus. Je me sentais comme un cachet effervescent qu'on aurait jeté dans un verre d'eau où tout pétillait.

Puis j'ai disparu.

Je me suis retrouvé debout dans le tunnel, juste en face de la *Temporis Porta*. Elle m'a semblé aussi sinistre dans la mort que dans la vie, et j'ai été heureux de m'en éloigner en prenant la direction de la maison. Malgré l'obscurité, je n'ai eu aucun problème à m'orienter.

J'ai couru tout le long du trajet.

J'ai déboulé dans la réserve, j'ai grimpé les marches deux à deux et j'ai surgi dans la cuisine. Maintenant que j'avais contourné l'obstacle du sel et des grigris, les murs paraissaient avoir perdu leur hostilité à mon encontre. Du moins, je n'en ressentais plus aucune.

Revenir ici m'a donné l'impression de patauger en plein dans l'une des interminables séances de diapos qu'organisaient les Sœurs – on se plaçait devant le projecteur à la centième photo du bateau de croisière, on baissait soudain les yeux et on était écrasé par le navire. Ça y ressemblait. Rien qu'une projection, aussi irréelle que les souvenirs des Bahamas d'autrui.

Amma n'a pas réagi à mon approche. Pour la première fois depuis sa création, le plancher n'a pas gémi, et j'ai songé à toutes les occasions où j'aurais apprécié qu'il soit silencieux, lorsque j'avais tenté de m'éclipser en douce de cette cuisine, de cette demeure, loin de l'œil inquisiteur d'Amma. Ces escapades exigeaient rien de moins qu'un miracle et, même alors, elles échouaient le plus souvent.

Vivant, je n'aurais pas craché sur les talents d'un ou deux Diaphanes ; désormais, j'aurais donné n'importe quoi pour qu'on se rende compte de ma présence. Ironique, n'est-ce pas ? Comme on dit, mieux vaut être prudent avec les souhaits qu'on formule.

J'ai stoppé net. Plus exactement, ce sont les odeurs émanant du four qui m'ont arrêté.

La cuisine embaumait le paradis – ce que devait sentir le paradis, un endroit qui me tracassait particulièrement depuis peu. Les deux arômes les plus merveilleux sur terre. D'abord, celui de l'épaule de porc à la moutarde sucrée. J'aurais identifié la fameuse sauce d'Amma n'importe où,

de même que sa viande si longtemps mijotée qu'elle se délitait au premier coup de fourchette.

Ensuite, celui du chocolat. Pas n'importe lequel. Non, le chocolat le plus dense et le plus noir qui soit, celui du fondant d'Amma, mon dessert préféré. Celui qu'elle ne cuisinait jamais pour un concours ni une famille dans la douleur, mais juste pour moi, pour fêter un anniversaire, un bon bulletin, ou me réconforter d'une journée pourrie.

C'était mon gâteau, comme la tarte meringuée au citron était celui d'oncle Abner.

Je me suis laissé tomber sur la chaise la plus proche et me suis pris la tête entre les mains. Le fondant n'était pas pour moi ; il était pour elle. Une offrande à porter à Greenbrier, à déposer sur ma tombe.

La perspective de cette pâtisserie abandonnée sur la terre fraîchement remuée au pied de la petite croix en bois m'a donné envie de vomir.

J'étais dans une situation pire que la mort.

J'étais l'un des Grands, en beaucoup moins grand.

Le minuteur a retenti, et Amma a reculé sa chaise. Elle a poignardé son sachet magique d'un ultime coup d'aiguille avant de le lâcher sur la table.

— On ne va pas laisser sécher ton gâteau, hein, Ethan Wate ? a-t-elle marmonné.

Elle a ouvert la porte du four, libérant une bouffée de chocolat bouillant. Elle a enfoncé ses maniques si loin à l'intérieur que j'ai craint qu'elles ne prennent feu. Puis, avec un soupir, elle a vivement sorti le plat et l'a quasiment balancé sur la cuisinière.

— Faut que ça refroidisse un peu. Je ne voudrais pas que mon garçon se brûle la langue.

Ayant humé de bonnes odeurs, Lucille a débarqué dans la pièce. Elle a bondi sur la table, comme d'habitude, afin de s'arroger le meilleur point de vue possible.

Mais lorsqu'elle m'a vu assis près d'elle, elle s'est mise à piauler de manière horrible. Ses prunelles m'ont fixé avec répulsion, à croire que j'étais une créature immonde qui l'offensait personnellement.

Hé, Lucille ! Toi et moi, on se connaît depuis des lustres.

Amma a regardé la chatte.

— Qu'est-ce qu'il y a, ma vieille ? Tu veux me dire quelque chose ?

Lucille a de nouveau miaulé. Elle était en train de me dénoncer à ma gouvernante. D'abord, ça m'a agacé. Puis j'ai compris qu'elle me rendait service. Amma l'écoutait, en tout cas. Mieux, même, elle fronçait les sourcils et inspectait les environs.

— Qui est là ? a-t-elle fini par demander.

J'ai souri à Lucille et tendu la main pour la caresser derrière les oreilles. Elle s'est contractée nerveusement à mon contact. De son côté, Amma examinait la cuisine de son œil de lynx.

— Je ne veux personne chez moi, a-t-elle râlé. Je n'ai pas besoin d'esprit dans mes pattes. Il n'y a plus rien à voler, ici. Juste un tas de vieilles dames démolies et de cœurs brisés.

Lentement, elle s'est emparée de la Menace du Cyclope qui trônait dans un pot sur le comptoir. On y était. Sa cuiller de justice toute-puissante et trompe-la-mort. Plus que jamais ce soir, le trou pratiqué au milieu du bois avait des allures d'œil à qui rien n'échappait. Je ne doutais d'ailleurs pas qu'il soit en mesure de voir, aussi bien que sa maîtresse peut-être. Dans mon état actuel – quel qu'il soit –, j'étais conscient de l'étrange pouvoir de l'objet. À l'instar du sel, il brillait presque, laissant un sillage lumineux derrière lui quand Amma le brandissait. Il faut croire que le pouvoir épouse toutes les formes et les tailles. En ce qui concerne la Menace du Cyclope, j'étais le mieux placé pour admettre qu'il était capable de tout.

Mal à l'aise, je me suis tortillé sur mon siège. Lucille m'a de nouveau toisé en crachant. Son insolence m'a donné envie de lui cracher dessus à mon tour.

Crétine de chatte. Je suis encore chez moi, Lucille Ball.

Amma a regardé dans ma direction, comme si elle me fixait droit dans les yeux. La précision de sa mire m'a flanqué la frousse. Elle a levé sa cuiller en bois au-dessus de nos têtes.

— Écoutez-moi bien, a-t-elle repris. Je n'apprécie pas beaucoup que vous fourriez votre nez dans ma cuisine sans avoir été invité. Alors, soit vous fichez le camp d'ici, soit vous vous présentez, entendu ? Pas d'intrusion dans cette famille. Elle en a déjà assez subi comme ça.

Il me fallait réagir vite. Le parfum qui émanait de la bourse d'Amma m'écœurait, à dire vrai, et je manquais d'expérience pour ce qui était de hanter des lieux – si ça se trouve, je n'étais même pas qualifié pour ça. Je jouais dans une cour qui n'était pas la mienne.

J'ai contemplé le fondant au chocolat. Je ne désirais pas le manger, mais je savais qu'il était le médium qui m'aiderait à envoyer un message à Amma, comme le bouton argenté avec Lena. Plus j'y songeais, plus j'étais sûr qu'il fallait que je me serve de ce moyen pour communiquer.

J'ai avancé d'un pas, suis passé sous la cuiller défensive et ai plongé ma main dans le gâteau, le plus profond possible. Ça n'a pas été aisé, et j'ai eu l'impression d'essayer d'attraper une pleine poignée de ciment quelques secondes seulement avant qu'il ne durcisse complètement et ne se transforme en trottoir.

Mais j'y suis parvenu.

J'ai arraché un gros morceau du dessert et l'ai balancé sur la cuisinière, à côté du moule. Si j'avais mordu dedans, le résultat aurait été le même : un trou béant sur le flanc du gâteau.

Un coup de dents énorme et spectral.

— Non ! a soufflé Amma, ahurie, sa cuiller dans une main, son tablier dans l'autre. C'est toi, Ethan Wate ?

J'ai hoché la tête, bien qu'elle ne me voie pas. Elle a néanmoins dû ressentir quelque chose, parce qu'elle a abaissé la Menace du Cyclope et s'est affalée sur une chaise. Les larmes ont roulé sur ses joues comme sur celles d'un bébé dans la salle réservée aux tout petits enfants, à l'église.

Je l'ai perçu entre ses sanglots.

Rien qu'un chuchotement, aussi clair que si elle avait hurlé mon nom, cependant.

— Mon garçon.

Ses doigts tremblaient en agrippant le rebord de la table. Amma avait beau être l'une des plus grandes Voyantes du Sud, elle n'en restait pas moins une Mortelle.

Moi, j'étais autre chose, à présent.

J'ai placé ma paume sur sa main et j'aurais juré qu'elle a glissé ses doigts entre les miens. Elle se balançait doucement, comme elle le faisait lorsqu'elle chantait un cantique qu'elle aimait ou qu'elle était sur le point d'achever une grille de mots croisés particulièrement difficile.

— Tu me manques, Ethan Wate. Plus que tu ne l'imagines. Je ne supporte plus mes mots croisés. Je ne me rappelle plus comment cuire un rôti.

Elle s'est essuyé les yeux du revers de la main, l'a laissée sur son front comme si elle avait la migraine.

Tu me manques aussi, Amma.

— Ne t'éloigne pas trop de la maison. Pas tout de suite. Tu m'entends ? J'aurai des trucs à te dire, un de ces jours prochains.

Promis.

Lucille s'est léché la patte avant de la passer sur ses oreilles. Puis elle a sauté de son perchoir et a miaulé une dernière fois avant de commencer à se diriger vers la porte. Elle ne s'est arrêtée que pour me fixer. M'aurait-elle parlé que je l'aurais comprise.

Alors ? Dépêche-toi un peu. Tu me fais perdre mon temps, mon garçon.

Me retournant, j'ai enlacé Amma, enroulant mes longs bras autour de sa silhouette menue, comme tant de fois auparavant.

Lucille a incliné la tête. Elle attendait. J'ai donc fait ce que j'avais toujours fait avec cette chatte. Je l'ai suivie.

Chapitre 8
BOUTEILLES BRISÉES

Lucille a gratté à la porte de la chambre d'Amma, qui s'est ouverte.

Les pénates de ma gouvernante avaient à la fois meilleure et pire allure que la dernière fois que j'y étais entré, le soir où j'avais sauté du château d'eau. Ce jour-là, les bocaux de sel, de pierres de rivière et de terre de cimetière – ingrédients composant bien des sortilèges qu'elle concoctait – avaient disparu des étagères, ainsi que deux dizaines de flacons. Ses livres de « recettes » étaient éparpillés sur le plancher, dénués des moindres charmes ou poupées vaudou.

La pièce reflétait alors l'état d'esprit d'Amma – l'égarement, le désespoir. Un souvenir douloureux.

Là, la chambre était complètement différente, même si, pour autant que j'en puisse juger, elle continuait de renfermer les sentiments intérieurs d'Amma, ce qu'elle refusait de montrer aux autres. Portes et fenêtres étaient surchargées de talismans, encore plus complexes et efficaces que les anciens, qui avaient pourtant fait leurs preuves. Cailloux savamment disposés autour du lit, bouquets d'aubépine suspendus aux croisées, girandoles de perles ornées de minuscules figurines de saints en argent et de symboles drapées aux montants du lit.

Elle se donnait bien du mal pour écarter quelque chose.

Les bocaux étaient serrés les uns contre les autres, ainsi que je me les rappelais, les rayonnages n'étaient plus vides. Ils supportaient des bouteilles en verre fendues, marron, vertes et bleues. Je les ai aussitôt reconnues comme celles ayant parsemé le lilas des Indes du jardin de devant.

Amma les avait retirées. Elle ne craignait peut-être plus les mauvais esprits. Ou alors, elle ne tenait pas à en piéger un qui soit innocent.

Les flacons ne contenaient rien, même si chacun était fermé par un bouchon. J'en ai effleuré un vert-bleu fêlé sur tout un côté. Lentement, et beaucoup plus difficilement qu'il l'était de pousser La Poubelle jusqu'au sommet de la colline de Ravenwood un jour d'été, je l'ai débouché. La pièce s'est dissipée…

Le soleil tapait dur, une brume planait au-dessus des marais, telles des apparitions. Toutefois, la fillette aux cheveux soigneusement tressés ne s'y trompait pas. Les fantômes étaient constitués d'autre chose que de vapeur et de brouillard. Ils étaient aussi réels qu'elle-même, ils attendaient que sa très vieille grand-maman ou que ses tantes les convoquent. Et ils ressemblaient aux vivants comme deux gouttes d'eau.

Certains étaient gentils, comme les petites filles qui jouaient à la marelle et aux jeux de ficelle avec elle. D'autres étaient méchants, comme le vieillard qui arpentait le cimetière de Wader's Creek les jours d'orage. Quelle que soit leur nature, les esprits pouvaient apporter une aide précieuse ou rouspéter, selon leur humeur et ce qu'on avait à leur offrir. Apporter un cadeau était toujours une bonne idée. Son arrière-arrière-grand-maman le lui avait appris.

La maison était située au sommet du coteau surplombant la rivière, pareille à un phare bleu usé par les intempéries qui guidait à bon port tant les vivants que les trépassés. À la tombée de chaque nuit, une bougie se consumait près de la fenêtre, des carillons éoliens tintinnabulaient au-dessus de la porte, et une tarte aux noix de pécan était placée sur le fauteuil à bascule de la véranda, en cas de visites impromptues. Lesquelles ne manquaient jamais d'arriver.

Les gens parcouraient des kilomètres afin de consulter Sulla la Prophétesse. C'est ainsi qu'on surnommait son arrière-arrière-grand-maman, à cause du nombre de ses divinations qui s'étaient avérées. Parfois, il y en avait qui dormaient sur le carré de pelouse devant la maison, en attendant une chance de la rencontrer.

Pour la fillette, cependant, Sulla n'était que la femme qui lui racontait des histoires et lui apprenait à faire de la dentelle ou à cuisiner une tourte. Celle qui possédait un moineau, lequel voletait par la fenêtre et se perchait sur son épaule droite comme s'il s'agissait de la branche d'un vieux chêne.

Elle atteignit la porte de la maison et prit le temps de lisser sa robe avant d'entrer.

— Grand-maman ?

— Je suis là, Amarie.

La voix avait des intonations riches et onctueuses – « le miel du paradis », disaient les hommes, en ville.

L'habitation ne comprenait que deux pièces et une cuisine exiguë. La salle principale était celle où Sulla travaillait, déchiffrant les tarots ou les feuilles de thé, fabriquant des amulettes et préparant des racines médicinales. Les bocaux de verre pullulaient, remplis de toutes sortes de choses, des noisettes à la camomille en passant par des plumes de corbeau et de la terre de cimetière. Sur l'étagère la plus basse se trouvait le seul bocal qu'Amarie était autorisée à ouvrir. Il était plein de caramels au beurre enveloppés dans du papier ciré épais. Le médecin qui vivait à Monck's Corner les apportait chaque fois qu'il venait chercher des onguents ou une prédiction.

— Approche un peu, Amarie.

Sulla étalait des cartes sur la table. Ce n'étaient pas celles du tarot que les dames de Gatlin ou de Summerville appréciaient qu'elle leur lise. C'étaient celles qu'elle réservait à ses lectures spéciales.

— Tu sais ce que c'est ?

— Oui. Les cartes de la Providence.

— C'est bien, la félicita Sulla avec un sourire.

Ses fines nattes tombaient sur ses épaules. Chacune était nouée d'un fil de couleur différente, incarnation du vœu qu'un visiteur espérait voir se réaliser.

— Et sais-tu en quoi elles diffèrent de celles du tarot ?

Amarie secoua la tête en signe de dénégation. Certes, elle avait remarqué que les dessins n'étaient pas les mêmes – le couteau taché de sang, les silhouettes jumelles qui se faisaient face en plaquant leurs paumes les unes contre les autres.

— Les cartes de la Providence révèlent la vérité, le futur que même moi, certains jours, je n'ai pas envie de voir. Ça dépend de celui dont on lit l'avenir.

La fillette était perdue. Les tarots ne montraient-ils donc pas le vrai futur, pour peu qu'une grande prophétesse décrypte la main donnée ?

— Je croyais que toutes les cartes disaient la vérité quand on avait le don de les interpréter.

Le moineau entra par la fenêtre ouverte et se posa sur l'épaule de la vieille dame.

— Ah, mais c'est qu'il y a la vérité qu'on peut affronter et l'autre. Viens t'asseoir. Je vais te montrer.

Sulla battit le jeu, et la Reine Furieuse disparut derrière le Corbeau Noir. Amarie contourna la table et s'installa sur le tabouret bancal où tant de personnes avaient attendu qu'on leur annonce leur destinée.

D'un geste souple du poignet, Sulla disposa les cartes en éventail. Autour de son cou, ses colliers s'emmêlaient, pendentifs en argent frappés d'images qu'Amarie ne connaissait pas, perles en bois peintes à la main et entrelacées de petits éclats de pierre, cristaux colorés qui attrapaient la lumière lorsque Sulla bougeait. Et puis, le préféré de la fillette, un caillou noir et lisse attaché par un cordon, qui reposait dans le creux de la gorge de sa grand-maman.

Cette dernière l'appelait « l'œil ».

— Et maintenant, fais bien attention, petiote, lui ordonna Sulla. Un jour, tu feras cela toute seule, tandis que je te parlerai en chuchotant dans le vent.

Voilà qui plut à Amarie.

En souriant, elle tira sa première carte.

Les contours de la vision se sont estompés, et la rangée de bouteilles bigarrées est réapparue. Ma main tenait encore le récipient vert-bleu et le bouchon qui avait libéré ce souvenir, un souvenir d'Amma, enfermé comme un secret dangereux qu'elle ne voulait pas voir s'échapper. Sauf qu'il ne représentait aucun péril, sinon pour elle peut-être.

L'image de Sulla penchée sur les cartes de la Providence s'attardait sur mes rétines, ces mêmes cartes qui, un jour, seraient distribuées pour m'annoncer ma mort.

Je me les suis rappelées, surtout les Jumeaux Séparés, face à face. Et l'Âme Fracturée. Ma carte.

J'ai repensé au sourire de Sulla, à son apparence tellement menue en comparaison de la géante qu'elle était, une fois transformée en esprit. Pourtant, elle arborait dans la vie comme dans la mort les mêmes nattes compliquées et les mêmes lourds colliers de perles autour du cou. Il n'y avait que le caillou noir dont je ne me souvenais pas.

J'ai contemplé la bouteille vide, puis je l'ai rebouchée et reposée sur l'étagère en compagnie de ses consœurs. Contenaient-elles toutes la mémoire d'Amma ? Les spectres qui la hantaient comme jamais ne le feraient les fantômes ?

La vision de la nuit de mon décès était-elle quelque part dans l'une d'elles ? Enfoncée bien profond pour éviter qu'elle ne se sauve ?

Je l'ai espéré. Pour Amma.

Soudain, les marches ont couiné.

— Amma ? Tu es dans la cuisine ?

Mon père.

— Oui, Mitchell. Là où je suis toujours juste avant le dîner.

Les intonations d'Amma n'étaient pas normales, mais je ne suis pas certain que mon père s'en soit rendu compte. Me guidant au bruit de leur conversation, je suis sorti dans le couloir. Assise à l'extrémité opposée, Lucille me guettait, la tête penchée. Elle s'est redressée quand j'ai été tout près d'elle, puis elle s'est mise debout et a décampé.

Sympa, Lucille.

Cette drôle de chatte avait accompli sa mission. Elle en avait assez de moi. Une soucoupe de crème et un coussin rebondi l'attendaient sûrement devant la télévision.

Je ne l'effraierais sans doute plus.

Je suis entré dans la cuisine. Mon père se versait un verre de thé glacé.

— Ethan a-t-il téléphoné ?

Amma s'est raidie, son hachoir en suspens au-dessus d'un oignon. Là encore, mon paternel a semblé ne rien remarquer. Elle s'est remise à taillader.

— Caroline l'exploite comme un esclave. Tu la connais. Indolente et insolente comme sa mère.

Mon père s'est esclaffé, des ridules se sont formées au coin de ses yeux.

— Tu as raison. C'est une malade épouvantable. Ethan doit devenir fou.

Ma mère et tante Prue ne m'avaient pas menti. Il était sous l'influence d'un sacré sortilège. Il ne se doutait de rien. Je me suis demandé combien de membres de la famille de Lena s'y étaient collés pour parvenir à pareil résultat.

Amma a attrapé une carotte, qu'elle a étêtée avant même de la poser sur la planche à découper.

— Une hanche cassée, c'est beaucoup plus sérieux que la grippe, Mitchell.

— Je sais...

— C'est quoi, ce charivari ! a braillé tante Charity depuis le salon. On essaye d'y regarder *Jeopardy!*[1], nous aut' !

— Rapplique un peu, Mitchell ! a lancé tante Grace. La Charity, elle est bonne à rien pour les questions de musique.

— Dis donc ! C'est toi qui crois que l'Elvis Presley, y l'est toujours en vie ! a riposté sa sœur.

— Bien sûr que je le crois ! s'est égosillée tante Grace en mangeant la moitié de ses mots. Ce type, y se trémousse comme un dieu ! Dépêche, Mitchell, y me faut un témoin. Et apporte-z-y donc des biscuits !

Mon père a tendu la main vers le fondant au chocolat toujours posé sur la cuisinière. Quand il a eu disparu dans le couloir, Amma a caressé l'amulette en or autour de son cou. Elle avait l'air triste et brisée, fendillée comme les bouteilles alignées sur les rayonnages de sa chambre à coucher.

— N'oublie pas de m'avertir si Ethan téléphone demain ! a crié mon père depuis le salon.

Amma a très longtemps regardé par la fenêtre obscure avant de répondre, d'une voix à peine audible, y compris pour moi :

— Il n'appellera pas.

---

1. Jeu télévisé (dont le titre signifie « péril ») créé en 1964 et toujours diffusé aux États-Unis. Le principe consiste pour les candidats à poser la question correspondant à une réponse énoncée.

Chapitre 9
LE STARS AND STRIPES

Quitter Amma a été comme sortir d'un brasier pour plonger dans la nuit la plus glacée de l'hiver. Elle était mon foyer, ma sécurité et mon ordinaire ; toutes les gronderies et tous les soupers qu'elle m'avait servis, tout ce qui m'avait constitué. Plus j'étais proche d'elle, plus je baignais dans une tiédeur béate ; malheureusement, au bout du compte, le froid mordait encore plus lorsque je m'en éloignais.

Cela en valait-il la peine ? Me sentir mieux pendant une minute ou deux, conscient cependant que le gel m'attendait dehors ?

Je ne l'aurais pas juré, mais la question ne se posait pas en termes de choix. Il m'était impossible de rester loin d'Amma ou de Lena et, au plus profond de moi, je pensais qu'elles ne le voulaient ni l'une ni l'autre.

Enfin, une éclaircie s'était produite, même ténue. Que Lucille arrive à me voir représentait une amélioration. J'imagine que ceux qui prétendaient que les chats étaient en mesure de communiquer avec les esprits ne se trompaient pas, finalement. Je n'avais juste pas envisagé que ce serait moi qui en ferait un jour la démonstration.

Et puis, il y avait Amma. Certes, elle ne m'avait pas vu au sens propre du mot. Néanmoins, elle s'était doutée de ma présence. Si ce n'était pas beaucoup, c'était mieux que rien. J'avais réussi à lui indiquer que j'étais là, comme avec Lena au bord de ma tombe. Arracher un morceau de gâteau ou déplacer un bouton de trois ou quatre centimètres était épuisant, certes. N'empêche, le message était passé.

En quelque sorte, j'étais toujours à Gatlin, le lieu de mes racines. Tout avait changé, et je n'avais pas les clefs permettant de réparer cela. Mais, en même temps, je n'étais pas parti ailleurs. Pas vraiment.

J'étais ici.

J'existais.

Si seulement je parvenais à trouver une façon d'exprimer ce que j'avais sur le cœur. Un fondant au chocolat, une chatte âgée et une babiole du collier de Lena n'étaient pas des vecteurs très parlants.

En vérité, j'étais affligé. Autrement dit, au trente-sixième dessous sans plan pour te sortir de là, Ethan Wate.

A.F.F.L.I.G.É.

Sept lettres horizontal.

C'est alors que j'ai eu une idée. Moins une idée qu'un souvenir. Celui d'Amma assise à la table de la cuisine, penchée sur ses mots croisés en compagnie d'un bol de bonbons à la cannelle et d'un tas de crayons n° 2 taillés en pointe. Ces exercices lui permettaient de rectifier les événements, de les saisir.

Tout s'est mis en place en une seconde. Comme quand j'apercevais une ouverture lors d'un match de basket ou que je devinais l'intrigue d'un film dès son début. J'ai compris ce que je devais faire, où il me fallait aller. Ça allait exiger un tout petit peu plus de maîtrise qu'un gâteau entamé ou qu'un bouton tombé, mais pas tellement plus.

La maîtrise de quelques coups de crayon.

Il était temps que je rende visite au bureau du *Stars and Stripes*, le meilleur – et unique – journal du comté de Gatlin.

J'avais une grille de mots croisés à inventer.

Il n'y avait pas plus de grains de sel sur les fenêtres du *Stars and Stripes* qu'une once de vérité dans ses colonnes. En revanche, toutes les baies étaient équipées de climatiseurs par évaporation. Jamais je n'en avais vu autant rassemblés dans un seul édifice, uniques vestiges d'un été si caniculaire que la ville avait failli sécher sur pied et s'envoler, à l'instar des feuilles mortes des magnolias.

N'empêche, ni grigris ni sel, ni Sceau ni sortilège. Pas même un chat. Je me suis glissé à l'intérieur du bâtiment aussi facilement que la chaleur l'avait fait, récemment encore. Cette aisance quant à l'accès aux lieux risquait de devenir une habitude plutôt plaisante.

Les bureaux ne contenaient pas grand-chose : quelques plantes artificielles, un calendrier avec reproductions de la guerre de Sécession accroché de travers sur un mur et un haut guichet en linoléum. C'est là qu'on patientait avec ses dix dollars à la main lorsqu'on désirait passer une annonce dans le canard afin de proposer des cours de piano, des chiots ou le vieux canapé à carreaux qui encombrait sa cave depuis 1972.

C'était à peu près tout, jusqu'au moment où l'on contournait le comptoir. Là, trois petites tables étaient alignées, couvertes de pages – ça tombait bien, c'était exactement celles que je cherchais. Les épreuves du prochain numéro du journal. Voilà à quoi ressemblait le *Stars and Stripes* avant de devenir une feuille de chou, l'étape à laquelle il confinait encore aux commérages locaux.

— Qu'est-ce que tu fabriques ici, Ethan ?

Je me suis retourné en sursautant et j'ai levé les mains, comme si je venais de me faire choper au beau milieu d'une effraction. Ce qui, à la réflexion, était bien le cas.

— Maman ? me suis-je écrié.

Elle se tenait sur le seuil du bureau désert, de l'autre côté du guichet.

— Rien de spécial, ai-je ajouté ensuite.

Je n'avais pas réussi à trouver de réponse plus intelligente. Je n'aurais pas dû être surpris de la découvrir ici. Elle savait comment se transférer. Après tout, c'était elle qui m'avait aidé à me frayer un chemin jusqu'au royaume des Mortels.

Nonobstant, je ne m'étais pas attendu à cette apparition.

— Tu n'es pas en train de ne rien faire, a-t-elle objecté, sauf si tu as décidé de devenir reporter sur le front de l'Au-delà. Ce qui me paraît fort improbable, si je me souviens bien du nombre de fois où je t'ai suggéré, en vain, d'intégrer l'équipe du journal du lycée.

Ouais, bon, d'accord. Je n'avais pas eu envie de déjeuner avec ces gens-là. Pas quand je pouvais bouffer avec Link et les gars de l'équipe de basket. Ce qui me semblait important alors m'a paru idiot, sur le coup.

— Non, madame.

— S'il te plaît, Ethan. Pourquoi es-tu ici ?

— Je pourrais te retourner la question.

Elle m'a fusillé du regard.

— OK, ai-je concédé. Je ne cherche pas de boulot. Je veux juste contribuer à l'une des sections.

— Mauvaise idée, a-t-elle décrété en plaquant ses paumes sur le comptoir.

— Pourquoi ça ? Je te rappelle que c'est toi qui m'as expédié tous ces Airs Occultes. Ce que je vise est presque pareil. Juste un peu plus… direct.

— Et que projettes-tu exactement ? D'écrire une annonce à Lena et de la publier dans le journal ? « Recherche petite copine Enchanteresse. Répondant au nom de Lena Duchannes si possible. »

— Ce n'est pas vraiment ce que j'avais en tête, ai-je éludé avec un haussement d'épaules. Mais ça pourrait marcher.

— Non. Ici-bas, tu es à peine capable d'attraper un stylo. Les règles élémentaires de la physique ne sont pas de ton côté, en tant que Diaphane. Dans le coin, ramasser une plume est aussi éreintant que de tirer une poutre avec l'auriculaire.

— Et *toi*, tu en serais capable ?

— Peut-être.

Je l'ai dévisagée d'un air entendu.

— Je tiens à ce qu'elle sache que je vais bien, maman, ai-je plaidé. Que je suis ici. Comme toi, tu as voulu me le signifier en laissant ce code dans les différents livres du bureau de la maison. Il me suffit seulement de dégoter un moyen de communiquer avec elle.

Lentement et sans un mot, elle est passée de l'autre côté du guichet. Elle m'a observé inspecter les pages de la maquette.

— Es-tu sûr de toi ? m'a-t-elle demandé, hésitante.

— Tu m'aides, oui ou non ?

Elle m'a rejoint, ce qui équivalait à une réponse. Nous avons commencé à lire le prochain numéro du *Stars and Stripes*, étalé sur toutes les surfaces environnantes.

— Il semble que l'Association des dames du comté de Gatlin crée un club de lecture nommé Lire & Sourire.

— C'est ta tante Marian qui va être ravie, a rigolé ma mère. La dernière fois qu'elle a essayé d'en mettre un sur pied, personne n'a réussi à s'accorder pour choisir un livre, et le club a été dissous dès la fin de la première réunion. Pas avant que ses membres aient voté de corser la limonade avec un cubi de pinard, cependant, a-t-elle précisé, un éclat malicieux dans le regard. À l'unanimité.

— Eh bien, j'espère que Lire & Sourire ne finira pas de la même façon. Mais si c'est le cas, inutile de s'inquiéter. Ils ont également lancé un club de tennis de table baptisé Servir & Sourire.

— Et regarde ça, a-t-elle ajouté en tendant un doigt par-dessus mon bras. Le club de cuisine s'appelle Frire & Sourire.

J'ai étouffé un rire.

— Tu as loupé la meilleure. Ils ont décidé de renommer le bal des débutantes… Tu es prête ? Frémir & Sourire.

Nous avons ainsi continué à parcourir les articles, source d'autant de bon temps qu'il était possible d'en avoir quand on était deux Diaphanes coincés dans les bureaux du canard d'une bourgade. On aurait dit l'album photo de notre vie commune et ses clichés rassemblés dans une seule maquette. Le Kiwanis Club[1] préparait son concours annuel de crêpes, qui se devaient d'être épaisses et à peine cuites au milieu, comme mon père les adorait. Le Jardin d'Eden avait remporté le prix mensuel de la plus belle vitrine de la Grand-Rue, récompense que le fleuriste décrochait pratiquement tous les mois, dans la mesure où il n'y avait plus guère de vitrines dans la Grand-Rue.

Plus nous avancions dans notre lecture, plus nous nous régalions. Une poule sauvage avait fait son nid dans l'illumination de Noël en forme de traîneau que M. Asher avait installée sur sa pelouse. Cela relevait du trait de génie, car les décorations des Asher étaient hideuses. Une année, Mme Asher avait même mis du rouge à lèvres au poupon Jésus de sa fille Emily, car elle estimait qu'on n'en distinguait pas assez la bouche dans l'obscurité. Lorsque ma mère l'avait interrogée à ce sujet en s'efforçant de garder son sérieux, la brave dame avait répondu : « Voyons, Lila, on ne peut pas compter que sur des hosannas pour faire passer le message. Que Dieu me pardonne, la moitié des gens par ici ne savent même pas ce que le mot signifie. » Quand ma mère avait insisté, il s'était révélé que Mme Asher l'ignorait elle aussi. Après quoi, elle ne nous avait plus jamais invités chez elle.

Le reste du journal fourmillait du genre de nouvelles habituelles par chez nous, celles qui ne changeaient jamais, même quand elles changeaient. La fourrière

1. Association internationale fondée en 1915, dont le but est d'améliorer le quotidien des enfants au travers d'actions sociales.

avait attrapé un chat errant ; Bud Clayton avait gagné la compétition d'appeaux de canard de Caroline ; le prêteur sur gages de Summerville organisait une journée portes ouvertes, un magasin de bricolage et d'équipement de la maison fermait définitivement, et la compétition sponsorisée par le grainetier *Viens-Poupoule* battait son plein.

Bref, la vie continuait.

C'est alors que je suis tombé sur l'épreuve de mots croisés. Je m'en suis emparé.

— On y est.

— Tu veux remplir la grille ?

— Non. Je veux en écrire une particulière pour Amma. Si elle la voit, elle en parlera à Lena.

— Quand bien même tu réussirais à déplacer les lettres, a objecté ma mère, Amma ne verra rien. Elle n'achète plus le journal. Plus depuis que tu es... parti. Voilà des mois qu'elle n'a pas touché à ses mots croisés.

J'ai grimacé. Comment avais-je pu oublier ? Amma en personne l'avait dit devant moi, dans la cuisine.

— Un message, alors ?

— J'ai essayé des centaines de fois. C'est presque impossible. Nous sommes limités aux mots figurant sur la page.

Elle a étudié la maquette.

— Mais ça pourrait marcher, a-t-elle repris. Il suffirait de bouger les lettres sur le marbre d'imprimerie.

Elle avait raison. Elles étaient réparties en centaines de petits carreaux, comme un jeu de Scrabble. Il me suffisait donc de changer la donne des mots croisés.

Pour peu que j'en aie la force, bien sûr. J'ai regardé ma mère, plus déterminé que jamais.

— OK. Nous allons jouer là-dessus. Puis je me débrouillerai pour que Lena regarde la grille.

Réorganiser les lettres allait représenter un effort aussi violent que si j'avais déterré un gros caillou dans le jardin des Sœurs. Heureusement, ma mère était là pour m'aider.

— Des mots croisés, a-t-elle commenté en secouant la tête. J'ignore pourquoi je n'y ai jamais songé.

— Ça m'a traversé l'esprit parce que je suis nul quand il s'agit d'écrire des chansons.

La grille n'était pas encore achevée. Avec un peu de chance, le personnel du canard ne rechignerait pas trop à mon coup de main. Après tout, il s'agissait là de l'édition du dimanche, la plus importante du *Stars and Stripes*. Pour les mots croisés, du moins. Les trois collaborateurs seraient sûrement soulagés de constater qu'un de leurs collègues s'était chargé du boulot cette semaine-là. J'étais d'ailleurs surpris qu'ils n'aient jamais fait appel à Amma pour se cogner le boulot.

Finalement, le plus dur allait être d'amener Lena à s'y intéresser.

Onze horizontal.

P.O.L.T.E.R.G.E.I.S.T.

Autrement dit, apparition ou fantasme. Spectre. Esprit venant d'un autre monde. Fantôme. Ombre diffuse d'une personne, créature vous hantant la nuit alors que vous croyez que tout le monde dort.

Bref, ce que tu es, Ethan Wate.

Six vertical.

G.A.T.L.I.N.

Autrement dit, paroissien. Local. Insulaire. L'endroit dont on est prisonnier, que ce soit dans l'Autre Monde ou dans celui des Mortels.

É.T.E.R.N.E.L.

Autrement dit, durable, infini, à jamais. Le sentiment qu'on éprouve envers une certaine fille, que l'on soit mort ou vivant.

A.M.O.U.R.

Autrement dit, ce que je ressens pour toi, Lena Duchannes.

E.S.S.A.Y.E.

Autrement dit, de toutes mes forces, à chaque minute de chaque jour.

Autrement dit, j'ai bien eu ton message, L.

C'est là que j'ai été submergé par l'ampleur de tout ce que j'avais perdu, de tout ce que m'avait coûté cette crétine de chute du château d'eau. Cessant de me dominer, j'ai commencé à décrocher de Gatlin. D'abord, mes yeux se sont remplis de larmes, puis les lettres sont devenues floues et se sont volatilisées, cependant que l'univers disparaissait sous mes pieds et que je dérivais.

Je me transférais de l'autre côté. J'ai tenté de me rappeler l'incantation du parchemin, celle qui m'avait amené ici, mais mon cerveau n'arrivait plus à se concentrer.

Il était trop tard.

Les ténèbres m'ont environné, et j'ai senti une sorte de vent fouetter mon visage et hurler à mes oreilles. Ensuite a retenti la voix de ma mère, aussi solide que l'emprise de sa main fraîche sur la mienne.

— Accroche-toi, Ethan. Je te tiens.

Chapitre 10
Nid de serpents

Mes pieds se sont posés sur un terrain ferme, comme si je venais de descendre d'un train sur le quai d'une gare. J'ai distingué les planches de notre véranda, puis mes Converse. Nous étions de retour, avions délaissé le monde vivant pour les lieux qui étaient les nôtres, le royaume des morts.

Même s'il me déplaisait de l'envisager ainsi.

— L'était temps ! Ça fait p'us d'une heure que j'y r'garde sécher la peinture de ta maman.

Tante Prue nous guettait devant la porte d'entrée de notre maison – celle érigée au milieu du cimetière, bien sûr. Je ne m'étais pas encore habitué à voir mon foyer ici, en lieu et place des mausolées et des anges en affliction qui dominaient Son Jardin du Repos Éternel. Malgré tout, debout près de la rambarde, les trois Harlon James au garde-à-vous à ses pieds, tante Prue avait l'air ma foi fort dominateur.

Un peu comme une guêpe furibonde.

— Madame, l'ai-je saluée en me grattant la nuque avec embarras.

— Ch't'attendais, Ethan Wate ! Tu m'as dit que t'en avais r'en que pour une toute petiote minute !

Les trois cabots semblaient aussi agacés qu'elle. Tante Prue a adressé un signe de tête à ma mère.

— Lila.

— Tante Prudence.

Elles se sont dévisagées avec circonspection, ce qui m'a étonné, car elles s'étaient toujours bien entendues. Souriant à ma grand-tante, j'ai tenté une diversion.

— J'ai réussi, tante Prue ! Je me suis transféré. Je suis allé... de l'autre côté.

— On t'a donc pas appris à prévenir que tu s'rais en retard, au lieu de laisser les braves gens poireauter toute la sainte journée, 'spèce de gros mal élevé ?

Elle a agité un mouchoir mécontent dans ma direction.

— Je me suis rendu à Ravenwood, à Greenbrier et chez nous ! Et au *Stars and Stripes* !

La vieille dame a arqué un sourcil dubitatif.

— Vraiment ?

— Bon, pas tout seul. Avec maman. Elle m'a sûrement aidé.

Ma mère a paru amusée, ce qui n'a pas été le cas de tante Prue.

— Ben, si tu veux avoir une chance de prêcheur d'y retourner, on f'rait mieux d'avoir une bonne Dis-cus-sion.

— Prudence ! a dit ma mère sur un drôle de ton.

Comme si elle lançait un avertissement. Décontenancé, j'ai poursuivi :

— Tu parles des transferts ? Je crois que je commence à piger comment...

— Arrête de jacasser comme une pie et écoute-moi don', Ethan Wate ! S'agit pas de s'entraîner aux transferts, bêta ! Ch'te cause de repartir là-bas. Pour de bon. Dans l'vieux monde.

Un instant, j'ai cru qu'elle se moquait de moi. Toutefois, son expression ne s'est pas altérée. Elle était sérieuse. Aussi sérieuse que ma déjantée de grand-tante pouvait l'être.

— C'est quoi, ce délire, tante Prue ?

— Prudence, a répété ma mère. Ne faites pas ça.

Quoi donc ? Me donner l'occasion de réintégrer l'univers des vivants ?

L'interpellée a foudroyé ma mère des yeux avant de descendre les marches du perron à petits pas précautionneux, une chaussure orthopédique après l'autre. Quand j'ai voulu la soutenir, elle m'a écarté d'une tape, obstinée comme toujours. Une fois sur le tapis d'herbe devant la maison, elle s'est plantée face à moi.

— Y a eu une erreur, Ethan. Une sacrée grosse erreur, même. C'était pas censé arriver.

— Quoi ? ai-je demandé, secoué par une vague d'espoir.

— Ça suffit ! est intervenue ma mère, blanche comme un linge.

J'ai eu peur qu'elle ne s'évanouisse. De mon côté, j'avais le souffle court.

— Des clous ! a répliqué tante Prue en plissant les paupières derrière ses lunettes.

— Je pensais que nous nous étions mises d'accord pour ne rien lui révéler, Prudence.

— C'est toi qu'as décidé ça, Lila Jane. Moi, ch'suis trop vieille pour pas en faire qu'à ma tête.

— Je suis sa mère !

— Mais qu'est-ce qui se passe ? ai-je lancé, dans une tentative pour m'interposer.

Je n'ai attiré l'attention d'aucune. Tante Prue a relevé le menton d'un air de défi.

— C'te garçon, y l'est assez grand pour juger tout seul d'un machin pareil, tu penses pas ?

— C'est dangereux, a riposté ma mère en croisant les bras. Je m'en voudrais d'être impolie avec vous, mais je vais devoir vous prier de partir d'ici.

Jamais ma mère n'avait employé ce ton avec l'une des Sœurs. Autant déclarer la Troisième Guerre mondiale dans la famille Wate. Tante Prue ne s'est pas laissé intimider, cependant. Elle s'est contentée de ricaner.

— On repose pas un bonbon qu'on a boulotté dans son bocal, Lila Jane. C'est si vrai que tu le sais, comme t'sais que t'as pas le droit de cacher ça à ton gamin.

Sur ce, elle s'est tournée vers moi et a ajouté :

— Faut que t'y rencontres que'qu'un.

Ma mère l'a fixée.

— Prudence...

— T'as pas bientôt fini avec tes Prudence par-ci et tes Prudence par-là ? a rétorqué l'intéressée en toisant ma mère d'un regard qui aurait réussi à flétrir un parterre entier de fleurs. Tu peux pas empêcher ça. Et là où qu'on va, t'es pas la bienvenue, Lila Jane. Et p'is, tu t'imagines b'en que j'ai que les intérêts du garçon à cœur.

Le silence s'est installé. J'avais droit au spectacle d'une confrontation typique orchestrée par les Sœurs. De celles où, avant même d'avoir eu le loisir de cligner des yeux, on se retrouvait au stade où personne n'emportait le morceau. L'instant suivant, ma mère a cédé. J'ignorerais toujours ce qui s'est échangé durant ce court laps de temps, et c'était sûrement mieux ainsi.

— Je t'attendrai ici, Ethan, a murmuré ma mère. Prends soin de toi.

Tante Prue a affiché un sourire victorieux. L'un des cabots s'est mis à gronder, et nous sommes partis, si rapidement que j'ai eu du mal à tenir la cadence.

Tante Prue et les chiens jappeurs m'ont entraîné jusqu'aux confins de Son Jardin. Nous sommes passés devant un manoir de style fédéral restauré à la perfection, celui des Snow, situé à l'emplacement exact de leur énorme mausolée dans le cimetière des vivants.

— Qui est mort ? ai-je demandé.

L'idée étant que rien au monde n'était assez puissant pour terrasser Savannah Snow.

— L'arrière-arrière-grand-papi Snow. Bien avant que t'as été dans tes langes. Ça fait un bail qu'y l'est z-ici. C'est la concession la plus vieille de c'te rangée.

Elle a bifurqué dans l'allée pavée qui contournait la bâtisse. Je lui ai emboîté le pas. Nous nous sommes dirigés vers une antique cabane de jardin dont les planches pourries soutenaient à grand-peine le toit de guingois. De minuscules éclats de peinture s'accrochaient encore au bois qu'on avait décapé. Aucun décapage n'était cependant en mesure de dissimuler la teinte identique à celle de notre maison : un bleu destiné à éloigner les fantômes.

Amma soutenait que les esprits se moquaient comme d'une guigne des couleurs. Elle avait raison, visiblement. Inspectant les environs, j'ai constaté une différence de taille : ici, point de voisins de cimetière.

— Où allons-nous, tante Prue ? Je n'ai pas envie de fréquenter les Snow. J'ai assez subi cette engeance de mon vivant.

— Je te répète qu'on va visiter que'qu'un, a-t-elle répliqué, peu amène. Que'qu'un qu'est plus au courant que moi de tout c'te pataquès.

Elle a tendu la main vers la poignée fendue de la cabane.

— Tu peux m'y remercier d'êt' une Statham, pa'sque les Statham, y z-ont que de bons rapports avec tout l'monde. Sinon, on n'aurait pas une âme pour nous aider, sur ce coup-là.

J'ai évité de la regarder, par crainte d'exploser de rire, car elle s'était disputée avec tout un chacun, dans le Gatlin que j'avais connu du moins.

— Merci, madame.

Elle est entrée dans la masure dont l'apparence banale d'abri de jardin ne m'a pas trompé. Si j'avais appris une chose à force de fréquenter Lena et son univers, c'est que rien ne correspondait forcément aux apparences. J'ai suivi le mouvement – et les clebs – et le battant s'est refermé derrière nous. Les fentes des parois laissaient filtrer juste assez de lumière pour que je distingue tante Prue. Elle a farfouillé dans le noir puis a attrapé un nouveau truc. Je me suis rendu compte qu'il s'agissait d'une seconde poignée.

Un portail caché, comme ceux qui pullulaient dans les Tunnels des Enchanteurs.

— Où va-t-on ?

Tante Prue a marqué une pause.

— Tout le populo, y l'a pas la chance d'êt' enterré dans Son Jardin du Repos Éternel, Ethan Wate. Les Enchanteurs, y z'ont pourtant autant le droit à l'Autre Monde que nous aut', s'pas ?

Sur ce, elle a poussé le vantail, et nous avons débouché sur une côte rocailleuse. Une maison tenait en équilibre précaire au sommet d'une falaise. Ses parois en bois étaient du même gris délavé que les rochers, à croire que l'habitation avait été sculptée dedans lors d'un travail de titan. Elle était petite, simple et cachée au vu et au su de tous, comme tant de choses dans le monde que j'avais abandonné derrière moi.

Les vagues s'écrasaient contre la falaise, tentant d'atteindre la baraque, en vain. Cet endroit avait réussi l'épreuve du temps, défié la nature d'une manière incroyable.

— Chez qui sommes-nous ?

J'ai offert mon bras à ma grand-tante afin de l'aider à fouler le sol inégal.

— La curiosité, l'est un vilain défaut, tu connais l'dicton. Ça te tuerait pas de le savoir. Sauf que ça t'attirerait des tas d'ennuis. Même ici. Mais c'est vrai que les ennuis, y z-ont l'air de te trouver même quand tu les cherches pas. De toute façon, tu le découvriras b'en assez tôt.

Relevant sa longue robe à fleurs de la main, elle a refusé d'en dire plus.

Nous avons escaladé un traître d'escalier taillé dans le flanc de la falaise. La roche s'effritait là où elle n'était pas renforcée par des planches usées, et j'ai failli perdre pied à plusieurs reprises. Je me suis efforcé de me dire que je

ne risquais pas de m'écraser au sol et d'en mourir, vu que j'étais déjà mort. Ça n'a pas été aussi efficace qu'on aurait pu s'y attendre, cependant. Encore une leçon apprise auprès des Enchanteurs : le pire paraissait toujours vous guetter au prochain croisement ; la menace rôdait systématiquement, quand bien même on n'en avait pas identifié la nature.

Nous avons atteint l'habitation, et je n'ai pu m'empêcher de lui trouver des ressemblances avec Ravenwood Manor, alors que les deux bâtiments avaient très peu en commun. Ravenwood était une vaste demeure aux allures néoclassiques, alors que cet endroit était une maison à clins à un seul niveau. Mais elle donnait l'impression d'avoir deviné notre approche et de vibrer sous l'effet de la magie, à l'instar du fief de la famille de Lena. Des arbres tordus l'entouraient, aux branches inclinées à force d'être battues par les vents. Le tout formait une espèce d'illustration malsaine d'un livre pour enfants destiné à peupler leurs rêves d'images terrifiantes. Le genre de bouquin où les mômes étaient prisonniers de créatures plus puissantes que des sorcières et dévorés par des créatures plus avides que des loups.

Je songeais que j'avais de la chance de ne plus avoir besoin de dormir quand ma grand-tante a avancé d'un pas ferme jusqu'au porche. Sans un instant d'hésitation, elle a appuyé comme une sourde sur la sonnette en laiton oxydé. Des signes étaient gravés autour de l'encadrement de la porte. Du niadic, l'ancienne langue des Enchanteurs.

J'ai reculé, laissant volontiers la préséance aux Harlon James. Ces derniers poussaient leurs ridicules grondements de chiens de poche. Le battant s'est entrouvert avant que j'aie eu le temps d'examiner plus avant les écritures.

Un vieillard se tenait devant nous. Je l'ai aussitôt catalogué Diaphane, une distinction qui n'avait guère de sens, puisque tous dans ces parages nous étions plus ou moins des esprits. Il avait le crâne rasé et scarifié, ses cicatrices s'entrelaçant pour former un dessin haineux. Sa barbe blanche était coupée court, des lunettes sombres et enveloppantes dissimulaient ses yeux. Un pull noir pendouillait sur sa silhouette osseuse, en partie cachée par la porte. Il émanait de lui une impression de fragilité et de lassitude. Comme s'il était rescapé d'un camp, voire pire.

— Prudence, a-t-il dit en saluant ma tante d'un hochement du menton. Est-ce le garçon ?

— 'videmment, a répondu tante Prue en me poussant en avant. Ethan, ch'te présente Obidias Trueblood. Avance.

— Ravi de vous rencontrer, monsieur.

J'ai tendu la main. Il a levé son bras droit, jusqu'à présent invisible derrière le battant.

— Je suis sûr que tu ne t'offusqueras pas si nous n'échangeons pas de poignée de main, a-t-il réagi.

Il n'en avait plus. Elle avait été tranchée au niveau du poignet, et une ligne sombre soulignait la mutilation. Le bas de l'avant-bras était gravement couturé, comme s'il avait été perforé à maintes reprises.

Ce qui était le cas.

Cinq serpents noirs émergeaient du poignet en se tortillant, tendant leur tête à la place des doigts. Ils sifflaient et s'enroulaient les uns autour des autres.

— Tranquillise-toi, m'a rassuré Obidias. Ils ne te feront aucun mal. C'est moi qu'ils aiment torturer.

J'étais bouche bée. Et j'avais envie de me sauver à toutes jambes. Les Harlon James grognaient plus fort que jamais, ce qui redoublait les sifflements furieux des reptiles. Tante Prue a grondé ses chéris.

— Ah, s'il vous plaît, vous trois, vous y mettez pas !

J'ai contemplé la main monstrueuse. Elle m'a évoqué quelque chose. Après tout, combien de types ont des serpents à la place des doigts ? Mais pourquoi avais-je l'impression de connaître celui-ci ?

Soudain, ça m'est revenu. Une histoire que m'avait racontée Link, sous le sceau de la confidence. L'été précédent, juste après la Dix-septième Lune, Macon avait envoyé mon pote dans les Tunnels afin de porter une missive à un homme – cet Obidias que j'avais à présent devant moi. Or il était mort juste sous ses yeux, mordu par Hunting, dans sa maison, celle-ci même – enfin, sa version Autre Monde. Sur le coup, j'avais cru que Link exagérait les choses. Apparemment non.

Même lui n'aurait pu inventer pareille horreur.

Le reptile qui remplaçait le pouce d'Obidias s'était lové autour de son poignet et étirait la tête dans ma direction. Il a agité sa langue fourchue. Tante Prue m'a donné une bourrade pour m'obliger à franchir le seuil, et j'ai titubé jusqu'à me retrouver à quelques centimètres à peine des serpents.

— Entre ! m'a-t-elle ordonné. Viens pas me dire que t'as la frousse de que'ques p'tiots lombrics de r'en du tout ?

Pardon ? Ils ressemblaient plutôt à un nid de vipères. Mal à l'aise, je me suis tourné vers notre hôte.

— Pardonnez-moi, monsieur. C'est... j'ai juste été surpris.

— Ce n'est pas grave, a-t-il répondu en balayant mon excuse d'un geste de sa main valide. Ce n'est pas un spectacle très courant.

— J'ai déjà vu p'us bizarre, a décrété tante Prue en émettant un reniflement dédaigneux.

Je l'ai regardée avec ahurissement. Elle avait l'air aussi arrogante que si elle avait serré une main reptilienne tous les jours de son existence.

Obidias a refermé derrière nous, non sans avoir au préalable scruté l'horizon.

— Vous êtes seuls ? a-t-il demandé. Personne ne vous a suivis ?

— Moi ? s'est récriée tante Prue. Personne me suit !

Nom d'un chien ! Elle était sérieuse, en plus !

— Puis-je me permettre de vous poser une question, monsieur ? ai-je lancé à Obidias.

Il fallait que je m'assure qu'il avait bien rencontré Link, que c'était effectivement le même type.

— Naturellement.

Je me suis raclé la gorge.

— Je crois que vous avez croisé l'un de mes amis. De votre vivant, s'entend. Enfin, il a mentionné quelqu'un qui vous ressemblait.

— Un homme ayant cinq serpents en guise de main, tu veux dire ? a-t-il répondu en brandissant son poignet. Nous ne sommes sûrement pas très nombreux.

J'ai insisté, maladroitement.

— S'il s'agissait bien de mon ami, il était présent quand vous... ben, vous savez. Quand vous êtes mort. Je ne suis pas certain que ce soit très important, mais au cas où, j'aimerais en avoir la confirmation.

Tante Prue m'a dévisagé, paumée. Elle ignorait tout de cet événement. Sauf erreur de ma part, Link ne l'avait raconté qu'à moi.

Obidias m'observait attentivement, maintenant.

— Cet ami, connaissait-il Macon Ravenwood ?

— Oui, monsieur.

— Alors, je m'en souviens fort bien, a-t-il décrété avec un sourire. Je l'ai vu délivrer mon message à Macon après mon trépas. On est témoin de nombreuses choses, de ce côté-ci du monde.

— J'imagine que oui.

Il avait raison. Rien ne nous échappait, parce que nous étions morts. Et cette omniscience comptait pour du beurre, parce que nous étions morts. En résumé, le coup du « les morts voient tout », les vivants ont tendance à y accorder beaucoup trop d'importance. Quant aux défunts, ils préféreraient sûrement en savoir moins.

J'étais d'ailleurs prêt à parier que je n'étais pas le premier qui aurait volontiers échangé cette connaissance universelle contre un rab d'existence. Je me suis gardé cependant de confier mes pensées à Edward aux mains de serpent. Je ne tenais pas à m'attarder sur ce que je pouvais avoir de commun avec un type dont les doigts étaient dotés de crochets venimeux.

— Installons-nous confortablement, a déclaré Obidias. Nous avons beaucoup à nous dire.

Il nous a invités à nous enfoncer plus avant dans le salon – en vérité, la seule pièce apparente, en sus d'une cuisinette et d'une porte au fond de la salle qui devait donner sur la chambre à coucher.

Le salon était en réalité une gigantesque bibliothèque. Les rayonnages couvraient les murs du sol au plafond, et une échelle en laiton était fixée à la plus haute étagère. Un lutrin en bois luisant soutenait un énorme volume relié en cuir, un peu comme le dictionnaire de la bibliothèque municipale de Gatlin. Marian aurait adoré cet endroit.

Il n'y avait rien d'autre, si ce n'est quatre fauteuils usés jusqu'à la trame. Obidias a attendu que tante Prue et moi nous soyons assis pour s'installer sur le siège face à nous. Il a retiré ses lunettes noires et a vrillé ses prunelles sur moi.

J'aurais dû m'en douter.

Obidias avait une excellente vision... et des yeux jaunes.

C'était un Enchanteur des Ténèbres. Évidemment.

S'il était bien le gars mentionné par Link, c'était logique. N'empêche, maintenant que j'y pensais, à quoi songeait tante Prue en m'amenant chez un Enchanteur des Ténèbres ?

— Tu n'avais pas imaginé qu'il y aurait des Enchanteurs des Ténèbres ici, n'est-ce pas ? m'a lancé Obidias comme s'il avait déchiffré mes réflexions.

— Non, monsieur, je l'avoue.

— Quelle surprise ! a-t-il commenté avec un sourire contraint.

Tante Prue est intervenue, me sauvant la mise.

— L'Autre Monde, y l'est une place pour les tâches inachevées. Pour les gens comme moi, comme toi, et comme l'Obidias. Les ceusses qui sont pas encore prêts à partir.

— Ma mère aussi ?

— Lila Jane plus que personne, a-t-elle acquiescé. Elle traîne ses guêtres dans les parages depuis plus longtemps que nous aut'.

— D'aucuns sont libres de se transférer aisément d'un univers à l'autre, a expliqué notre hôte. Nous finissons tous par atteindre notre destination. Cependant, ceux d'entre nous dont la vie a été fauchée avant qu'ils n'aient eu le temps de régler les malfaisances qui les hantent restent ici jusqu'à ce qu'ils aient trouvé la paix.

Inutile de me le préciser. Je l'avais découvert par moi-même. Les transferts étaient complexes ; et je n'avais éprouvé aucune once de paix depuis ma mort. Pas encore, en tout cas. Je me suis tourné vers ma grand-tante.

— Tu es coincée ici également ? Enfin, quand tu ne vas pas voir les Sœurs ? Est-ce à cause de moi ?

— Oh, ch'pourrais partir si j'en avais envie, a-t-elle répondu en tapotant ma main, comme si j'étais bien sot de croire que qui ou quoi que ce soit puisse l'empêcher d'aller à sa guise. Seulement, je m'en irai que quand tu seras retourné à la maison, ta juste place. Main'ant, tu fais partie des tâches inachevées, Ethan. Et ça, je refuse de l'ask-epter. Et j'ai b'en l'intention de rétablir ce qui est juste. (Cette fois, c'est ma joue qu'elle a tapotée.) Et p'is, tu veux que je fasse quoi d'aut' ? Faut que j'attends la Charity et la Grace, non ?

— À la maison ? À Gatlin, tu veux dire ?

— Auprès de l'Amma et de la Lena, et de tous les ceusses de not' famille.

— Tante Prue ! Je te rappelle que j'ai à peine réussi à me transférer à Gatlin. Et une fois là-bas, personne ne m'a vu.

— C'est là que tu te trompes, mon garçon, a lâché Obidias.

L'un des reptiles teigneux a planté ses crochets dans son poignet. L'homme a grimacé, puis il a tiré de sa poche un bout de tissu noir qui ressemblait à une mitaine. Il en a couvert les serpents et, à l'aide de deux morceaux de ficelle fixés en bas, a tiré dessus afin de serrer fermement le gant. Les animaux se sont débattus comme des fous.

— Bon, a-t-il repris, où en étais-je ?

— Tout va bien ? ai-je demandé, légèrement distrait.

Ce n'est pas tous les jours qu'un mec, même un Diaphane, est mordu par sa propre main. Enfin, je l'ai espéré. Obidias, cependant, ne souhaitait guère qu'on parle de lui et a éludé ma question.

— Lorsque j'ai appris les circonstances qui t'ont amené de ce côté-ci du voile, j'ai immédiatement envoyé une lettre à ta tante. Et à ta mère.

Tante Prue a émis des claquements de langue impatients. Enfin, je comprenais à présent pourquoi elle avait tenu à me conduire ici – au contraire de ma mère. Ce n'était pas parce que deux de mes proches parentes découvraient une information identique qu'elles tombaient forcément d'accord sur son contenu. Ma mère avait toujours estimé que les Evers étaient les gens les plus obstinés et fermés qui soient, et que seuls les Wate les coiffaient sur le poteau dans ce domaine. Quant à mon père, il jugeait que les réunions de famille des Wate ressemblaient à une meute de guêpes se disputant leur nid.

— Et comment l'avez-vous appris ? ai-je demandé en m'efforçant de ne pas reluquer les reptiles qui s'agitaient sous le capuchon noir.

— Les nouvelles vont vite, dans l'Autre Monde, a-t-il répondu avec une légère hésitation. Surtout, je savais que c'était une erreur.

— Ha ! Je te l'avais bien dit, Ethan Wate ! s'est exclamée tante Prue, très satisfaite d'elle-même.

Si c'était bien une erreur, si je n'étais pas censé me trouver ici, il y avait peut-être une façon de rétablir la situation. J'arriverais peut-être à rentrer chez moi pour de bon. Je souhaitais réellement que ce soit possible, comme j'avais voulu que cela soit un rêve dont je me réveillerais. Sauf que c'était un leurre.

Rien ne correspondait jamais à ce que l'on désirait. À tout le moins, ça n'y correspondait plus. Pour ce qui me concernait en tout cas.

Mes deux interlocuteurs ne le pigeaient pas, tout bonnement.

— Il n'y a pas d'erreur. J'ai choisi de venir, monsieur Trueblood. Je me suis mis d'accord avec la Lilum. Faute de quoi, ceux que j'aimais et des tas d'autres étaient voués à la mort.

— J'en ai parfaitement conscience, Ethan, a opiné Obidias. Et je suis au courant, pour la Lilum et l'Ordre des Choses. J'affirme juste que tu n'aurais pas dû faire ce choix. Il n'était pas écrit dans les *Chroniques*.

— Les *Chroniques des Enchanteurs* ? ai-je sursauté.

Je n'avais entrevu l'ouvrage qu'en une occasion, dans les archives, lorsque le Conseil de la Garde Suprême était venu interroger Marian. Pourtant, c'était la seconde fois que le sujet était abordé depuis que j'errais ici. Comment Obidias en avait-il eu vent ? Au demeurant, et quelle que soit l'importance de ce bouquin, ma mère avait refusé de s'attarder sur le sujet.

— Oui, a-t-il acquiescé.

— Je ne vois pas le rapport avec moi.

L'homme a gardé le silence durant un moment.

— Allez, dites-y ! l'a poussé tante Prue en le gratifiant du regard impérieux qu'elle me servait systématiquement dès lors qu'elle exigeait de moi que j'accomplisse quelque dinguerie, comme enterrer des glands dans son jardin pour les bébés écureuils. Y mérite de savoir. De redresser la barre.

D'un signe de tête, Obidias lui a signifié qu'il partageait son avis avant de poser de nouveau sur moi ses prunelles jaune d'or qui me flanquaient presque autant la chair de poule que sa main reptilienne.

— Tu n'ignores pas que les *Chroniques des Enchanteurs* recensent tous les événements s'étant déroulés dans le passé. Mais elles renferment aussi ce qui pourrait advenir, les destins possibles qui n'ont pas encore eu lieu.

— Passé, présent, futur, je m'en souviens.

Je n'aurais jamais oublié les trois étranges Gardiens qui incarnaient ces trois éléments, et que j'avais croisés à la bibliothèque et lors du procès de Marian.

— En effet. Au sein de la Garde Suprême, les avenirs sont susceptibles d'être altérés, de se transformer d'*éventuels* en *réels*.

— Est-ce à dire que le livre est à même de modifier le futur ?

J'étais stupéfait. Marian n'avait pas mentionné ce détail essentiel.

— Oui, a confirmé Obidias. Il suffit de changer une page ou d'en ajouter une. Une qui n'était pas censée s'y trouver.

J'ai frissonné.

— Qu'êtes-vous en train de suggérer, monsieur Trueblood ?

— Que la page qui narre l'histoire de ta mort ne figurait pas dans les *Chroniques* originelles. Qu'elle a été ajoutée.

Il m'a lancé un regard hagard.

— En quel honneur quelqu'un ferait-il cela ?

— Les raisons à l'origine des actes humains sont plus nombreuses que les actes eux-mêmes, a-t-il répondu d'une voix distante, lourde de regrets et d'un chagrin dont je n'aurais pas soupçonné qu'un Enchanteur des Ténèbres soit la proie. Ce qui compte, c'est que ta destinée, cette destinée particulière, est derechef à même d'être modifiée.

Pardon ? Il était donc possible de sauver une vie alors qu'elle était arrivée à son terme ?

La question à poser, désormais logique, me terrifiait, parce qu'elle supposait que j'admette de pouvoir retrouver tout ce que j'avais perdu. Gatlin. Amma.

Lena.

Je ne désirais plus que la serrer dans mes bras et l'entendre me parler dans ma tête. Je voulais découvrir une façon de rejoindre l'Enchanteresse que j'aimais plus que tout au monde, quel que soit ce monde.

— Comment ? ai-je croassé.

La réponse importait peu, d'ailleurs. J'étais prêt à tout pour obtenir ce que je convoitais, et Obidias le savait pertinemment.

— C'est périlleux, Ethan, m'a-t-il averti. Plus que n'importe quoi dans l'univers des Mortels.

Les mots me parvenaient, mais ils étaient dénués de sens. Rien n'était plus effrayant que de rester ici.

— Que dois-je faire ?

— Il va te falloir détruire la page des *Chroniques* qui te concerne. Celle qui décrit ton trépas.

Aussitôt, des milliers d'interrogations m'ont traversé l'esprit. Je n'ai retenu que la plus essentielle.

— Et si vous vous trompiez, et que cette page existe depuis toujours ?

Obidias a contemplé le moignon de sa main gauche, où les serpents continuaient de lutter et de s'agiter. Une ombre a envahi ses traits. Il m'a fixé droit dans les yeux.

— J'ai la certitude que ce n'est pas le cas, Ethan. Parce que c'est moi qui l'ai écrite.

Chapitre 11
Plus ténébreux que les ténèbres

Le silence est tombé sur la pièce, si lourd qu'on percevait les craquements de la maison secouée par le vent. Si lourd qu'on entendait les serpents siffler presque aussi bruyamment que chuintait l'asthme de tante Prue et que cognait mon cœur battant. Même les Harlon James ont décampé derrière un fauteuil en gémissant.

Durant une seconde, mon cerveau s'est bloqué. Vidé.

J'étais démuni face à pareil aveu. Comment un homme qui ne me connaissait ni d'Ève ni d'Adam avait-il pu changer le cours de mon existence de façon aussi drastique et violente ?

Que lui avais-je fait, bordel ?

La parole a fini par me revenir. En partie. Je n'aurais osé prononcer certains mots en présence de tante Prue sans courir le risque qu'elle me lave la bouche avec un produit plus détergent que du savon, puis qu'elle me force à avaler un flacon entier de Tabasco par-dessus le marché.

— Pourquoi ? ai-je enfin murmuré. J'étais un parfait étranger, pour vous.

— C'est compliqué, Ethan…

— Compliqué ? ai-je braillé en me levant de mon siège. Vous avez détruit ma vie. Vous m'avez obligé à choisir entre épargner ceux que j'aimais et me sacrifier. J'ai fait du mal à toutes les personnes qui m'étaient chères. Il a fallu lancer un sortilège sur mon père pour l'empêcher de devenir fou !

— Je suis désolé, Ethan. Je n'aurais pas souhaité cela à mon pire ennemi.

— Non. Vous avez préféré le souhaiter à un môme de dix-sept ans que vous n'aviez jamais croisé.

Ce type ne me serait d'aucune utilité, puisqu'il était à l'origine du cauchemar dont j'étais prisonnier. J'ai voulu partir, tante Prue m'a retenu par le bras.

— T'es en colère, Ethan, d'accord. Et t'as toutes les raisons de l'êt'. Mais l'Obidias peut nous aider à te renvoyer à la maison. Alors, assois-toi et écoute ce qu'il a à dire.

— Qu'est-ce qui t'incite à lui faire confiance, tante Prue ? Il ment sûrement comme un arracheur de dents.

Je me suis dégagé de son emprise.

— Tais-toi et écoute ! a-t-elle répliqué.

Elle a tiré sur ma main avec plus de fermeté que je ne l'en croyais capable, et je suis retombé dans mon fauteuil. Elle m'a contraint à la regarder bien en face.

— Ch'connais l'Obidias Trueblood depuis b'en avant qu'il était Lumière ou Ténèbres. Avant qu'il a commis de bonnes et de mauvaises actions. J'ai passé le plus clair de ma vie à me balader dans les Tunnels avec sa famille et mon papa.

S'interrompant, elle a jeté un coup d'œil à l'intéressé avant de poursuivre :

— Et y m'a sauvé la mise que'ques fois, là-bas dedans. Même s'il a pas été assez malin pour se sauver lui-même.

J'étais désarçonné. Ma tante avait peut-être établi les plans des Tunnels avec lui, en effet. D'où la confiance qu'elle avait en lui.

Ça ne signifiait pas pour autant que j'étais censé la partager.

— Tu vas sûrement avoir du mal à me croire, Ethan, a lâché Obidias en lisant de nouveau dans mes pensées. Mais j'ai moi aussi connu le sentiment d'impuissance que tu éprouves actuellement. L'impression de dépendre de décisions prises par d'autres que soi-même.

— Vous n'avez pas la moindre idée de ce que je ressens, ai-je rétorqué.

Ma voix vibrait d'une colère que je n'ai pas tenté de contenir. Je tenais à ce qu'Obidias Trueblood comprenne que je le détestais pour ce qu'il m'avait infligé, ainsi qu'à ceux que je chérissais. J'ai repensé au bouton argenté que Lena avait déposé sur ma tombe. Cet homme ignorait ce que ce geste impliquait pour moi comme pour elle.

— Tu t'méfies de lui, et ch'te le reproche pas, Ethan, a insisté tante Prue d'un ton sec qui laissait supposer que cette entrevue était très importante à ses yeux. Mais fais-moi confiance à moi et écoute-le.

J'ai croisé le regard d'Obidias.

— Très bien, allez-y. Comment je repars ?

Il a inspiré longuement.

— Comme je te l'ai dit, la seule façon de procéder, c'est d'effacer ta mort.

— Donc, il me suffit de déchirer cette page pour retrouver ma vie ?

Autant m'assurer que ça ne cachait pas d'entourloupes. Genre convoquer la lune à l'avance ou la couper en deux ; genre découvrir qu'un sortilège m'empêchait de regagner Gatlin même si la page avait disparu.

— Oui, a-t-il opiné. Toutefois, il faut que tu commences par mettre la main sur le livre.

— Autrement dit, je dois le faucher à la Garde Suprême ? Aux Gardiens qui le trimballaient avec eux lorsqu'ils sont venus chercher ma tante Marian ?

— Exact, a-t-il admis, l'air étonné par ce que je savais des *Chroniques des Enchanteurs*.

— Alors, pourquoi perdons-nous notre temps ici ? Allons-y.

Je me levais déjà quand je me suis rendu compte qu'Obidias ne bronchait pas.

— Parce que tu crois que tu n'as qu'à te rendre là-bas pour déchirer cette page ? a-t-il interjeté. Ce n'est pas si simple.

— Et qui m'arrêtera ? Une foutue bande de Gardiens ? Qu'est-ce que j'ai à perdre, hein ?

J'ai soigneusement étouffé le souvenir de la terreur qu'ils m'avaient inspirée lors de leur visite à Marian.

Obidias a retiré le capuchon de sa main, et les reptiles se sont tortillés devant moi en s'attaquant mutuellement.

— À ton avis, qui m'a fait ça ? Une « foutue bande de Gardiens », qui m'a pris en flagrant délit alors que j'essayais de récupérer ma propre page.

— Seigneur tout-puissant ! a soufflé tante Prue en s'éventant avec son mouchoir.

Durant une seconde, j'ai eu des doutes. Néanmoins, l'émotion qui imprégnait le visage de mon étrange interlocuteur – identique à la mienne – m'a convaincu qu'il disait vrai.

La peur.

— Ce sont les Gardiens les responsables ?

— Oui. Angelus et Adriel. Ils étaient d'une humeur généreuse, ce jour-là.

Adriel était-il le costaud qui avait accompagné Angelus et la femme albinos aux archives ? Ces trois-là étaient les créatures les plus curieuses qu'il m'avait été donné de croiser dans l'univers des Enchanteurs. Enfin, jusqu'à ce que je rencontre Obidias.

J'ai contemplé ce dernier et ses serpents.

— Je vous le répète, me suis-je entêté, que peuvent-ils contre moi ? Je suis déjà mort.

J'ai essayé de sourire, quand bien même ma remarque n'avait rien de drôle. Plutôt le contraire. Il a brandi le poignet, et les reptiles se sont jetés en avant pour tenter de m'atteindre.

— Il y a pire que la mort, Ethan. Plus ténébreux que les Ténèbres. Je suis bien placé pour le savoir. S'ils t'attrapent, les Gardiens ne n'autoriseront jamais à quitter la bibliothèque de la Garde Suprême. Tu leur serviras de scribe et d'esclave, tu seras obligé de réécrire les destins d'Enchanteurs innocents... et de Pilotes Mortels qu'ils tiennent sous l'emprise de leur Sceau.

— Les Pilotes sont une espèce assez rare, me semble-t-il. De combien d'entre eux est-on susceptible de modifier l'avenir ?

Personnellement, je n'en connaissais pas d'autre que moi, bien que j'aie rencontré plus d'Ires, d'Incubes et d'Enchanteurs de tout poil que je ne l'aurais souhaité. Obidias s'est penché en avant dans son fauteuil et a recouvert sa main martyrisée.

— Ils ne sont peut-être pas aussi rares que tu le crois. Simplement, ils ne vivent pas assez vieux pour que les Enchanteurs les identifient.

Ses paroles contenaient des accents de vérité indéniables que j'aurais bien été en peine de m'expliquer. Sans doute, une partie de moi distinguait les mensonges quand on me les servait. Comme une partie de moi avait toujours pressenti qu'un danger me menaçait, seul ou avec Lena.

Que j'aie été ou non destiné à sauter du haut d'un château d'eau.

Quoi qu'il en soit, la crainte qui habitait la voix d'Obidias a suffi à me convaincre.

— OK. Je me débrouillerai pour qu'ils ne me chopent pas, ai-je conclu.

Tante Prue était l'inquiétude incarnée, à présent.

— C'est pas une très bonne idée, Ethan. On f'rait mieux d'rentrer chez moi et d'y réfléchir. Et d'en causer à ta maman. Elle nous attend, j'imagine.

J'ai serré ses doigts.

— Ne te bile pas, tante Prue. Je connais un accès. Il y a une *Temporis Porta* dans l'un des anciens tunnels de notre maison. J'arriverai à entrer et à ressortir avant même que les Gardiens s'aperçoivent de ma présence.

Après tout, j'étais capable de traverser les murs du royaume des Mortels ; j'étais donc quasi certain de pouvoir franchir ce portail.

Obidias a coupé l'extrémité d'un gros cigare. Sa main tremblait lorsqu'il l'a allumé. Il a tiré dessus jusqu'à ce que la pointe rougisse de façon égale.

— Il est impossible de pénétrer dans la bibliothèque de la Garde Suprême à partir du monde des Mortels, a-t-il annoncé. Le seul moyen de s'y faufiler, c'est par une couture.

Il s'était exprimé avec autant de sérénité que s'il m'avait indiqué comment me rendre au Stop & Steal du coin pour y acheter du lait.

— Vous voulez dire par la Grande Barrière ? me suis-je étonné, dérouté. Ça, je ne peux pas. Je m'y suis frotté une fois, il n'est pas question que je recommence.

— Ce qui s'est passé là-bas n'est rien en comparaison de ce qui t'attend. La Grande Barrière n'est qu'un des endroits accessibles à partir de la couture. Celle-ci débouche sur d'autres univers beaucoup plus perturbants que la Barrière.

— Finissons-en, ai-je décrété. Expliquez-moi comment me rendre là-bas.

Nous perdions du temps. Chaque seconde gaspillée à discuter en était une de plus passée loin de Lena.

— Il te faut traverser la Grande Rivière. Celle qui coule dans la Grande Barrière. Jusqu'à la couture. Cette dernière forme la frontière entre les royaumes.

— Comme le Styx ?

— De plus, a poursuivi Obidias sans répondre à ma question, tu devras avoir sur toi les yeux de rivière. Deux pierres noires et lisses.

— C'est une blague ?

— Pas du tout. Elles sont très rares, très difficiles à obtenir.

— Bon. Pigé. Je n'aurai qu'à dégoter deux cailloux.

— Si tu parviens à traverser la rivière, et c'est un si conséquent, il te faudra ensuite affronter l'obstacle du Factionnaire avant de pouvoir entrer dans la bibliothèque.

— Et je m'y prends comment ?

Il a avalé une bouffée de cigare.

— En lui offrant quelque chose qu'il ne sera pas en mesure de refuser.

— Par ec-zemple ? a lancé tante Prue.

Comme si elle avait l'offrande en question dans son sac à main. Comme si le Factionnaire risquait d'être intéressé par trois pastilles de menthe poussiéreuses, un petit flacon de crème de jour ou un paquet de mouchoirs en papier.

— C'est chaque fois différent. Ce sera à toi, Ethan, de deviner ce qu'il veut quand tu seras sur place. Il a des goûts… éclectiques.

Il n'a pas précisé lesquels.

Une offrande. Des goûts éclectiques. Qu'est-ce que ça signifiait, bon Dieu de bois ?

— OK. Pour résumer, j'ai besoin de deux pierres noires pour traverser la Grande Rivière, puis de comprendre ce dont a envie ce fichu Factionnaire, de le lui donner, et ensuite je pénètre dans la bibliothèque. Là, je déniche les *Chroniques des Enchanteurs* et je détruis la page qui me concerne.

Je me suis interrompu. Ce que j'allais demander maintenant portait sur un détail vital. Je tenais à formuler correctement ma question.

— Si je fais tout cela et que je ne suis pas pris la main dans le sac, je rentrerai chez moi ? Mon vrai chez-moi ? Comment ça se passe ? Qu'arrivera-t-il après que j'ai déchiré ma page ?

Obidias nous a regardés tour à tour, tante Prue et moi.

— Je l'ignore, a-t-il admis. Pour autant que je sache, ça ne s'est encore jamais produit. (Il a secoué la tête.) Il s'agit d'une opportunité, rien de plus. Même pas bonne, d'ailleurs...

— On est sûrs de r'en, Ethan Wate, a renchéri ma grand-tante. Sauf que t'avais droit à une vie à toi et que les Gardiens, y te l'ont fauchée.

Je me suis levé. Lena m'attendait dans ma chambre ou dans la sienne, près de la croix en biais plantée dans l'herbe de ma sépulture ou ailleurs. Ce qui comptait, c'est qu'elle m'attendait. Si j'avais une seule petite chance de regagner mes pénates, j'étais prêt à la saisir.

Je vais essayer, L. Ne renonce pas trop vite à moi.

— Je dois y aller, monsieur Trueblood. J'ai une rivière à franchir.

Ouvrant son sac, tante Prue en a tiré un plan fané couvert de formes qui ne représentaient aucun continent, pays ou État de ma connaissance. Il avait plutôt l'air de gribouillis au dos d'un vieil évangéliaire. Je savais cependant à quoi ressemblaient les cartes de ma tante, et qu'elles m'avaient rendu déjà bien des services – ainsi, c'étaient elles qui m'avaient guidé jusqu'à la couture, lors de la Dix-septième Lune de Lena.

— Je bosse là-dessus depuis mon arrivée ici, a-t-elle précisé. Un p'tiot ajout par-ci, un p'tiot par-là. L'Obidias m'avait prévenue que t'en aurais besoin. J'me suis dit que c'était la moind' des choses.

Me penchant vers elle, je l'ai enlacée.

— Merci, tante Prue. Ne t'inquiète pas, surtout.

— Je m'inquiète pas, a-t-elle menti.

Ses angoisses étaient inutiles. Je me faisais assez de mouron pour deux.

Chapitre 12 Toujours là

Une fois retournés dans notre partie de l'Autre Monde, notre équipée au grand complet, les Harlon James compris, je ne suis pas tout de suite rentré à la maison. Après avoir déposé tante Prue chez elle, j'ai arpenté les rues – ou plutôt les alignements – de Son Jardin du Repos Éternel.

Repos. Ce n'était pas franchement l'état dans lequel se trouvait mon cerveau.

Je me suis arrêté devant chez nous. La demeure était telle que je l'avais laissée, et ma mère m'y attendait, à n'en pas douter. J'avais envie de lui parler. J'avais cependant d'autres priorités.

Je me suis assis sur les marches de la véranda et j'ai fermé les paupières.

— Porte-moi à la maison.

Comment était-ce, déjà ?

Pour que je me rappelle. Pour qu'ils se rappellent.

Ducite me domum.

Ut meminissem.

Ut in memoria tenear.

Je me rappelle Lena.
Pas le château d'eau.
Ce qui s'est passé avant.
Je me rappelle Ravenwood.
Que Ravenwood se souvienne de moi.
Que Ravenwood...
Porte-moi...

J'étais allongé par terre devant la plantation, à moitié coincé sous un rosier et une haie de camélias qui aurait mérité d'être taillée. Je m'étais de nouveau transféré et, cette fois, tout seul.

— Enfer et damnation !

Je me suis esclaffé. Je commençais à me dépatouiller pas mal de ce statut de défunt.

J'ai grimpé le perron en courant presque. Il me fallait vérifier que Lena avait bien reçu le message – mon message. Le problème était que personne ne s'embêtait avec les mots croisés du *Stars and Stripes*, pas même Amma. Je devais trouver une façon de les amener à feuilleter le journal s'ils ne l'avaient pas encore fait.

Lena n'était pas dans sa chambre, pas sur ma tombe non plus. Ni dans aucun de nos lieux habituels.

Ni parmi les citronniers ni dans la crypte où j'avais connu mon premier trépas.

Je suis allé jusqu'à inspecter l'ancienne chambre de Ridley. Liv y était endormie, au milieu du lit à baldaquin qui grinçait. J'ai prié pour qu'elle décèle ma présence grâce à son Ethan-Watomètre. Raté ! Puis je me suis rendu compte qu'on était en pleine nuit à Gatlin, le vrai Gatlin, et qu'il n'existait pas la moindre corrélation entre le temps qui s'écoulait dans l'Autre Monde et celui des Mortels. J'avais l'impression de ne m'être absenté que quelques heures, or je revenais ici à la nuit tombée.

À la réflexion, j'ignorais aussi complètement quel jour on était.

Pis encore, quand je me suis penché sur le visage nimbé de lune de Liv, j'ai constaté qu'elle semblait avoir pleuré. Comme il y avait de fortes chances que je sois à l'origine de ces larmes, j'ai éprouvé une bouffée de culpabilité. À moins qu'elle ne se soit disputée avec John.

Ce qui paraissait improbable parce que, quand j'ai baissé les yeux, j'ai découvert que j'étais debout sur le torse de John Breed. Ce dernier était roulé en boule au pied du lit, sur la moquette rose usée.

Pauvre type. Il avait beau s'être montré malfaisant à de nombreuses reprises par le passé, il s'était bien comporté envers Liv, avait cru un moment qu'il était l'Unique en valant deux. Difficile d'entretenir un contentieux avec un gars qui avait été prêt à sacrifier sa vie pour sauver l'univers. J'étais bien placé pour le comprendre.

Ce n'était pas sa faute si l'univers n'avait pas voulu de lui.

Je me suis empressé de descendre de mon perchoir en espérant que je serais un peu plus prudent à l'avenir quant à l'endroit où je poserais mes pas. Certes, ma victime n'en saurait rien.

J'ai écumé le reste de la demeure, apparemment vide. Puis j'ai perçu le crépitement d'un feu de cheminée, me suis guidé à ce bruit. Au bas de l'escalier, juste à côté du hall d'entrée, j'ai découvert Macon assis dans son fauteuil en cuir craquelé. Comme d'ordinaire, Lena était là où était son oncle. Installée à ses pieds, elle s'appuyait à l'ottomane. J'ai humé l'odeur du feutre avec lequel elle écrivait. Son calepin était ouvert sur ses genoux, mais elle le regardait à peine. Elle dessinait des cercles les uns sur les autres, encore et encore, jusqu'à ce que la page semble sur le point de céder.

Elle ne sanglotait pas. Loin de là, même.

Elle complotait.

— C'était Ethan, a-t-elle dit. Forcé. J'ai deviné qu'il était avec nous. À croire qu'il était debout près de sa tombe.

Avait-elle vu les mots croisés ? C'était peut-être la raison pour laquelle elle était si pétulante. J'ai scruté les alentours. Si elle avait lu le canard, je n'en ai discerné aucune trace. Une brassée de vieux journaux s'entassait dans la corbeille en métal près de la cheminée. Macon s'en servait pour allumer le feu. J'ai tenté de soulever une feuille, j'ai tout juste réussi à en agiter le coin supérieur.

Ça m'a donné à réfléchir. Serais-je parvenu à élaborer ma grille de mots croisés sans l'aide d'un Diaphane expérimenté comme ma mère ?

Amma pouvait se détendre quant à l'efficacité de sa peinture bleue, de ses alignements de sel et de ses talismans. Hanter les vivants n'était pas aussi facile qu'on aimait à le raconter.

J'ai soudain constaté que Macon étudiait les traits de Lena avec une indicible tristesse. Oubliant les journaux, je me suis concentré sur leur conversation.

— Il se peut que tu aies perçu son essence, Lena, disait-il. Il émane souvent un certain pouvoir d'une sépulture.

— Je n'ai rien perçu de tel, oncle Macon. C'est *lui* que j'ai senti. Ethan. Ethan le Diaphane. Je le jurerais.

De la fumée s'échappait de la cheminée. Boo était allongé, la tête dans le giron de Lena, et ses prunelles reflétaient les flammes.

— Simplement parce qu'un bouton a dégringolé sur sa tombe ?

Si Macon avait gardé la même voix, ses intonations trahissaient une grande lassitude. Je me suis demandé combien de discussions de ce genre il avait endurées depuis ma mort.

— C'est lui qui l'a déplacé, a rétorqué Lena, qui ne cédait pas d'un pouce.

— Et si c'était le vent ? Quelqu'un ? Wesley a pu buter dedans, n'oublie pas qu'il est loin d'être la créature la plus agile qui soit.

— Ça s'est produit il y a une semaine seulement. Je m'en souviens très bien. Je sais que c'est arrivé.

Elle était encore plus entêtée que lui.

Une semaine ?

S'était-il donc écoulé autant de temps à Gatlin ?

Quoi qu'il en soit, Lena n'avait pas regardé le journal. Elle n'était pas en mesure de prouver que j'étais toujours là, ni à elle-même, ni aux miens, et encore moins à mon meilleur copain. De mon côté, il m'était impossible d'évoquer Obidias Trueblood et les complications surgies récemment dans mon existence quand elle ne se doutait même pas que j'étais dans la pièce en sa compagnie.

— Et depuis ? a demandé Macon.

Lena s'est troublée.

— Bah ! Il est peut-être parti. Ou il est occupé. J'ignore comment l'Autre Monde fonctionne.

Elle a fixé le feu comme si elle y cherchait quelque chose.

— Il n'y a pas que moi, a-t-elle ajouté. J'ai rendu visite à Amma. Elle m'a affirmé avoir senti sa présence à la maison.

— Les sentiments d'Amma dès lors qu'il est question d'Ethan ne sont pas dignes de confiance.

— Bêtises ! Naturellement, qu'elle est fiable ! Je ne connais personne d'aussi fiable qu'elle.

Lena paraissait en colère. Que savait-elle exactement de la soirée au château d'eau ?

Macon n'a pas relevé.

— Tu n'es pas d'accord ?

Il a fermé son livre.

— Je ne prédis pas l'avenir. Je ne suis pas un Voyant. Mon unique certitude est qu'Ethan a agi comme il le fallait. Les royaumes recomposés, Ténèbres comme Lumière, lui en seront éternellement redevables.

Lena s'est levée en arrachant la page noircie de son calepin.

— Pas moi, a-t-elle riposté. OK, il a été courageux, brave et tout ce que tu voudras, mais il m'a abandonnée, et je ne suis pas persuadée que ça en valait la peine. Je me fiche de l'univers, des royaumes et du sauvetage du monde. Ça ne m'intéresse plus. Pas sans Ethan.

Elle a jeté la feuille dans l'âtre. Les flammes orange l'ont aussitôt assaillie.

— Je comprends, a murmuré Macon, les yeux vrillés sur le brasier.

— Ah oui ?

Elle en doutait, apparemment.

— Il y a eu une époque où mon cœur passait avant tout.

— Et qu'est-ce qui a changé ?

— Aucune idée. J'ai vieilli, j'imagine. J'ai également appris que les choses sont souvent plus compliquées qu'elles nous semblent l'être.

Elle s'est adossée au manteau de la cheminée.

— Ou alors, a-t-elle murmuré, tu as oublié à quoi ça ressemblait.

— Peut-être.

— Ça ne m'arrivera pas ! a-t-elle décrété en se tournant vers lui. Je n'oublierai jamais.

Elle a agité une main, et la fumée a grimpé jusqu'à s'enrouler autour d'elle et dessiner une forme. Un visage. Mon visage.

— Lena.

Mes traits ont aussitôt disparu, s'effilochant en ruisselets gris de nuage.

— Laisse-moi tranquille. Ne m'enlève pas le peu que j'ai, le peu qui me reste de lui.

Elle s'était exprimée avec une férocité pour laquelle je l'ai aimée encore plus.

— Ce ne sont que des souvenirs, a-t-il tenté, chagriné. Tu dois avancer. Crois-moi.

— En quel honneur ? Tu ne l'as jamais fait, toi !

Un sourire mélancolique a étiré ses lèvres, cependant qu'il contemplait le feu.

— Justement, a-t-il soufflé.

J'ai suivi Lena à l'étage. Bien que la neige et la glace aient fondu depuis ma dernière visite à Ravenwood, un brouillard épais et gris flottait à travers la demeure, et l'air était glacé.

Lena a paru ne pas s'en rendre compte ou s'en moquer, quand bien même son haleine formait de douces volutes blanches sous son nez. J'ai remarqué ses cernes noirs, la maigreur et la fragilité identiques à celles qui s'étaient emparées d'elle lors de la mort de Macon. Cependant, elle n'était plus la même qu'alors ; elle était beaucoup plus forte à présent.

Elle avait cru que Macon avait disparu pour de bon, or nous avions trouvé un moyen de le ramener à la vie. Au fond de moi, je savais qu'elle n'espérait pas moins en ce qui me concernait.

Si elle ignorait que j'étais là, elle était malgré tout persuadée que je n'étais pas totalement parti. Elle n'était pas prête à renoncer à moi. Pas encore.

Comment en étais-je sûr ? Parce que, si j'avais été celui qui avait survécu, j'aurais été dans le même état d'esprit.

Lena s'est glissée dans sa chambre, a contourné la pile de bagages et s'est mise au lit sans prendre la peine de se déshabiller. Elle a agité les doigts, la porte s'est sèchement refermée. Je me suis allongé près d'elle, mon visage au bord de l'oreiller. Seuls quelques centimètres nous séparaient.

Les larmes ont commencé à rouler sur ses joues, et j'ai cru que mon cœur allait se briser.

Je t'aime, L. Je t'aimerai toujours.

Fermant les yeux, j'ai essayé de l'atteindre. J'aurais voulu pouvoir agir avec l'énergie du désespoir. Il existait forcément une façon de lui révéler ma présence.

Je t'aime, Ethan. Je ne t'oublierai pas. Je ne t'oublierai jamais et je ne cesserai jamais de t'aimer.

Sa voix s'est faufilée à l'intérieur de mon crâne. Lorsque j'ai soulevé les paupières, j'ai constaté que son regard était fixé sur moi sans me voir.

— Jamais, a-t-elle murmuré.

— Jamais, ai-je répété.

J'ai enroulé mes doigts autour de ses boucles brunes en attendant qu'elle s'endorme. Je l'ai sentie se blottir contre moi.

Il fallait absolument que je me débrouille pour qu'elle découvre le *Stars and Stripes.*

Le lendemain matin, alors que je lui emboîtais le pas dans l'escalier, j'ai eu l'impression : a) de me comporter comme un voyeur ; b) de perdre la tête. Cuisine avait concocté un petit déjeuner aussi copieux que d'habitude mais, par bonheur, maintenant que l'Ordre des Choses était rétabli, et que le monde n'était plus sur le point de s'achever, la nourriture ne vous donnait plus envie de vomir à force d'être crue.

Macon patientait à la table, il avait déjà commencé à se servir. Le voir manger continuait de me surprendre. Ce jour-là, il y avait des brioches, cuisinées avec tant de beurre qu'il suintait à travers les craquelures de la pâte. D'épaisses tranches de bacon s'entassaient sur une montagne d'œufs brouillés – on se serait cru chez Amma. Une énorme tarte aux fruits rouges aurait fait le bonheur de Link, qui l'aurait engloutie en une seule bouchée s'il ne s'était pas transformé en Linkube.

Soudain, je l'ai aperçu. Le *Stars and Stripes* encore plié était au bas d'une pile de journaux en provenance d'à peu près autant de pays étrangers que j'en connaissais.

J'ai tenté de m'en emparer à l'instant même où Macon attrapait la cafetière. Son bras a traversé ma poitrine, froid et étranger, me donnant l'impression d'avoir avalé un glaçon. Un peu comme les sinus semblent geler quand on mange trop vite une crème glacée, sauf que, là, c'est mon cœur qui s'est pétrifié.

Saisissant le canard à deux mains, j'ai tiré dessus de toutes mes forces. Lentement, il a glissé de sous le tas. Malheureusement, ça n'a pas suffi.

J'ai relevé les yeux sur Macon et Lena. Lui était absorbé dans un magazine appelé *L'Express* qui avait l'air d'être rédigé en français. Lena fixait son assiette comme si ses œufs s'apprêtaient à lui faire une révélation d'une importance vitale.

Allez, L. Il est juste là. Je suis juste là.

J'ai donné une brusque secousse au journal qui a dégringolé par terre, juste aux pieds de Lena.

Ni elle ni Macon n'ont daigné réagir.

Elle a mélangé du lait dans son thé. J'ai pris sa main dans la mienne, l'ai serrée jusqu'à ce qu'elle lâche sa cuiller en éclaboussant la nappe au passage. Lena a contemplé sa tasse en remuant les doigts. Puis elle a épongé la nappe avec sa serviette. C'est alors qu'elle a remarqué la feuille de chou au sol.

— Qu'est-ce que c'est ? a-t-elle murmuré en ramassant le journal. J'ignorais que tu étais abonné au *Stars and Stripes*, oncle Macon.

— Si, si, a-t-il répondu. J'estime utile d'être au courant de ce qui se trame en ville. Qui voudrait manquer… voyons un peu… le dernier projet diabolique de Mme Lincoln et de ses acolytes, par exemple ? C'est en général trop drôle pour qu'on se prive de ce plaisir.

Lena a balancé le journal sur la table, à l'envers.

Les mots croisés se trouvaient en dernière page. C'était l'édition du dimanche, exactement ce que j'avais mijoté dans les bureaux du canard.

— Amma serait capable de remplir cette grille en cinq minutes, a-t-elle commenté avec un petit sourire.

Macon a relevé la tête.

— Moins, même, a-t-il objecté. Rien qu'à moi, trois suffiraient, à mon avis.

— Vraiment ?

— Teste-moi.

— Onze lettres horizontal, a-t-elle dit. Apparition ou fantasme. Spectre. Esprit venant d'un autre monde. Fantôme.

Macon a plissé les paupières.

Lena s'est penchée au-dessus de la page, sa tasse dans une main, et s'est plongée dans la lecture de la grille.

Je t'en supplie, tâche de piger, L.

Ce n'est que quand la tasse a tremblé avant de tomber sur le tapis que j'ai deviné qu'elle avait compris. Pas la grille elle-même, mais le message qu'elle recelait.

— Ethan ?

Elle a brusquement regardé autour d'elle. Je me suis rapproché, ai frotté ma joue contre la sienne. Elle ne percevait rien, bien sûr. Je n'avais pas rétabli le lien nous unissant. Pas encore. Toutefois, elle croyait désormais que j'étais dans les parages, et c'est tout ce qui m'importait pour l'instant.

Macon la dévisageait avec étonnement.

Au-dessus de la table, le lustre a commencé à s'agiter. La pièce s'est illuminée jusqu'à être baignée d'une lumière blanche aveuglante. Les fenêtres immenses de la salle à manger se sont fissurées en centaines de toiles d'araignée de verre. Les lourdes tentures ont battu les murs, pareilles à des plumes voletant dans le vent.

— Chérie… a lâché Macon.

Les cheveux de Lena bouclaient dans tous les sens. Lorsque les vitres se sont mises à exploser comme des feux d'artifice, j'ai fermé les yeux.

Ethan ?

Je suis là.

C'est tout ce que je demandais. Qu'elle sache.

Enfin.

Chapitre 13
Que le corbeau te guide

Lena savait que j'étais là. Il m'a été difficile de m'en aller, mais elle avait compris, et c'était l'essentiel. Amma et Lena. J'avais réussi sur les deux tableaux. Un bon début.

Et puis, j'étais éreinté.

Il me fallait maintenant trouver une façon de retourner à elle pour de bon. Je me suis transféré en un clin d'œil. Si seulement le reste avait été aussi simple !

J'aurais dû rentrer chez moi et tout raconter à ma mère. Cependant, mon projet de me rendre à la Garde Suprême l'inquiéterait. D'après ce que m'avaient dit Genevieve, ma mère, tante Prue et Obidias Trueblood, ce n'était pas un endroit où l'on allait sans y être obligé.

Surtout quand on avait une mère.

J'ai dressé une liste de tout ce qu'il m'incombait de faire, de tous les endroits où je devais aller. La rivière. Le livre. Les yeux de rivière, autrement dit, deux pierres noires et lisses. D'après Obidias, elles m'étaient nécessaires. Je n'ai cessé d'y réfléchir, encore et encore.

Combien de pierres noires et lisses y avait-il au monde ? Comment allais-je distinguer celles qui étaient ces fichus yeux des autres ? Je tomberais peut-être dessus en chemin. Ou alors, je les avais déjà, et je l'ignorais.

Un caillou noir magique, l'œil de rivière.

Ça sonnait bizarrement familier à mes oreilles. En avais-je entendu parler auparavant ?

J'ai pensé à Amma. À tous ses sortilèges, à ses os minuscules, à ses moindres pincées de terre de cimetière et de sel, à tous les bouts de ficelle qu'elle m'avait forcé à porter sur moi.

Soudain, je me suis rappelé.

Ce qui me titillait n'était pas l'un des grigris d'Amma. Je l'avais entraperçu lors de la vision qui m'était venue après avoir débouché la bouteille dans sa chambre. La pierre avait été suspendue au cou de Sulla la Prophétesse. Dans mon hallucination, Amma l'avait surnommée « l'œil ».

Celui de rivière.

Désormais, l'endroit où la dénicher était évident. Il me restait cependant à y aller, la condition étant que je réussisse à me transférer à Wader's Creek à partir de ce côté-ci de l'univers.

Je n'y couperais pas. Si intimidante que soit cette perspective, je devais rendre visite aux Grands.

J'ai déplié la carte que m'avait remise tante Prue. Je n'ai guère eu de mal à localiser les Portails. Une croix rouge située sur le mausolée des Snow marquait celui qui conduisait chez Obidias. Je me suis mis à traquer tous les signes X de cette couleur.

Malheureusement, il y en avait des tas. Lequel me mènerait-il à Wader's Creek ? Les destinations n'étaient bien sûr pas mentionnées, au contraire des sorties sur une autoroute, et je ne tenais pas à débouler au beau milieu de la mauvaise surprise qui risquait de m'attendre derrière le Portail numéro trois.

En comparaison, des serpents en guise de doigts auraient l'air d'une franche rigolade.

Une logique présidait sûrement à tout cela. Ce qui reliait le Portail de la concession Snow au sentier caillouteux menant au seuil d'Obidias Trueblood m'échappait, mais il y avait forcément quelque chose. Et comme, dans la région, nous étions tous plus ou moins de la même famille, ce quelque chose était sans doute les liens du sang.

Mais quel pouvait être le sas conduisant l'une des tombes de Son Jardin du Repos Éternel aux Grands ? Y aurait-il eu un marchand de spiritueux dans le cimetière, les ruines d'une pâtisserie hantée réputée pour ses tartes au citron meringuées ou un cercueil rempli de bourbon, le whisky préféré d'oncle Abner, ce dernier aurait certainement été à deux pas de moi.

Sauf que Wader's Creek possédait son propre cimetière. Son Jardin du Repos Éternel n'avait aucune crypte au nom d'Ivy, d'Abner, de Sulla ou de Delilah.

C'est alors que j'ai vu un X rouge dans les parages de ce qui, selon ma mère, était les plus anciennes tombes du coin. C'était forcément là.

Repliant le plan, j'ai décidé d'aller vérifier mon hypothèse.

Quelques minutes plus tard, je me tenais devant un obélisque de marbre blanc.

Naturellement, le mot « sacré » était gravé dans la pierre veinée qui se délitait, juste au-dessus d'un crâne lugubre aux yeux vides qui vous fixaient sans ciller. Je n'avais jamais compris pourquoi ces têtes de mort repoussantes ornaient les plus vieilles tombes de Gatlin. Il n'empêche, nous étions tous au courant de ce tribut particulier, quand bien même cet obélisque était confiné au cœur de Son Jardin, là où avait été situé le cimetière d'origine, longtemps avant que le nouveau ait été construit alentour.

Cette sépulture, Gatlin l'avait baptisée « L'Aiguille confédérée ». Non à cause de sa pointe, mais à cause des dames qui l'avaient fait ériger. Katherine Cooper Sewell[1] qui, sans doute juste après l'indépendance, avait fondé la section locale des Filles de la Révolution Américaine[2], avait veillé à ce que les FRA récoltent suffisamment d'argent pour bâtir son mausolée avant qu'elle ne mourût.

Or elle avait été l'épouse de Samuel Sewell.

Ledit Samuel Sewell avait dirigé la Brasserie des Palmiers, la première distillerie du comté de Gatlin. Qui ne fabriquait qu'un seul et unique produit.

Du bourbon.

— Malin, ai-je commenté avant de passer derrière l'obélisque.

La grille en fer forgé qui l'entourait s'inclinait par endroits, était brisée en d'autres. Je ne suis pas sûr que je les aurais distingués dans la vraie vie, mais ici, dans l'Autre Monde, les contours du Portail découpé à la base du monument étaient visibles comme le nez au milieu de la figure. De forme rectangulaire, le passage était rehaussé de rangées de coquillages et d'angelots.

J'ai appuyé la paume contre la pierre tiède, et le battant a cédé sans résister, basculant du soleil à l'ombre.

Une dizaine de marches inégales plus tard, j'ai atterri sur ce qui ressemblait à une allée de gravier. Après l'avoir empruntée un moment, j'ai fini par apercevoir, au détour d'un virage, une flaque de lumière lointaine. Au fur et à mesure que je m'en suis rapproché, des odeurs d'herbes des marais et de palmiers gorgés d'eau m'ont chatouillé les narines. Il s'agissait là d'arômes inimitables.

---

1. *To sew*, « coudre » en anglais, d'où le surnom d'aiguille.

2. Soit « Daughers of the American Revolution », ou DAR. Société datant de la fin du XIXe siècle réservée aux femmes et impliquée dans l'éducation et la mémoire de l'Histoire des États-Unis. Prônant des opinions conservatrices, les DAR ont soulevé la polémique à plusieurs reprises par leurs positions racistes, notamment à l'époque de la Ségrégation.

J'étais au bon endroit.

J'ai atteint une porte en bois tordue à demi ouverte. Plus rien ne faisait obstacle à la lumière maintenant, ni à l'atmosphère chaude et collante, laquelle s'est renforcée quand j'ai gravi l'escalier qui se trouvait de l'autre côté du battant.

Wader's Creek m'attendait. Bien que mon regard ne porte pas au-delà d'une rangée de hauts cyprès, j'ai su que j'étais parvenu à destination. Si je suivais le sentier boueux qui s'étirait devant moi, je finirais par aboutir à la maison d'Amma, celle qui n'était pas la nôtre, s'entend.

Écartant la frondaison d'un palmier, j'ai découvert un alignement de maisonnettes installées au bord de l'eau.

Les Grands. Ça ne pouvait être qu'eux.

J'ai avancé, et des voix ont voleté jusqu'à moi. Sur la véranda la plus proche, trois femmes étaient réunies autour d'une table sur laquelle était étalé un jeu de cartes. Elles bougonnaient et se chamaillaient, à l'image des Sœurs quand elles faisaient une partie de scrabble.

De loin, j'ai identifié Twyla. Je m'étais douté qu'elle rejoindrait les Grands lorsqu'elle était morte, la nuit de la Dix-septième Lune. Malgré tout, la voir ici jouer aux cartes avec ses amies m'a paru bizarre.

— Dis donc, Twyla, t'as pas le droit de jeter c'te carte, et tu le sais. Tu crois que j'te vois pas à essayer de tricher ?

L'indignée, vêtue d'un châle bigarré, a repoussé la carte vers la coupable.

— T'as beau êt' Voyante, *chère*[1], t'as des peaux de saucisse devant les yeux, a répliqué cette dernière.

Sulla. C'était donc elle. À présent, je reconnaissais la femme de ma vision. Sulla la Prophétesse, l'ancêtre la plus célèbre d'Amma.

— Pour moi, vous êtes toutes les deux des tricheuses ! a décrété à cet instant la troisième dame. Et moi, je joue pas avec des tricheuses.

1. En français dans le texte.

Elle a abattu son jeu et rajusté ses lunettes. Son châle était jaune vif. J'ai tenté d'étouffer un rire, mais cette scène m'était bien trop familière. J'aurais tout aussi bien pu être chez moi.

— Arrête de faire ta rabat-joie, Delilah, a grondé Sulla en secouant la tête.

Delilah. Celle aux lunettes.

Une quatrième femme était assise dans un fauteuil à bascule, au bout de la véranda. Elle tenait une broderie dans une main, une aiguille dans l'autre.

— Et si t'allais plutôt à la cuisine chercher un bout de tarte à ta vieille tatie Ivy ? Ch'suis occupée avec ma couture.

Ivy. Là encore, il était curieux de la découvrir en chair et en os, après les visions que j'avais eues d'elle.

— De la tarte ? Ha !

Un vieillard s'est esclaffé depuis son propre rocking-chair. Une bouteille de bourbon reposait sur ses genoux, une pipe pendait à la commissure de ses lèvres.

Oncle Abner.

J'avais le sentiment de le connaître personnellement, alors que nous ne nous étions jamais rencontrés. Mais bon, j'avais été présent dans la cuisine lorsque Amma lui avait préparé des centaines – un millier peut-être – de gâteaux au fil des années.

À cet instant, un corbeau énorme est venu se percher sur l'épaule d'oncle Abner.

— Tu trouveras pas d'tarte chez nous, Delilah. On n'en a p'us.

Delilah s'est arrêtée net, la paume sur la moustiquaire de la porte.

— Et pourquoi don', Abner ?

Le type m'a désigné du menton.

— Pa'sque l'Amarie en fait p'us que pour lui, main'ant. Sûr et certain.

Il a vidé sa pipe en la tapotant contre la rambarde de la véranda, répandant le tabac dans le jardin.

— Qui ça ? Moi ?

Je n'en revenais pas qu'oncle Abner s'adresse à moi ainsi. Je me suis rapproché d'un pas.

— Euh… Bonjour, monsieur.

Il m'a ignoré.

— Ch'crois b'en que ch'suis pas prêt de r'voir une tarte au citron meringuée de sitôt, à moins que ce soit le dessert préféré du gamin z-aussi.

— Tu t'décides à v'nir ou tu comptes faire le pied de grue comme ça encore longtemps ?

Sulla avait beau me tourner le dos, elle n'ignorait rien de ma présence.

— Ethan ? a demandé Twyla en plissant les yeux sous le soleil. C'est toi, *cher*[1] ?

J'ai marché vers la maison, alors que j'avais plutôt envie de rester sur place. J'ignore pourquoi j'étais tellement nerveux. Je ne m'étais pas attendu à ce que les Grands se comportent de façon aussi banale. Ils auraient pu constituer n'importe quel groupe de personnes âgées rassemblées sur la véranda de l'une d'elles par un bel après-midi ensoleillé. Enfin, à condition d'oublier qu'ils étaient tous morts.

— Ouais. Euh, pardon. Oui, madame, c'est moi.

Se levant, oncle Abner a gagné la balustrade afin d'avoir un meilleur aperçu de moi. Le volatile géant était toujours juché sur son épaule. Il a battu des ailes, mais son maître n'a pas bronché.

— Comme je dis, a-t-il repris, on n'aura p'us de gâteaux. Ni r'en d'aut'. Vu que le gosse, y l'est avec nous, à c'te heure.

Twyla m'a fait signe de la rejoindre.

— Y partagera peut-êt' avec nous ?

J'ai escaladé les marches en bois abîmées, les carillons éoliens ont retenti. Alors qu'il n'y avait pas un souffle de vent.

1. En français dans le texte.

— L'est un esprit, pas de doute, a décrété Sulla.

Un petit oiseau sautillait sur la table. Un moineau.

— 'videmment, a reniflé Ivy. Sinon, y serait pas là.

J'ai soigneusement évité oncle Abner et son charognard. Twyla a bondi de sa chaise et m'a étreint.

— Ch'peux point dire que ch'suis contente que t'es là, mais je l'suis de te voir.

Je l'ai serrée contre moi.

— Eh bien, ai-je répondu, je ne suis pas très heureux d'être ici moi non plus.

Oncle Abner s'est octroyé une rasade de whisky.

— Dans ce cas, pourquoi don' t'as sauté de cette idiote de tour ? a-t-il riposté.

J'en suis resté coi. De toute façon, Sulla l'a renvoyé dans ses buts avant que j'aie pu retrouver ma voix.

— Tu connais la réponse aussi bien que ton prop' nom, Abner. Et main'ant, arrête d'embêter c'te pauv' garçon.

Derechef, le corbeau a battu des ailes.

— Y l'a pas volé, pourtant, a répliqué son maître.

Sulla s'est tournée vers lui afin de le gratifier du Regard-Qui-Tue. Était-ce auprès d'elle qu'Amma l'avait appris ?

— Tu sais qu'y l'avait pas le choix, a-t-elle lâché. Pa'sque toi, t'aurais été peut-êt' assez fort pour arrêter la Roue de Fortune en personne, hein ?

Delilah m'a avancé un siège en osier.

— Assois-toi avec nous.

Sulla battait ses cartes, qui étaient tout ce qu'il y a de plus ordinaire.

— Vous lisez celles-ci aussi ? me suis-je enquis.

Ça ne m'aurait pas étonné. Elle a ri, cependant que le moineau pépiait.

— Non, on joue au rami, a-t-elle expliqué. À c'te propos, rami !

Et elle a abattu son jeu sur la table.

— C'est toujours toi qui gagnes ! a boudé Delilah.

— Et j'ai gagné encore c'te fois. Bon, Ethan, si tu t'posais un instant et que tu nous ess-pliquais ce qui t'amène ici ?

— Vous devez déjà être au courant de certaines choses, non ?

Elle a haussé les sourcils.

— Bien. Vous avez sûrement eu vent de ma visite à Obidias Trueblood, ce vieux...

— Moui... a-t-elle opiné.

— S'il dit vrai, j'ai peut-être la possibilité de rentrer à la maison. Enfin, de retrouver ma vie, quoi.

— Moui...

— Je dois arracher ma page dans les...

— *Chroniques des Enchanteurs*, a-t-elle terminé à ma place. Ça, je le sais. Si tu nous racontais plutôt ce que t'attends de nous, hein ?

J'aurais parié qu'elle n'en ignorait rien. Elle souhaitait toutefois que je le formule. Question d'éducation.

— Je cherche une pierre, ai-je commencé en réfléchissant à la meilleure description qui soit. Cela va vous paraître étrange, sans doute, mais il se trouve que je vous ai vue en porter une, une nuit, lors d'un rêve. Elle est luisante et noire...

— Celle-ci ?

Elle a tendu la paume. Y reposait le caillou de ma vision. J'ai hoché la tête, soulagé.

— C'est certain que tu vas en avoir besoin.

Elle l'a fourré entre mes doigts, a refermé ceux-ci autour. La pierre émettait une espèce de chaleur qui semblait venir de son cœur.

— Tu sais ce que c'est ? m'a demandé Delilah.

— D'après Obidias, on la surnomme l'œil de rivière. Il m'en faut deux pour traverser la rivière.

— Alors, y t'en manque une, a constaté oncle Abner.

Il n'avait pas bougé de la rambarde et était en train de bourrer sa pipe avec des feuilles de tabac.

— Il en ec-ziste une aut', a lancé Sulla, le regard pétillant. Tu devines pas laquelle ?

J'ai secoué le menton. Twyla s'est emparée de ma main. Un sourire étirait ses lèvres, et elle a agité la tête, déclenchant le bruissement de ses tresses sur ses épaules.

— *Un cadeau*[1], a-t-elle dit avec son accent créole prononcé. Je me souviens de quand je l'ai donné à Lena. L'œil de rivière est une pierre puissante. Elle porte chance lors des voyages.

Au même moment, je me suis rappelé le caillou lisse et noir du collier de babioles de Lena.

Mais oui, bien sûr !

C'était Lena qui avait la seconde pierre qui m'était indispensable.

— Tu connais le chemin de la rivière ? s'est enquise Twyla en me lâchant. Tu te débrouilleras ?

J'ai tiré de ma poche le plan de tante Prue.

— J'ai une carte, ai-je expliqué. Offerte par ma grand-tante.

— C'est toujours utile, a commenté Sulla en l'examinant. Mais les oiseaux sont plus fiables.

Elle a claqué de la langue, et le moineau est venu se percher sur son épaule.

— Un plan mal lu risque de te mener au mauvais endroit. Un oiseau se trompe jamais.

— Ça m'ennuierait de vous en priver.

Elle m'avait déjà donné la pierre, j'avais l'impression d'abuser de sa générosité. Par ailleurs, les volatiles me rendaient nerveux. Ils ressemblaient aux vieilles dames, avec un bec plus acéré toutefois.

Oncle Abner a tiré longuement sur sa pipe, puis s'est approché de nous. Sans être un géant, il était plus grand que moi. Il boitillait, et je n'ai pas pu m'empêcher de me deman-

---

1. En français dans le texte.

der pour quelle raison. Il a noué les doigts autour de l'une des bretelles qui retenaient son large pantalon marron.

— T'as qu'à prendre le mien, alors, a-t-il suggéré.

— Pardon, monsieur ?

— Mon oiseau, a-t-il insisté en haussant l'épaule sur laquelle était juché le corbeau, qui a gonflé ses ailes. P'isque tu veux pas de çui de la Sulla, ce que je comprends, vu qu'il est pas plus gros qu'un mulot, t'as qu'à utiliser le mien.

Le corbeau grand comme un vautour m'impressionnait, et je n'avais pas du tout envie d'en faire mon compagnon de route. Je devais cependant me montrer prudent : le vieillard m'offrait quelque chose qu'il chérissait, et il était hors de question de l'offenser.

Pour le coup, j'avais encore moins envie qu'il se sente insulté.

— J'apprécie le geste, monsieur, mais je m'en voudrais de vous le prendre. Il m'a l'air... très attaché à vous.

L'intéressé a croassé bruyamment. Oncle Abner a balayé mes scrupules d'un revers de la main.

— Balivernes ! Exu est intelligent. Je l'ai baptisé ainsi en l'honneur du dieu des croisements de routes. Il surveille les portes qui séparent les différents univers et y s'y retrouve partout. S'pas, mon tout beau ?

Exu s'est rengorgé, comme s'il avait compris que son maître chantait ses louanges. Delilah s'est levée et a marché vers lui, un bras tendu. D'un coup d'ailes, le volatile est allé s'y poser.

— Le corbeau, y l'est aussi le seul oiseau capab' de se transférer d'un monde à l'aut', de traverser les voiles de la vie et de la mort, d'atteindre des lieux encore pis. Ce vieux tas de plumes te sera un allié puissant, Ethan, et un maître hors pair.

— Ça signifie qu'il peut gagner le royaume des Mortels ?

Je n'en revenais pas.

— 'videmment, a répondu Abner avec dédain et en me crachant une bouffée de fumée au visage. Autant qu'y veut.

Le seul endroit où c'te zoziau peut point aller, c'est sous l'eau. Et juste pa'sque je lui ai jamais appris à nager.

— Il est donc en mesure de me montrer le chemin jusqu'à la rivière ?

— Et bien d'aut' choses encore, si tu es attentif.

Sur un signe de tête d'oncle Abner, Exu a décollé et s'est mis à tourner dans le ciel.

— Il est plus sage quand on lui donne un cadeau par-ci par-là. Comme le dieu dont il porte le nom.

Je n'avais pas la moindre idée du genre d'offrandes qu'on faisait à un corbeau ou à une divinité vaudou, encore moins à un corbeau prénommé comme une divinité vaudou. Mais je me doutais que des graines ordinaires n'y suffiraient pas. Heureusement, oncle Abner m'a renseigné.

— Tiens, prends donc ça.

Il a transvasé du bourbon dans une flasque cabossée et me l'a remise avec une petite boîte en fer-blanc. La même que celle où il avait pêché son tabac.

— Votre bestiole boit du whisky et chique ?

— Réjouis-toi plutôt qu'y boulotte pas des gamins maigrichons qui savent r'en de r'en à l'Autre Monde, a riposté le vieil homme avec un froncement de sourcils.

— Oui, monsieur, me suis-je dépêché d'acquiescer.

— Et main'ant, fiche le camp d'ici avec mon oiseau et c'te pierre, a-t-il conclu. Amarie me fera point de tarte tant que tu traîneras par ici.

— Oui, monsieur, ai-je répondu en empochant la flasque et la tabatière. Et merci.

J'ai dégringolé les marches de la véranda. Je me suis retourné pour regarder une dernière fois les Grands rassemblés autour d'une table de jeu, occupés qui à coudre et à se disputer, qui à râler et à boire du bourbon. Je voulais conserver ce souvenir de gens normaux, qui étaient grands pour des raisons n'ayant aucun rapport avec leur faculté à prédire l'avenir ou à flanquer une frousse de tous les diables aux Enchanteurs des Ténèbres.

Ils me faisaient penser à Amma et à tout ce que j'aimais chez elle. Sa façon d'avoir toujours une réponse à tout et de me chasser avec un truc bizarre dans la poche. Son habitude de me morigéner quand elle s'inquiétait pour moi et de me répéter à l'envi que j'étais encore très ignorant.

Sulla s'est mise debout et s'est penchée par-dessus la balustrade.

— Quand tu verras le Maître de la Rivière, oublie pas d'y dire que c'est moi qui t'envoie, compris ?

Allons bon ! Qui c'était celui-là ?

— Le Maître de la Rivière, madame ?

— Tu le reconnaîtras quand tu le verras.

— Oui, madame.

J'ai commencé à m'éloigner.

— Ethan ! m'a crié oncle Abner. Une fois à la maison, rappelle à l'Amarie que je veux une tarte au citron meringuée et un panier de poulet frit. Deux bons gros pilons... Non, quatre, plutôt.

— Promis, ai-je répondu en souriant.

— Et renvoie-moi mon zoziau après. Au bout d'un moment, y devient capricieux.

Le corbeau a tournoyé au-dessus de moi tandis que je m'éloignais. J'ignorais complètement ce que serait la suite des événements, malgré ma carte et un oiseau mangeur de tabac qu'aucun univers ne rejetait. Mais ça n'avait pas d'importance, du moment que j'avais derrière moi ma mère, tante Prue, un Enchanteur des Ténèbres qui était revenu de l'endroit dont j'allais essayer de forcer la porte, et tous les Grands, renforcés par la présence de Twyla par-dessus le marché.

J'avais désormais une pierre, et plus je pensais à Lena, plus je me rendais compte que j'avais toujours su où dénicher la seconde. Elle ne l'ôtait jamais de son collier. C'était sans doute pour cela que Twyla la lui avait offerte en guise de protection. À moins qu'elle ne m'ait été destinée dès le départ.

Après tout, Twyla était une redoutable Nécromancienne. Elle avait peut-être deviné que j'en aurais besoin.

J'arrive, L. Le plus vite possible.

J'avais beau être conscient qu'elle ne m'entendait plus Chuchoter, j'ai quand même guetté sa voix au fond de mon esprit. Comme si le souvenir que j'en avais était susceptible de remplacer ses paroles.

Je t'aime.

J'ai imaginé ses cheveux noirs, ses yeux vert et or, ses Converse usées et son vernis à ongles noir écaillé.

À présent, je n'avais plus qu'une chose à faire. L'heure était venue de m'y attaquer.

En français dans le texte.

Chapitre 14
Choses de traviole

Il ne m'a pas fallu beaucoup de temps pour regagner l'Aiguille confédérée, puis je me suis débrouillé comme un chef pour gagner les bureaux du *Stars and Stripes*. Je me déplaçais comme un Diaphane aguerri, désormais. Maintenant que j'avais pris le coup – laisser mon cerveau se charger du boulot sans me concentrer sur quoi que ce soit –, se transférer était aussi facile que marcher. Plus même, puisque je n'avais pas à marcher.

Une fois sur place, je n'ai pas hésité un instant à me mettre à l'œuvre et, là encore, j'y suis arrivé seul. J'avais même hâte de m'y coller, d'ailleurs. J'avais réfléchi au préalable. Je comprenais pourquoi Amma aimait tant les mots croisés. Lorsqu'on avait pigé le truc, ils en devenaient presque irrésistibles.

Dans les bureaux, après avoir franchi la barrière des climatiseurs, j'ai découvert la maquette du prochain numéro sur les trois tables, exactement comme lors de ma dernière incursion. J'ai fouillé et trouvé les mots croisés sans aucun problème.

La grille était encore moins aboutie que la précédente. L'équipe se reposait peut-être sur ses lauriers après avoir décidé qu'elle pouvait compter sur un quelconque et discret collaborateur pour s'atteler à la tâche. Aucune importance. L'essentiel était que Lena s'y intéresse. Ramassant une première lettre, je me suis attaqué au problème.

Quatre vertical.

O.N.Y.X.

Autrement dit, une pierre noire.

Cinq horizontal.

G.A.N.G.E.

Autrement dit, une rivière sacrée.

Six vertical.

O.C.U.L.U.S.

Autrement dit, un œil.

Huit horizontal.

B.R.E.L.O.Q.U.E.

Autrement dit, l'une de celles qu'elle arborait constamment.

M.A.T.E.R.

Autrement dit, la mienne, Lila Jane Evers.

C.H.U.T.E.

Autrement dit, tombe.

Tel était le message : il me faut la pierre noire, l'œil de rivière, celle que tu portes à ton collier de babioles, et je te demande de la laisser sur la tombe de ma mère. Y avait-il plus évident ?

Je ne pensais pas. En tout cas, pas pour ce numéro du canard.

Lorsque j'en ai eu terminé, j'étais épuisé, à croire que je m'étais exercé à de brusques accélérations sur le terrain de basket tout l'après-midi. J'ignorais combien de temps s'écoulerait dans l'Autre Monde avant que Lena ne reçoive mon mot dans le sien. Ma seule certitude était qu'elle le lirait.

Parce que je ne doutais pas plus d'elle que de moi-même.

Quand je suis arrivé chez moi, dans l'Autre Monde, ma maison ou la sépulture maternelle, appelez ça comme vous voulez, l'objet convoité était là sur le seuil à m'attendre.

Lena avait exaucé mes vœux et déposé le caillou sur la tombe de ma mère.

Que ça ait fonctionné m'a coupé la chique.

La breloque noire en provenance de la Barbade, celle qu'elle ne quittait jamais, était au beau milieu du paillasson.

Je détenais donc la seconde pierre de rivière.

Une vague de soulagement m'a submergé. Qui n'a duré que cinq secondes, hélas, car je me suis alors rendu compte de ce que cela signifiait.

Il était temps que je parte. Que je dise au revoir.

Pourquoi était-ce soudain si difficile ?

— Ethan ?

Ma mère. Je n'ai pas relevé la tête. J'étais assis par terre dans le salon, adossé au canapé. Je tenais une maison et une voiture, éléments disparates de la vieille ville de Noël qui avait appartenu à ma génitrice. J'avais les yeux rivés sur l'auto.

— Tu as retrouvé la verte qu'on avait égarée, ai-je murmuré. Je la croyais perdue pour toujours.

Elle n'a pas répondu. Je l'ai regardée. Ses cheveux étaient encore plus mal coiffés que d'habitude, et son visage était strié de larmes. J'ignorais en quel honneur la ville miniature était ainsi étalée sur la table basse. J'ai reposé la maisonnette, ai fait rouler le véhicule en métal vert. Loin des animaux, de l'église à la flèche tordue et de l'arbre en cure-pipe.

Comme je l'ai dit, il était temps que je m'en aille.

Lorsque j'avais appris ce qu'il me fallait faire pour ressusciter, j'avais en partie eu envie de filer à toutes jambes afin de régler la chose au plus vite. Cette partie de moi n'avait qu'une pensée en tête : rejoindre Lena.

Cependant, assis ici, je m'apercevais que je ne souhaitais nullement quitter ma mère. Qui m'avait tant manqué ; que je m'étais habitué très rapidement à voir dans la maison, à entendre dans la pièce voisine. J'hésitais à abandonner de nouveau cela, malgré mon désir absolu de repartir dans la vraie vie.

Bref, j'en étais réduit à traîner dans le salon et à fixer cette vieille bagnole tout en m'émerveillant que cet objet égaré depuis si longtemps ait été retrouvé.

Ma mère a inspiré profondément, et j'ai fermé les yeux avant qu'elle ne se mette à parler. Ce qui ne l'a pas arrêtée pour autant.

— Ça ne me semble pas raisonnable, Ethan. Ça n'est pas sans danger, et je crois que tu ne devrais pas y aller. Quoi que t'ait raconté ta tante Prue.

Sa voix tremblait.

— Maman.

— Tu n'as que dix-sept ans.

— Faux. Je n'ai plus d'âge. Désolé de te balancer ça, mais ton discours arrive un peu trop tard. Reconnais que ma sécurité n'est plus le premier de mes soucis. Puisque je suis mort et tout le bataclan.

— Dit comme ça, certes...

En soupirant, elle s'est installée par terre près de moi.

— Et comment voudrais-tu que je le formule ?

— Je ne sais pas. Décédé ?

Elle a tenté de retenir son sourire. J'ai vaguement souri moi aussi.

— Excuse-moi, ai-je répondu. Va pour décédé.

Elle n'avait pas tort. Par chez nous, les gens n'aimaient pas employer le terme « mort ». Ils le considéraient comme impoli. Comme si le prononcer rendait la chose réelle. Comme si les mots étaient plus puissants que les faits.

Ce qui était peut-être le cas.

Après tout, n'était-ce pas là la tâche qui m'incombait à présent ? Détruire les phrases écrites sur la page du bouquin

d'une bibliothèque ; celles qui avaient modifié mon destin de Mortel. Était-ce pousser le bouchon trop loin que d'en conclure, finalement, que les mots avaient le pouvoir de modeler l'existence entière d'un individu ?

— Tu ne sais pas dans quoi tu mets les pieds, chéri, a repris ma mère. Si je l'avais découvert en personne, avant tout ceci, tu ne serais même pas ici. Il n'y aurait pas eu d'accident de la route, pas de château d'eau…

Elle s'est interrompue.

— Tu n'empêcheras pas les choses de m'arriver, maman. Même pas celles-ci. Même pas celles qui sont de traviole.

— Mais si je le voulais ?

— Tu ne pourrais pas. C'est ma vie. Si on peut l'appeler ainsi.

Je me suis tourné pour la dévisager. Elle a posé la tête sur mon épaule, m'a attiré à elle de sa paume contre ma joue, un geste qui datait de mon enfance.

— C'est ta vie, oui. Et je n'ai pas à prendre pareille décision à ta place, quel que soit mon désir de le faire. Un désir énorme. Vraiment énorme.

— Je crois avoir deviné.

— Je viens seulement de te retrouver, a-t-elle murmuré avec un sourire triste. Je n'ai pas envie de te perdre de nouveau.

— Je sais. Je ne tiens pas à t'abandonner non plus.

Côte à côte, nous avons contemplé la ville miniature pour ce qui était peut-être la dernière fois. J'ai remis la voiture verte au milieu.

J'ai alors senti que nous ne partagerions plus aucune fête de Noël, quel que soit l'avenir. Que je reste ou que je parte, je finirais ailleurs qu'ici. Cette situation ne pouvait perdurer, pas même dans ce Gatlin qui n'était pas Gatlin. Et ce, que je sois ou non en mesure de récupérer ma destinée.

Les choses avaient changé.

Puis changé encore.

Ainsi allait la vie.

La mort aussi, il faut croire.

Je ne pouvais pas être à la fois avec ma mère et avec Lena, pas dans ce qui restait de mon existence. Elles ne se rencontreraient pas, bien que je leur aie raconté à chacune tout ce qui concernait l'autre. Depuis mon arrivée ici, ma mère m'avait décrit en détail les colifichets du collier de Lena ; elle m'avait cité le moindre vers de ses poèmes ; elle m'avait narré les plus minuscules bouleversements de ce que nous avions vécu ensemble, ravivant dans mon souvenir ce que je croyais avoir oublié.

N'empêche, ce n'était pas comme de former une famille ou cette communauté qui aurait été nôtre.

Lena, ma mère et moi.

Elles ne se ligueraient jamais contre moi pour se moquer de moi ou me dissimuler leurs secrets, ne se disputeraient pas non plus à cause de moi. Elles étaient les deux personnes qui comptaient le plus à mes yeux, dans ma vie et dans l'au-delà. Or je n'aurais pas le droit d'en jouir en même temps.

Telles étaient mes réflexions quand j'ai fermé les paupières. Lorsque je les ai rouvertes, ma mère s'était volatilisée, comme si elle avait deviné qu'il m'était insupportable de la quitter. Qu'il m'était trop difficile de faire le premier pas.

Très franchement, je ne suis pas en mesure de dire si j'aurais eu ce courage en effet.

Je resterai toujours dans cette ignorance, désormais.

C'est peut-être mieux ainsi.

J'ai empoché les deux pierres et suis sorti en veillant à refermer soigneusement la porte derrière moi. L'odeur de tomates frites a plané un instant dans l'air.

Je n'ai pas dit au revoir. J'avais le pressentiment que, tôt ou tard, nous nous reverrions.

Par ailleurs, je n'avais rien de plus à formuler que ma mère ne sache déjà. Pas la force non plus de l'exprimer puis de franchir le seuil.

Elle ne doutait pas que je l'aime. Elle était consciente qu'il me fallait partir. Qu'ajouter à cela ?

J'ignore si elle m'a regardé m'éloigner.

J'ai pensé que oui.

J'ai espéré que non.

Chapitre 15
Le maître de la rivière

Au moment où j'ai franchi le Portail, le monde familier a cédé la place à l'inconnu plus rapidement que ce à quoi je m'étais attendu. Même dans l'Autre Monde, certains endroits sont sacrément plus autres que les autres.

La rivière, par exemple. Elle ne ressemblait en rien aux cours d'eau du Gatlin des Mortels. À l'instar de la Grande Barrière, elle était une couture. Une frontière qui unissait deux univers différents, sans appartenir à aucun.

Je me retrouvais donc dans un territoire jamais cartographié.

Par bonheur, le corbeau d'oncle Abner avait l'air de connaître le chemin. Il voletait au-dessus de moi en cercles élégants, se perchait parfois sur de hautes branches afin de m'attendre quand il me semait. Sa tâche ne semblait pas lui peser ; il tolérait notre quête, la ponctuant çà et là d'un croassement occasionnel. Peut-être qu'il appréciait de changer d'horizon une fois de temps en temps. Ce qui n'allait pas s'en m'évoquer Lucille, sinon que je ne l'avais jamais vue dévorer des carcasses de souris lorsqu'elle avait faim.

Et puis, quand je surprenais Exu à me regarder, il me regardait vraiment. Dès que je commençais à me sentir de nouveau normal, sa prunelle croisait la mienne, et des frissons secouaient ma colonne vertébrale. Comme s'il le faisait exprès. Comme s'il était conscient de détenir ce pouvoir.

Je me demandais s'il était réellement un oiseau. Il était en mesure de passer d'un monde à l'autre ; cela était-il la marque d'un être surnaturel ? D'après oncle Abner, non, juste celle d'un volatile.

Si ça se trouve, tous les corbeaux étaient aussi flippants que lui.

Au fur et à mesure de ma progression, les plantes des marais et les cyprès émergeant des eaux boueuses ont cédé la place à une herbe plus verte sur les berges, parfois si haute qu'elle me bouchait la vue. Me guidant à l'oiseau noir dans la nue, j'ai sinué au milieu de la végétation en m'efforçant de ne pas trop penser à ma destination et à ce que je laissais derrière moi. Il était déjà assez difficile comme ça de ne pas imaginer l'expression de ma mère quand j'étais sorti de chez nous.

J'ai chassé au mieux l'image de ses yeux, de l'éclat qu'ils prenaient lorsqu'elle me voyait, de sa façon d'agiter les mains en parlant, comme si elle croyait que ses doigts réussiraient à tirer les mots du ciel ; et celle de ses bras s'enroulant autour de moi pour former ma propre petite maison, parce qu'elle était à l'origine de ma procréation.

J'ai chassé l'image de la porte qui se refermait. Qui ne s'ouvrirait plus jamais pour moi. Pas ainsi du moins.

C'était moi qui l'avais décidé. Je me le suis répété en marchant. C'était aussi ce qu'elle avait voulu pour moi. Que j'aie une vie. Que je vive.

Que je parte.

Exu a poussé un cri, j'ai écarté les broussailles et les herbes folles.

M'éloigner se révélait plus difficile que ce que j'avais imaginé, et je m'étonnais encore de m'y être résolu. Je

mettais autant de détermination à me dessiner le portait de Lena qu'à écarter toute réflexion sur ma mère. Lena était la raison pour laquelle j'agissais ainsi, que je risquais le tout pour le tout.

À quoi était-elle occupée en cet instant ? À écrire dans son calepin ? à jouer de l'alto ? à lire son exemplaire défraîchi de *Ne tirez pas sur l'oiseau moqueur* ? J'y réfléchissais encore quand, au loin, j'ai perçu les éclats d'une mélodie. On aurait dit… les Rolling Stones !

Je m'attendais vaguement, en continuant de me frayer un chemin à travers la végétation, à découvrir Link. Toutefois, alors que je me rapprochais du refrain de *You Can't Always Get What You Want*, j'ai compris qu'il s'agissait bien des Stones et pas du tout de mon copain. La voix ne déraillait pas assez, trop de notes étaient justes.

Celui qui s'égosillait était un costaud, un bandana à la couleur fanée noué autour du crâne, vêtu d'un tee-shirt estampillé Harley-Davidson avec des ailes couvertes d'écailles dans le dos. Il était assis à une table pliante en plastique comme celles qu'utilisait le club de bridge de Gatlin. Avec ses lunettes de soleil et sa longue barbe, il aurait dû être en train de chevaucher une moto de collection au lieu d'être installé sur la berge d'une rivière.

Son déjeuner, en revanche, était dans la tonalité. Le type piochait à l'aide d'une cuiller dans un Tupperware ce qui – de là où je me tenais – ressemblait à des intestins humains.

Il a roté.

— Les meilleurs spaghettis au chili qui soient de ce côté-ci du Mississippi, a-t-il commenté en secouant la tête.

Exu a croassé avant de se jucher sur le rebord de la table. Un énorme chien noir allongé sur le sol a aboyé, sans pour autant se donner la peine de se lever.

— Qu'est-ce que tu fiches par ici, l'oiseau ? a demandé le motard. J'ai rien pour toi, sauf si tu veux jouer aux cartes. Et va pas croire que, c'te fois, je te laisserai picoler mon whisky.

D'un geste, il a chassé le corbeau.

— Ouste ! Va dire à Abner que je suis toujours d'accord pour distribuer s'il a envie d'une partie.

Exu s'est envolé dans le ciel bleu. C'est à cet instant que l'homme a remarqué ma présence.

— Tu visites le coin ou tu cherches quelque chose ? m'a-t-il apostrophé.

Il a balancé les restes de son repas dans une glacière en polystyrène, puis s'est emparé d'un paquet de cartes posé sur la table. Tout en les battant, il m'a invité à le rejoindre d'un signe de tête. J'ai obtempéré en déglutissant, tandis que *Hand of Fate* débutait sur le vieux transistor placé par terre. Ce mec écoutait-il autre chose que les Rolling Stones ? Je me suis bien gardé de lui poser la question.

— Je cherche le Maître de la Rivière, ai-je dit. Sulla m'envoie.

Il s'est esclaffé tout en distribuant les cartes comme si un partenaire était assis en face de lui.

— Le Maître de la Rivière, a-t-il répété. Ça fait un moment que je l'avais pas entendue, celle-là. Maître de la Rivière, Passeur, Celui-Qui-Marche-Sur-l'Eau… J'ai bien des noms, gamin, mais tu peux m'appeler Charlie. C'est le seul auquel je daigne répondre *quand* j'en ai envie.

Tu m'étonnes. Je n'imaginais pas qu'on puisse obliger ce gars à faire quoi que ce soit. Aurions-nous été dans le monde réel, il aurait œuvré comme videur à la porte d'un bar pour motards ou d'une salle de jeu, du genre dont on expulsait les clients parce qu'ils se tabassaient à grands coups de bouteille sur le crâne.

— Ravi de vous rencontrer, Charlie, ai-je balbutié. Je m'appelle Ethan.

— Qu'est-ce que je peux pour toi, Ethan ? a-t-il demandé en m'incitant de nouveau à me rapprocher.

J'ai avancé jusqu'à la table, non sans éviter de loin la grosse bête sur le sol. Avec sa gueule carrée et sa peau ridée, on aurait dit un mastiff. Un pansement entourait sa queue.

— T'inquiète pas de ce bon vieux Drag, m'a rassuré Charlie. Il bronchera pas, à moins que t'aies de la viande crue sur toi. Ou que tu *sois* de la viande crue, a-t-il ajouté avec un grand sourire. Mais vu que t'es mort, le môme, tu risques rien.

Pourquoi cette réflexion ne m'a-t-elle pas surpris ?

— Drag ? Drôle de nom, ai-je marmonné en tendant la main vers le chien.

— Dragon, en fait. Du genre qui crache du feu et te bouffe les doigts si tu essayes de le caresser.

La bête m'a regardé en grondant. J'ai fourré la main dans ma poche.

— Je dois traverser la rivière, ai-je expliqué. Je vous ai apporté ça.

J'ai déposé les yeux de rivière sur le tapis de jeu. On se serait vraiment cru au club de bridge. Charlie a maté les pierres sans beaucoup d'intérêt.

— Bien vu, a-t-il commenté. Une pour l'aller, l'autre pour le retour. C'est comme si tu montrais ton ticket au chauffeur de bus. Mais ça veut pas dire que je suis OK pour que tu montes à bord de mon bus.

— Ah bon ? ai-je bégayé.

Zut ! Il est vrai que, jusqu'à présent, mon plan s'était déroulé un peu trop aisément.

— Tu sais jouer au black-jack, Ethan ? a repris Charlie en me dévisageant. Au vingt-et-un ?

— Euh, pas vraiment.

Ce qui était un petit mensonge. J'y avais joué avec Thelma jusqu'à ce que je me lasse de constater qu'elle trichait avec aussi peu de vergogne que les Sœurs au Rummikub.

Charlie a posé une carte face cachée devant moi avant de retourner un neuf de carreau dessus. Ma donne.

— T'es pas sot, gamin, je parie que tu vas te débrouiller.

J'ai regardé la carte du dessous. Un sept.

— Carte ! ai-je lancé avec la gravité qu'aurait adoptée Thelma.

Charlie me donnait l'impression d'aimer le risque. Sauf erreur de ma part, il devait respecter les partenaires de la même trempe que lui. Et puis, qu'avais-je à perdre ?

Avec un hochement de menton approbateur, il a retourné une troisième carte devant moi. Un roi.

— Désolé, le môme, vingt-six. T'as perdu. Mais à ta place, j'aurais joué pareil.

Il a mélangé le jeu avant de redistribuer. Cette fois, j'ai eu droit à un quatre et à un huit.

— Carte.

Il a retourné un sept. Dix-neuf, un vrai défi. Lui avait dévoilé un roi et un cinq. Soit il prenait une troisième carte, soit je gagnais cette manche. Il a tiré une carte. Six de cœur.

— Vingt et un, a-t-il annoncé en battant de nouveau. Black-jack.

Cette partie constituait-elle une sorte de défi ou juste une façon de tromper son ennui ? Quoi qu'il en soit, il n'avait pas l'air de vouloir se débarrasser de moi de sitôt.

— Il faut vraiment que je traverse la rivière, mons…

Je me suis interrompu, il a haussé un sourcil.

— Charlie… Voyez-vous, il y a une fille…

— Il y a toujours une fille, m'a-t-il coupé.

Les Rolling Stones ont entonné *2 000 Light Years from Home*. Très drôle.

— Je dois la retrouver…

— J'ai eu une copine, un jour. Penelope, qu'elle s'appelait. Penny.

Il s'est renfoncé sur son siège, a lissé sa barbe embroussaillée.

— Elle a fini par en avoir marre de traîner dans le coin, alors elle a mis les bouts.

— Pourquoi ne l'avez-vous pas accompagnée ?

À l'instant où je posais la question, je me suis rendu compte qu'elle était indiscrète. Néanmoins, il a répondu.

— Je peux pas m'en aller, a-t-il lâché sans émotion particulière. Je suis le Maître de la Rivière. Ça fait partie du truc. J'ai pas le droit de me tirer à la cloche de bois.

— Il suffirait de démissionner.

— Il s'agit pas d'un boulot, gamin, mais d'une punition.

Il a ri, ce qui ne m'a pas empêché de déceler son amertume et d'éprouver de la compassion pour lui. Son aigreur, cette table de jeu pliante, le chien paresseux à la queue blessée. *Plundered My Soul* a remplacé *2 000 Light Years from Home*. Je ne tenais pas spécialement à apprendre qui était assez puissant pour le condamner à rester ici, installé près d'un cours d'eau qui, d'une manière générale, ne payait pas de mine. Langoureux et calme. Si ce type n'avait pas monté la garde, j'aurais sûrement réussi à nager jusqu'à la berge opposée.

— Désolé, ai-je marmonné, faute d'autres mots.

— Pas de souci. Ça me dérange plus depuis belle lurette.

Il a tapoté du doigt sur ma nouvelle donne. Un as et un sept.

— Tu veux une carte ?

— Carte.

Il en a retourné une entre ses doigts.

Un trois de pique.

Charlie a ôté ses lunettes noires, révélant un regard bleu de glace. Ses pupilles étaient si claires qu'on les discernait à peine.

— Alors, tu te décides ?

— Black-jack.

Repoussant son siège, il a désigné la rivière du menton. Y était ancré un ferry du pauvre, radeau grossier constitué de troncs d'arbres attachés entre eux par des cordages épais. Semblable en tout point à ceux qui voguaient dans les marais de Wader's Creek. Se levant, Dragon s'est étiré. Il a suivi son maître vers le rafiot.

— Grimpe à bord avant que je change d'avis, m'a conseillé Charlie.

Je l'ai rejoint sur l'embarcadère branlant, puis sur les troncs en décomposition. Charlie a brandi une main.

— Il est temps de régler ton passage, a-t-il annoncé en désignant les eaux marronnasses. Allez, jette-la.

J'ai lancé le caillou qui a frappé la surface sans même provoquer d'éclaboussures.

Au moment où mon compagnon enfonçait la longue perche dans la rivière, cette dernière s'est modifiée. Une puanteur putride s'est élevée – vase marécageuse, viande pourrie, autre chose encore. J'ai fixé les profondeurs. L'eau était à présent suffisamment limpide pour en distinguer le lit... sinon que celui-ci disparaissait sous un amoncellement de cadavres qui affleuraient presque. Pas des macchabées mythiques ou cinématographiques qui se seraient tortillés ; non, des corps bouffis et gorgés de flotte, bel et bien morts. Certains face en l'air, d'autres face contre terre. Les rares visages que je distinguais avaient tous d'identiques lèvres bleues et une peau d'une pâleur terrifiante. Leurs chevelures s'éparpillaient en éventail et s'agitaient au gré du courant qui bousculait leurs propriétaires.

— Tôt ou tard, tout le monde finit par payer le Passeur, a commenté Charlie avec un haussement d'épaules. C'est une règle immuable.

J'ai ravalé ma bile en faisant appel à toute mon énergie pour me retenir de vomir. Ma révulsion devait être perceptible, car Charlie a poursuivi avec gentillesse.

— Je sais, gamin. L'odeur est pas cool. À ton avis, pourquoi j'évite de trop souvent traverser ?

— La rivière... pour quelle raison a-t-elle changé ? ai-je demandé, incapable de me détacher de l'horrible spectacle. Elle n'était pas comme ça, tout à l'heure.

— Erreur, mon gars. Simplement, tu ne la voyais pas. Il existe des tas de trucs que nous préférons ignorer. Ça veut pas dire qu'ils sont pas là, même si on aimerait mieux que ce soit le cas.

— J'en ai assez de tout voir. C'était plus simple avant, quand je ne savais rien. J'avais à peine conscience d'être vivant.

— Ouais, je connais ça, a acquiescé mon interlocuteur.

La plate-forme de bois a touché la rive opposée.

— Merci, Charlie.

Il s'est appuyé sur sa gaule, ses yeux d'un bleu surnaturel et dénués de pupilles vrillés sur moi.

— Y a pas de quoi, le môme. J'espère que tu trouveras cette nana.

Avançant la main avec prudence, j'ai gratté les oreilles de Dragon. J'ai constaté avec soulagement que ma peau ne prenait pas feu. En revanche, le cabot m'a aboyé dessus.

— Penny reviendra peut-être, ai-je suggéré. On ne sait jamais.

— Y a peu de chances.

J'ai débarqué.

— Mouais, ai-je répondu. Si on envisage la situation comme ça, on peut aussi dire que la chance n'est pas de mon côté non plus.

— T'as sûrement raison. Surtout si tu vas bien où je crois avoir deviné que tu vas.

Était-il au courant ? Ce côté de la rivière ne menait-il qu'à un seul et unique endroit ? J'en doutais. Plus j'en découvrais sur un monde que j'avais cru connaître et tous ces univers qui m'étaient étrangers, plus les choses me donnaient le sentiment d'être entremêlées, de conduire partout et nulle part en même temps.

— Je me rends à la Garde Suprême, ai-je admis.

Je ne pensais pas que Charlie aurait l'occasion de me dénoncer aux Gardiens, puisqu'il était coincé ici. Par ailleurs, il me plaisait bien. Et enfin, formuler cet aveu le rendait plus réel à mes yeux.

— C'est tout droit, a-t-il répondu en tendant le doigt. Tu peux pas te tromper. Mais tu vas devoir affronter le Factionnaire.

— Il paraît, oui.

J'y songeais depuis ma visite chez Obidias avec tante Prue.

— Dis à ce type qu'il me doit des sous, a repris Charlie. Et que j'ai pas l'intention d'attendre l'éternité.

Je l'ai dévisagé avec des yeux ronds. Il a soupiré avant d'ajouter :

— Ben, ça mange pas de pain de le lui rappeler.

— Vous le connaissez ?

— Depuis longtemps, a-t-il acquiescé. Impossible de compter les ans mais, tout confondu, ça doit facilement avoisiner une ou deux vies.

— À quoi ressemble-t-il ?

Si j'en découvrais plus sur ce gars, je parviendrais peut-être à mieux le convaincre de m'autoriser à entrer dans la Garde Suprême. En souriant, Charlie a appuyé sur sa perche et est reparti au milieu de la rivière de cadavres.

— Il est très différent de moi.

Chapitre 16
Une pierre et un corbeau

Après m'être éloigné de la rivière, je me suis rendu compte que la route menant aux Portes de la Garde Suprême était tout sauf une route. Elle avait plutôt des allures de sentier sinueux et primitif coincé entre les parois de deux gigantesques montagnes noires sises côte à côte, qui formaient une porte naturelle plus menaçante que ce que des Mortels – ou des Gardiens – auraient pu concevoir. Ces pics lisses avaient des angles aiguisés comme des rasoirs qui reflétaient les rayons du soleil, à croire qu'ils étaient d'obsidienne. On aurait dit deux fentes sombres qui tranchaient le ciel.

Génial !

La perspective d'emprunter un chemin au milieu de ces falaises tranchantes m'intimidait drôlement. Quoi que mijotent les Gardiens, il était évident qu'ils préféraient éviter la publicité.

Tu m'étonnes !

Exu tournoyait au-dessus de ma tête, paraissant parfaitement savoir où aller. J'ai accéléré le pas, suivant son ombre sur le sol, reconnaissant envers l'impressionnant volatile plus gros que n'importe quel Harlon James. Je me suis demandé quelle opinion Lucille aurait eue de lui. Il était bizarre quand même qu'un corbeau surnaturel prêté par les Grands ait l'air du seul détail familier et rassurant dans ces alentours.

Malgré son aide précieuse (il avait une assez bonne idée de la localisation générale de mon objectif), je me référais souvent à la carte de tante Prue. Exu avait par trop tendance à disparaître au loin à intervalles réguliers. Les montagnes étaient hautes, et le sentier, vicieux ; si cela ne représentait pas un problème pour l'oiseau, c'en était un pour moi.

Veinard !

Tante Prue avait dessiné la route d'une main mal assurée. Chaque fois que j'essayais de discerner où le sentier menait, il disparaissait au bout de quelques kilomètres. Je commençais à redouter que les tremblements de l'ancêtre n'aient fini par définir une mauvaise direction. En effet, au lieu de m'entraîner au sommet ou au milieu des pics, les indications m'invitaient à les *traverser*.

— N'importe quoi !

Mes yeux ont fait la navette entre la feuille et le ciel. Exu me précédait en sautant d'arbre en arbre, bien que ces derniers se soient raréfiés, maintenant que nous étions plus près de la chaîne rocheuse. Il m'a regardé en me gratifiant d'un croassement.

— C'est ça, sème-moi. Enfonce le clou. Les hommes en sont réduits à marcher, tu sais ?

De nouveau, il a criaillé. J'ai agité la flasque de whisky.

— Seulement, n'oublie pas qui transporte le ravitaillement.

Il a plongé sur moi et, en riant, j'ai rempoché la bouteille.

Cependant, au bout de quelques kilomètres supplémentaires, j'ai beaucoup moins rigolé.

Une fois au pied de la falaise abrupte, j'ai revérifié mon plan. Pas d'erreur, un rond était dessiné sur le flanc rocheux, signalant sans doute l'entrée d'une grotte ou d'un tunnel. Mais si le passage était facile à distinguer sur le papier, je n'ai rien aperçu à l'œil nu. Sinon un pan de montagne, si raide qu'il s'élevait en une impeccable verticale plantée au beau milieu du chemin. Et si haut que son sommet apparemment interminable s'achevait dans les nuages.

Qu'est-ce qui clochait ?

La bouche de la caverne était forcément là. J'ai tâtonné le long de la pierre noire et étincelante en trébuchant sur des morceaux qui s'en étaient détachés.

Que pouic.

Ce n'est qu'en reculant afin de prendre un peu de distance que j'ai enfin remarqué un buisson mort qui poussait entre les cailloux et que j'ai pigé. La végétation desséchée épousait vaguement une forme ronde. L'attrapant à deux mains, j'ai tiré dessus d'un coup sec et fort. Bingo !

Pour ainsi dire. Car rien n'aurait pu me préparer à la réalité de ce qui m'attendait.

Un petit trou sombre – et par *petit*, j'entends *riquiqui* – à peine assez vaste pour accueillir un homme. Ou Boo Radley. Un brin plus accessible à Lucille, peut-être, et encore. De plus, il y régnait un noir d'encre. Comme par hasard.

— Vous exagérez, les mecs ! ai-je râlé.

D'après ma carte, ce tunnel était l'unique moyen d'accès à la Garde Suprême – à Lena. Si je voulais rentrer chez moi, j'allais devoir ramper dedans. Cette seule idée m'a donné envie de vomir.

Y avait-il un moyen de contourner l'obstacle ? Combien de temps cela me prendrait-il ? Trop, à n'en pas douter. Qui essayais-je de leurrer, là ?

Je me suis efforcé de ne pas imaginer ce qu'on ressentait quand on crapahutait sous des tonnes de rochers. Risquait-on d'être écrasé lorsqu'on était déjà mort ? Serait-ce douloureux ? Restait-il aux défunts une marge de souffrance ?

Plus je m'exhortais à ne pas réfléchir, plus j'y réfléchissais, naturellement. Je n'ai pas tardé à vouloir tourner les talons.

Sauf que l'autre choix revenait à être prisonnier de l'Autre Monde et séparé de Lena durant « l'infinité fois l'infinité », ainsi que l'aurait formulé Link. Ça n'en valait pas la peine. Inspirant un bon coup, je me suis tortillé dans le conduit et me suis mis à ramper.

Le tunnel était encore plus étroit et noir que ce que son embouchure laissait présager. Une fois dedans, je ne disposais que de quelques centimètres de marge de chaque côté et au-dessus de ma tête. C'était pire que le jour où Link et moi nous étions retrouvés enfermés dans le coffre de la voiture du père d'Emory.

Je n'avais jamais été sujet à la claustrophobie. Mais ici, il était difficile d'y échapper. Et les ténèbres étaient plus que ténébreuses. Les rares lueurs provenaient de fissures dans la pierre, peu nombreuses et fort éloignées les unes des autres.

La plupart du temps, j'avançais dans une obscurité complète, et seul le bruit de mon souffle se répercutait sur les parois. Une poussière invisible emplissait ma bouche et me piquait les yeux. Je redoutais de heurter un mur, qui bloquerait le conduit et me contraindrait à reculer ; surtout, je redoutais de ne pas réussir à faire machine arrière.

Le sol était constitué de la même roche noire et lisse que la montagne, et je devais me mouvoir avec lenteur pour éviter de m'entailler sur ses angles acérés. J'avais l'impression que mes paumes étaient en sang, que mes genoux ressemblaient à deux sacs de verre pilé. Les trépassés se vidaient-ils de leur sang ? Avec la chance qui me caractérisait, j'étais susceptible d'être le premier à le découvrir.

J'ai tenté de me distraire en comptant jusqu'à cent, en chantonnant les fausses notes des morceaux des Crucifix Vengeurs, en prétendant Chuchoter avec Lena.

Sans beaucoup d'effet, hélas. J'étais seul, et je le savais.

Par bonheur, ça a contribué à renforcer ma détermination à ne pas le rester.

Ce n'est plus très loin, L. Je vais y arriver, je trouverai les Portes. Toi et moi, nous serons bientôt réunis. Alors, je te raconterai à quel point toutes ces épreuves étaient chiantes.

Cela exprimé, je me suis tu.

L'exercice était trop difficile.

Peu à peu, mes gestes se sont ralentis, mes pensées aussi, jusqu'à ce que mes bras et mes jambes bougent au rythme d'une espèce de syncope raide, un peu comme la basse d'une des vieilles chansons de Link.

En arrière, en avant. En arrière, en avant.

Lena. Lena. Lena.

Son prénom défilait encore dans mon cerveau quand j'ai distingué la lumière au bout du tunnel – pas au sens métaphorique, mais bien réel de l'expression.

Les croassements d'Exu me sont parvenus. Une légère brise a effleuré mes narines, l'air a caressé mon visage. L'humidité froide du conduit a cédé la place à la chaude journée du monde extérieur.

J'y étais presque.

Lorsque j'ai atteint la sortie ensoleillée, j'ai dû plisser les paupières. L'éclat n'en était pas si aveuglant, mais le contraste avec les ténèbres que je venais de traverser était trop violent.

Je me suis à moitié extirpé dehors et me suis octroyé une pause sur le ventre, les yeux fermés, une joue posée dans la terre. Exu s'égosillait, sans doute furibond que je me repose. Du moins, c'est ce que j'ai cru.

Puis j'ai rouvert les yeux et j'ai découvert que le soleil se reflétait sur une paire de bottines à lacets noires. Juste au-dessus pendait l'ourlet d'une longue tunique en laine de la même couleur.

Manquait plus que ça !

Levant lentement la tête, le cœur battant, je me suis apprêté à affronter un Gardien mécontent.

La créature ressemblait à un humain – en quelque sorte. À condition d'ignorer qu'il – si c'était bien un homme – était complètement chauve, qu'il avait une peau lisse gris noirâtre, des prunelles énormes. Sa tunique était nouée à la taille par une corde, ce qui lui donnait des allures de moine errant extraterrestre.

— Vous avez perdu quelque chose ? m'a-t-il demandé.

Sa voix était bien celle d'un mec. D'un vieillard triste et peut-être gentil. J'avais du mal à concilier son apparence et ses intonations humanoïdes avec le reste de ce que, ahuri, je contemplais. Je me suis éjecté du conduit d'un mouvement brusque, en évitant soigneusement de heurter ce machin.

— Je... je cherche la Garde Suprême, ai-je bégayé. Enfin, ses Portes.

Je me suis mis debout. J'aurais volontiers reculé de plusieurs pas, mais c'était impossible.

— Ah oui ?

La chose a paru intéressée. Ou malade. Franchement, ses traits constituaient à peine un visage à proprement parler, alors définir ses expressions...

— Oui, ai-je opiné en essayant d'avoir l'air confiant.

Debout, j'étais presque aussi grand que mon interlocuteur, ce qui m'a rassuré.

— Les Gardiens vous attendent-ils ?

Les étranges yeux ternes se sont étirés.

— Oui, ai-je menti.

La créature a brusquement tourné les talons dans une envolée de tunique.

Mauvaise réponse.

— Non ! ai-je lancé dans son dos. Et ils me tortureront s'ils me découvrent. Enfin, d'après tous les avis que j'ai eus. Mais il y a une fille... tout ceci est une erreur... je ne suis pas censé être ici... les criquets nous ont envahis, l'Ordre s'est brisé, et j'ai été obligé de sauter.

J'ai fini par me taire lorsque je me suis rendu compte que je donnais l'impression de délirer. À quoi bon tenter d'expliquer ? Ma situation n'avait aucun sens, y compris à mes propres yeux.

La créature s'est arrêtée, tête inclinée, comme si elle y réfléchissait. Comme si elle réfléchissait à moi.

— Eh bien, a-t-elle dit, vous les avez trouvées.

— Quoi donc ?

— Les Portes de la Garde Suprême.

J'ai regardé au-delà. Il n'y avait rien, sinon les roches noires luisantes et le ciel bleu et clair. Ce type était-il fou ?

— Hum... Je ne distingue que des montagnes.

— Là-bas, a-t-il lâché en tendant le doigt.

Dans l'élan du geste, la manche de sa tunique a glissé sur son bras, laissant apercevoir un étrange pan de peau qui s'enfonçait sous l'habit.

Style, l'aile d'une chauve-souris géante.

Je me suis rappelé l'histoire dingue que m'avait racontée Link pendant l'été. Celle concernant sa rencontre avec Obidias Trueblood. J'avais fait le lien quand j'avais rendu visite à ce dernier. Il y avait un second épisode, cependant : lors de sa mission, Link avait été agressé par une espèce de monstre qu'il avait fini par poignarder avec ses cisailles de jardin. Un être grisâtre, chauve comme un œuf, ayant l'apparence d'un homme qu'on aurait doté de bandes de peau déformée noire dont mon pote était convaincu qu'il s'agissait d'ailes. « Sérieux, avait-il proclamé, pas le genre de chose que tu as envie de croiser le soir au coin d'une ruelle. »

Mon interlocuteur et ce monstre n'étaient pas les mêmes personnes, toutefois. Link avait affirmé que le sien avait les yeux jaunes. Celui qui, à présent, me toisait les avait verts. Une couleur presque identique à celle d'un Enchanteur de la Lumière. Sans compter le coup des cisailles enfoncées dans son torse, d'après Link.

Impossible qu'il s'agisse du même individu.

Prunelles vertes. Pas dorées. Je n'avais donc aucune raison d'avoir peur, n'est-ce pas ? Ce gars n'était pas Ténèbres, si ? Bien qu'il ne ressemble à aucun des êtres qu'il m'était arrivé de rencontrer – et Dieu sait si j'en avais vu de toutes les couleurs !

— Les discernez-vous ? m'a demandé la créature en baissant le bras qui n'en était pas un.

— Quoi ?

Ses ailes ? Alors que j'étais encore en train d'essayer de définir ce que ce personnage était ou n'était pas ?

— Les Portes.

Ma bêtise semblait le décevoir. J'imagine que, à sa place, je l'aurais aussi été, déçu. Perso, je me sentais très bête. J'ai scruté l'endroit indiqué auparavant. Sans résultat.

— Non, ai-je repris, je ne remarque rien.

Un sourire satisfait a étiré sa bouche, comme s'il était le détenteur d'un secret bien gardé.

— Cela va de soi. C'est un privilège du Factionnaire.

— Où est…

Je me suis tu. Ma question était sans objet. La réponse se tenait devant moi.

— Vous êtes le Factionnaire.

Il y avait un Maître de la Rivière et un Factionnaire. Évidemment. Il y avait aussi un homme-serpent, un corbeau qui buvait du bourbon et volait du monde des vivants à celui des trépassés, une rivière pleine de cadavres et un chien qui crachait du feu. À croire que j'errais au beau milieu d'une partie de Donjons et Dragons.

— Le Factionnaire, a répété la créature en opinant, visiblement très contente d'elle-même. C'est ce que je suis. Entre autres choses.

Je me suis efforcé de ne pas m'attarder sur le mot « choses ». Néanmoins, obnubilé par cette peau couleur charbon et ces ailes abominables, j'ai songé à un croisement entre un homme et une chauve-souris.

À une sorte de Batman réel.

Mais pas un Batman sauvant les gens. Le contraire, plutôt.

Et si ce machin refusait de me laisser entrer ?

J'ai inspiré profondément.

— Écoutez, ça semble dingue, j'en ai conscience, mais j'ai été raisonnable pendant presque un an. Quoi qu'il en soit, il faut que je récupère un objet, là-bas. Faute de quoi, je ne rentrerai pas chez moi. Vous serait-il possible de me montrer les Portes ?

— Naturellement.

Ces paroles m'ont aussitôt ravi. Sauf que, quand j'ai regardé le visage de mon interlocuteur, j'ai constaté que j'étais le seul à sourire. Il plissait le front, et ses prunelles globuleuses s'étaient étrécies. Il a croisé les mains devant sa poitrine, a tapoté ses doigts crochus les uns contre les autres.

— Mais pour quelle raison le ferais-je ?

Au loin, Exu a croassé.

J'ai levé la tête vers sa silhouette massive et sombre qui tournoyait au-dessus de nous, à croire qu'il s'apprêtait à piquer pour attaquer une proie.

Sans un mot, sans lui jeter un coup d'œil, la créature a brandi la main.

Exu est venu se percher sur son poing, a picoré son bras avec affection comme s'il retrouvait un vieil ami.

Quoique… je pouvais me tromper.

Flanqué du corbeau, le Factionnaire avait l'air encore plus terrifiant. Il était temps que j'accepte l'évidence. Le monstre avait raison : il n'avait aucune raison de m'aider.

Soudain, le volatile a piaillé. Avec des intonations presque chaleureuses. L'homme chauve-souris a émis un bruit de gorge sourd, comme un rire, avant de caresser ses plumes.

— Vous êtes chanceux, a-t-il marmonné. L'oiseau est bon juge, en matière de caractères.

— Vraiment ? Et que raconte-t-il à mon sujet ?

— Que vous… marchez trop lentement, que vous êtes chiche avec le bourbon, mais que vous avez bon cœur. Pour un mort, s'entend.

J'ai souri. Ce vieux corbac n'était peut-être pas si mauvais que ça, après tout.

Il a de nouveau croassé.

— Je peux vous montrer les Portes, jeune homme.

— Ethan.

— Ethan, a-t-il répété lentement, l'air d'hésiter. En retour, vous devez me donner quelque chose.

— Que voulez-vous ? ai-je demandé en redoutant le pire.

Obidias avait précisé que le Factionnaire exigerait une offrande. Jusqu'à présent, je n'y avais guère songé. La créature m'a dévisagé pensivement en soupesant la question.

— Un échange, c'est sérieux. L'équilibre est la clef de voûte de l'Ordre des Choses.

— Je croyais que nous n'avions plus à nous en soucier ?

— L'Ordre est toujours nécessaire. Maintenant plus que jamais. Le Nouvel Ordre se doit d'être maintenu avec soin.

Vrai. Les détails de l'ensemble avaient beau m'échapper, son importance en revanche m'était évidente. Après tout, n'était-ce pas à cause de la rupture que j'avais terminé dans le pataquès où je me trouvais ?

— Vous affirmez avoir besoin d'un objet qui vous ramènera chez vous, a poursuivi le Factionnaire. Ce que vous désirez par-dessus tout, n'est-ce pas ? Ce à quoi je réponds : qu'est-ce qui vous a amené ici ? C'est ce que moi, je désire par-dessus tout.

— Super.

Sa demande paraissait simple, mais il aurait tout aussi bien pu s'exprimer par énigmes ou laisser des blancs entre les mots.

— Qu'avez-vous à offrir ? a-t-il lâché, les yeux luisants d'avidité.

Fourrant les pognes dans mes poches, j'en ai tiré le caillou qui me restait ainsi que la carte de tante Prue. Le whisky et le tabac, gâteries d'Exu, étaient épuisés depuis un bon moment.

— Une pierre et un plan ? a commenté mon interlocuteur en haussant ses sourcils glabres. Est-ce tout ?

— C'est ce qui m'a conduit ici, ai-je répondu avant d'ajouter en désignant Exu : et un oiseau.

— Une pierre *et* un corbeau. Une proposition fort alléchante. Malheureusement, je possède déjà un exemplaire de chaque spécimen.

Décollant de son épaule, le volatile s'est enfui dans le ciel, comme offensé. Il a disparu en un rien de temps.

— Et voici que vous n'avez plus l'oiseau, a lâché le Factionnaire d'un ton serein.

— J'ai du mal à comprendre, ai-je marmonné en m'efforçant de dissimuler mon agacement. Voulez-vous quelque chose de précis ?

Ma question a paru le ravir.

— De précis, oui. Un marché équitable est précisément ce que je préfère.

— Pourriez-vous être un peu plus précis, s'il vous plaît ?

Il a penché la tête.

— Je ne sais pas toujours ce qui est susceptible de m'intéresser. Il faut d'abord que je le voie. Les objets les plus précieux sont souvent ceux dont on ignore jusqu'à l'existence.

Voilà qui m'aidait beaucoup !

— Et comment suis-je censé deviner ce que vous avez déjà ?

Les prunelles vertes se sont éclairées.

— Je peux vous montrer ma collection, si ça vous tente. Elle est unique, dans l'Autre Monde.

Que répondre ?

— Oui, j'aimerais bien.

Je lui ai emboîté le pas le long des falaises noires et acérées. Mentalement, j'ai cru percevoir la voix de Link :

« Mauvais plan, mec. Il va te zigouiller, t'empailler et t'ajouter à sa collection d'idiots qui l'ont suivi dans sa grotte flippante. »

C'était là un moment où je n'ai pas regretté d'être mort. C'était sans doute plus sûr que d'être en vie.

Pour autant, ça ne m'a semblé ni équitable ni équilibré.

Le Factionnaire s'est faufilé à l'intérieur d'une étroite fissure pratiquée dans la pierre lisse et noire. Le passage était plus gros que le conduit qui m'avait amené dans ces parages, mais d'un cheveu seulement. Je m'y suis glissé sur le côté. Il n'y avait pas la place de faire demi-tour.

J'avais conscience qu'il pouvait s'agir d'une sorte de piège. Link avait parlé d'une créature bestiale, dangereuse, égarée. Et si ce type était exactement pareil, sauf qu'il le cachait mieux ? Bon sang ! Où était ce fichu corbeau quand on avait besoin de lui ?

— On y est presque ! m'a lancé mon guide par-dessus son épaule.

J'ai distingué une lueur faiblarde et frémissante devant nous. L'ombre de mon prédécesseur a un instant dissimulé sa source, plongeant dans le noir le corridor qui, soudain, s'est évasé en une salle caverneuse. De la cire dégouttait d'un lustre en fer directement soudé à la roche luisante du plafond. Les flammes se reflétaient sur les parois.

N'aurais-je pas, quelques minutes auparavant, traversé toute une montagne en rampant, j'aurais sans doute été plus impressionné. En l'occurrence, l'exiguïté de la grotte m'a seulement flanqué la chair de poule.

À force d'inspecter les environs, je me suis aperçu que les lieux avaient tout d'un musée, bondé de saletés encore plus dingues que celles qu'on dénichait dans le jardin des Sœurs dès lors qu'on y creusait. Des compartiments en verre et des rayonnages s'alignaient contre les murs, remplis de centaines d'objets. Le côté hétéroclite de cette collection m'intriguait beaucoup, à croire qu'un enfant, au lieu de se contenter de rassembler des choses, s'était aussi donné la peine de les cataloguer. Des écrins à bijoux en or et argent travaillés avoisinaient des boîtes à musique à trois sous pour gamins. Des disques en vinyle d'un noir étincelant étaient entassés en piles immenses à côté d'un ancien gramophone à pavillon identique à celui qu'avaient possédé les Sœurs. Une poupée de chiffon se blottissait sur une chaise à bascule, avec sur les genoux un joyau vert de la taille d'une pomme. Sur une étagère centrale, j'ai repéré une sphère opalescente similaire à celle que j'avais tenue entre mes doigts l'été précédent.

Impossible... Un Orbe Lumineux.

Et pourtant si. Identique en tout point à celui que Macon avait offert à ma mère, sinon qu'il était d'un blanc laiteux et non noir comme la nuit.

— Où avez-vous obtenu ceci ? me suis-je enquis en m'approchant de la boule.

Le Factionnaire m'a vivement devancé afin de s'en emparer.

— Je suis collectionneur, je vous le répète. Historien, pourrait-on dire. Je vous interdis de toucher à quoi que ce soit ici. Mes trésors sont irremplaçables. J'ai consacré l'équivalent de mille vies à les rassembler. Tous ont une valeur inestimable à mes yeux.

— Vraiment ? ai-je grommelé en regardant une boîte en plastique Snoopy débordant de perles.

— Inestimable, a-t-il redit en hochant la tête et en remettant l'Orbe à sa place. Nombre d'entre eux m'ont été donnés devant les Portes. La plupart de ceux qui viennent y frapper, gens et non-gens, savent que m'apporter un cadeau relève de la moindre des politesses. Sans vouloir vous offenser, a-t-il précisé avec un coup d'œil à mon adresse.

— Je comprends. Pardonnez-moi. Je regrette de ne rien avoir à vous remettre...

— D'autre qu'une pierre et un corbeau ? m'a-t-il coupé en sourcillant.

— Oui.

J'ai examiné les rangées soignées de volumes reliés en cuir. Leurs dos étaient gravés de symboles que je ne connaissais pas et de mots dans des langues qui m'étaient étrangères. Toutefois, l'un d'eux, noir, a retenu mon attention.

— Le *Livre des étoiles* ? ai-je déchiffré.

Apparemment aux anges, le Factionnaire s'est rué vers le bouquin et l'a sorti de son rayonnage.

— C'est l'un des ouvrages les plus rares qui soient.

Du niadic, la langue des Enchanteurs que j'avais appris à identifier, ornait les contours de la couverture. Une constellation était gravée en son centre.

— Il n'en existe qu'un autre dans ce genre…

— Le *Livre des lunes*, ai-je terminé à sa place. Je suis au courant.

Écarquillant les yeux, il a serré le volume contre son torse.

— Vous connaissez son équivalent des Ténèbres ? s'est-il étonné. Personne ici ne l'a revu depuis des siècles.

— Parce qu'il n'est pas dans votre monde, ai-je murmuré. Dans notre monde, me suis-je corrigé au bout d'un long moment.

— Comment pouvez-vous en être aussi sûr ? s'est-il récrié en secouant la tête, incrédule.

— Parce que c'est moi qui l'ai trouvé.

D'abord, il n'a pas moufté. Il était évident qu'il essayait de déterminer si je mentais ou si j'étais fou. Rien dans son expression ne laissait deviner s'il me croyait ou pas, mais, comme j'ai dit, ses traits, sur ce visage qui n'en était pas un, trahissaient peu de chose.

— Vous moquez-vous de moi ? a-t-il repris, l'air méfiant. Me jouer de mauvais tours ne vous servira guère si vous espérez localiser un jour les Portes de la Garde Suprême.

— J'ignorais totalement que le *Livre des lunes* avait un pendant, si je vous ai bien compris. Par conséquent, je ne vois pas comment je pourrais mentir à ce propos.

C'était vrai. Personne, ni Macon ni Marian, ni Sarafine ni Abraham, n'avait jamais mentionné cet autre ouvrage devant moi.

Était-il envisageable que nul n'en ait eu vent ?

— Je reviens à l'équilibre dont je parlais tout à l'heure, a-t-il soufflé en caressant le volume de ses doigts tordus. Lumière et Ténèbres sont les deux plateaux de la balance invisible qui ne cesse de pencher selon l'extrémité à laquelle on se pend. L'un ne va pas sans l'autre. Si regrettable que ce soit.

Après tout ce que j'avais appris au sujet du *Livre des lunes*, je n'osais imaginer ce que renfermaient les pages de son double. Le *Livre des étoiles* provoquait-il le même genre de catastrophes ? J'ai failli ne pas poser la question.

— Celui-ci exige-t-il lui aussi qu'on paye le prix de son usage ?

Le Factionnaire a traversé la grotte afin de s'asseoir dans un fauteuil chantourné qui avait des allures de trône sorti d'un vieux château. S'emparant d'une bouteille Thermos décorée à l'effigie de Mickey Mouse, il a versé un jet de liquide ambré dans un gobelet en plastique et en a bu la moitié. Ses mouvements étaient empreints d'une lassitude qui m'a amené à me demander combien de temps il lui avait fallu pour amasser ici sa collection d'objets à la fois inestimables et ne valant pas tripette. Lorsqu'il s'est enfin décidé à parler, j'ai eu l'impression qu'il avait brutalement vieilli de cent ans.

— Je ne l'ai jamais utilisé personnellement. J'ai trop de dettes pour me risquer à posséder autre chose. Même si, n'est-ce pas, ils n'ont plus grand-chose à me prendre ?

Il a avalé son fond de verre, a reposé vivement ce dernier sur la table. Quelques secondes après, il arpentait nerveusement les lieux. Je l'ai rejoint.

— Auprès de qui êtes-vous endetté ?

Cessant de s'agiter, il a serré sa tunique contre lui, comme pour se protéger d'un ennemi invisible.

— La Garde Suprême, bien sûr, a-t-il marmonné d'une voix à la fois amère et vaincue. Ces gens-là ne manquent jamais de collecter leurs dettes.

Chapitre 17
Le Livre des étoiles

Le Factionnaire m'a tourné le dos et s'est dirigé vers une vitrine. Il a examiné un amas de grigris, amulettes pendues à de longs cordons en cuir, cristaux et gemmes exotiques qui m'ont rappelé les pierres de rivière, runes indéchiffrables pour moi. Ouvrant le compartiment, il en a tiré un disque argenté qu'il a frotté entre ses doigts. J'ai aussitôt songé à Amma qui, lorsqu'elle était nerveuse, tripotait son médaillon en or.

— Pourquoi ne partez-vous pas, tout simplement ? Pourquoi ne disparaissez-vous pas avec tout votre bazar ?

J'aurais pu éviter de poser la question, tant la réponse était évidente.

Qui serait resté ici s'il avait eu le choix ?

Il a fait tournoyer un grand globe en émail perché sur son axe, à côté du cabinet. J'ai observé la danse des formes étranges qui défilaient sous mes yeux. Ce n'étaient pas les continents que j'avais pu voir en cours d'histoire-géo.

— Je ne peux pas. Je suis Scellé aux Portes. Si je m'en éloigne trop, je continuerai à me modifier.

Il a contemplé ses doigts noueux et rabougris. Un frisson a parcouru ma colonne vertébrale.

— Comment ça ?

Il a lentement retourné ses mains, comme s'il les découvrait pour la première fois.

— Fut un temps où j'étais comme vous, monsieur le défunt. Un temps où j'étais un homme.

Les mots ont virevolté dans mon cerveau, mais j'ai eu des difficultés à les accepter. Quoi que soit cette créature, si proches que soient ses traits de ceux d'un humain, ça ne me semblait pas plausible.

L'était-ce ?

— Je… je ne comprends pas. Par quel prodige…

Je n'avais aucune façon de formuler ma pensée sans être cruel. Or, s'il était vraiment un homme sous cette carapace monstrueuse, il avait souffert plus que tout déjà.

— Par quel prodige suis-je devenu ainsi ?

Le Factionnaire a effleuré un gros cristal accroché à une chaîne en or. Puis il s'est emparé d'un second collier constitué de bonbons ronds, du genre qu'on pouvait acheter au Stop & Steal, avant de le reposer délicatement dans son écrin de velours.

— Le Conseil de la Garde Suprême est extrêmement fort. Ses membres sont doués d'une magie puissante, plus puissante que tout ce dont j'ai pu être témoin lorsque j'étais Gardien.

— Parce que vous en avez été un ?

Ce truc avait occupé des fonctions pareilles à celles de ma mère, de Liv et de Marian ? Il a posé ses prunelles d'un vert éteint sur moi.

— Mieux vaut que vous vous asseyiez… Il me semble que vous ne m'avez pas dit votre nom.

— Ethan, l'ai-je renseigné pour la deuxième fois.

— Enchanté, Ethan. Je m'appelle… je m'appelais Xavier. Plus personne n'utilise ce prénom, désormais. Cependant, je vous y autorise. Si ça vous facilite la tâche.

J'ai deviné quel message il essayait de me transmettre : s'il m'était plus aisé de me l'imaginer en humain qu'en erreur de la nature.

— OK. Merci, Xavier.

Mes paroles ont eu une étrange résonance, y compris à mes propres oreilles. Il a tapoté la vitrine, ce que j'avais commencé à identifier comme une habitude trahissant sa nervosité.

— Pour répondre à votre question, oui, j'ai été Gardien. Et j'ai commis une faute, celle d'interroger Angelus, le chef de…

— Je sais qui il est.

Angelus était le Gardien chauve. Je n'avais pas oublié son expression impitoyable quand il était venu chercher Marian.

— Alors, vous avez pris la mesure du danger qu'il représente. Et de sa corruption.

Xavier m'observait avec soin. J'ai acquiescé.

— Il a tenté de nuire à l'une de mes amies. Deux, en réalité. Il en a traîné une en jugement devant le tribunal de la Garde Suprême.

— Un jugement, a-t-il répété.

S'il a ri, son visage n'a affiché aucune gaieté.

— Ça n'a pas été amusant.

— Je m'en doute. Angelus tenait sûrement à faire un exemple du cas de votre amie. Moi, je n'ai même pas été jugé. Il a tendance à trouver les procès ennuyeux, comparés aux châtiments.

— De quoi vous êtes-vous rendu coupable ?

Demander n'était pas très aisé, mais ça me paraissait indispensable. Xavier a soupiré.

— J'ai remis en question l'autorité du Conseil ainsi que ses décisions. Je n'aurais jamais dû. Mais ils rompaient nos vœux, ils enfreignaient les lois que nous avions juré de respecter. Ils s'emparaient de choses qu'il ne leur revenait pas de Garder.

Je me suis efforcé de me représenter Xavier dans une quelconque bibliothèque d'Enchanteurs, à l'instar de Marian, occupé à empiler des livres et à recenser les événements de l'univers des Enchanteurs. Il avait, dans cette caverne, recréé sa propre version d'une bibliothèque des Enchanteurs, fatras d'objets magiques – et de quelques-uns pas magiques du tout.

— Par exemple ?

Xavier a jeté des regards affolés alentour.

— Je pense que nous ne devrions pas parler de cela. Et si les membres du Conseil l'apprenaient ?

— Et comment s'y prendraient-ils ?

— Ils y arriveraient. Ils y arrivent toujours. Je n'ai pas idée de ce qu'ils risqueraient de m'infliger encore, mais ils finiraient sûrement par trouver quelque chose de pire.

— Nous sommes au cœur d'une montagne, l'ai-je rassuré. (Ma seconde, aujourd'hui.) Ce n'est pas comme s'ils pouvaient vous entendre.

Il a dégagé son cou du col de sa tunique.

— Vous seriez surpris de ce qu'ils sont capables de découvrir. Je vais vous montrer.

Pas très certain de ce qui allait suivre, je l'ai observé qui enjambait un tas de bicyclettes démantibulées afin de rejoindre une énième vitrine. Il en a tiré les portes et en a sorti une sphère bleu cobalt de la taille d'une balle de base-ball.

— Qu'est-ce que c'est ?

— Un Troisième Œil, a-t-il expliqué en déposant l'objet sur sa paume avec précaution. Il permet de voir le passé, une période donnée de l'histoire.

À l'intérieur de la boule, les couleurs se sont mises à chatoyer et à virevolter comme des nuées d'orage. Puis la sphère s'est éclaircie, et une image s'est dessinée…

Un jeune homme était assis à la lourde table de travail en bois d'un bureau faiblement éclairé. Sa longue robe semblait trop grande pour lui, de même que la chaise ouvragée sur laquelle il était installé. Ses doigts étaient noués sous son menton, il s'appuyait pesamment sur ses coudes.

— Qu'y a-t-il encore, Xavier ? demanda-t-il, impatient.

L'interpellé passa les mains dans ses cheveux bruns puis sur son visage. Ses prunelles jaunes inspectèrent furtivement la pièce. Il était évident qu'il redoutait cette conversation. Il tortilla la cordelette de sa propre tunique.

— Je suis navré de vous déranger, monsieur. Malheureusement, j'ai eu connaissance de certains événements... d'atrocités qui profanent nos vœux et menacent la mission des Gardiens.

— De quelles atrocités parles-tu, Xavier ? rétorqua Angelus avec lassitude. Quelqu'un a-t-il failli à remplir un dossier ? Ou perdu une clef en croissant permettant d'accéder à une bibliothèque d'Enchanteurs ?

Xavier se redressa.

— C'est bien plus grave que des clefs égarées. Il se trame quelque chose dans les oubliettes, sous la Garde. La nuit, j'entends des hurlements à vous glacer les sangs qu'il est impos...

Angelus lui intima le silence d'un geste dédaigneux.

— Il arrive que les gens fassent des cauchemars. Tout le monde n'a pas la chance d'avoir ton sommeil de plomb. D'aucuns parmi nous portent le lourd fardeau de diriger le Conseil.

Repoussant sa chaise, Xavier se leva.

— J'y suis descendu, Angelus. Je sais ce qui se trame en douce. Mais vous ?

Son supérieur tressaillit, et ses yeux s'étrécirent sous l'effet de la colère.

— Que crois-tu donc avoir vu ? siffla-t-il.

La colère de Xavier débordait de partout, à présent.

— Des Gardiens pratiquent la magie noire comme s'ils étaient des Enchanteurs des Ténèbres. Ils mènent des expériences sur des êtres vivants. J'ai assisté à assez d'horreurs pour vous demander d'intervenir.

L'autre se détourna afin de contempler, par la fenêtre, les hautes montagnes qui cernaient la Garde Suprême.

— Ces expériences, pour reprendre tes termes, sont destinées à protéger les hommes. C'est la guerre, Xavier. Entre les Enchanteurs de la Lumière et ceux des Ténèbres. Avec les Mortels au milieu. (Il fit de nouveau face au garçon.) Souhaites-tu assister au spectacle de leur extinction ? Es-tu prêt à endosser la responsabilité de cette monstruosité ? Il me semble que tes faits et gestes d'Enchanteur des Ténèbres t'ont coûté assez cher déjà, non ?

— Ces expériences servent à vous *protéger, le corrigea Xavier. Telle est la vérité, n'est-ce pas ? Les Mortels se retrouvent entre les deux camps. À moins que vous n'ayez dépassé le stade de la Mortalité ?*

— Il me paraît clair que nous ne tomberons pas d'accord sur ce point, rétorqua Angelus en secouant la tête.

Il se mit à entonner à voix basse une litanie dans la langue des Enchanteurs.

— Que faites-vous ? s'exclama Xavier. Vous jetez un sort ? C'est mal. Vous incarnez l'équilibre... vous observez et enregistrez les événements. Les Gardiens ne franchissent pas la frontière qui nous sépare du monde de la magie et des monstres !

— Serais-tu par hasard jaloux de ne plus être en mesure d'exercer tes pouvoirs maintenant que tu es Scellé à cet endroit ?

Fermant les paupières, Angelus poursuivit son ensorceleuse incantation. La peau du jeune homme brûla et noircit, comme s'il était sur le bûcher.

— Que faites-vous ? répéta-t-il dans un cri.

La couleur charbon se répandit à toute vitesse, l'épiderme se tendit et devint incroyablement lisse. Xavier hurlait en écorchant son propre corps. Angelus prononça les ultimes mots du sortilège et rouvrit les yeux à temps pour voir que les cheveux de Xavier tombaient par touffes. Le spectacle de cet homme qu'il détruisait le fit sourire.

— J'ai comme l'impression que tu es en train de la franchir, cette fameuse frontière, commenta-t-il.

Les membres du malheureux s'allongèrent de façon surnaturelle, ses os se brisèrent en craquant, pour le plus grand plaisir d'Angelus.

— Tu aurais dû montrer plus de compassion envers ces monstres.

Xavier tomba à genoux.

— Je vous en prie. Pitié...

Angelus s'approcha du Gardien désormais presque méconnaissable.

— Ceci est la Garde Suprême, assena-t-il. C'est moi qui décide de nos vœux, moi qui décide de nos lois.

Il repoussa le corps dévasté du bout de sa botte.

— La pitié n'a pas sa place, ici, acheva-t-il.

Les images se sont évanouies, remplacées par les volutes d'une brume bleue. Je suis resté pétrifié durant un instant. J'avais l'impression que je venais d'assister à l'exécution d'un innocent – lequel était juste à côté de moi. Du moins, ce qu'il restait de lui.

Xavier avait l'apparence d'un monstre alors qu'il avait été un homme bien qui cherchait à agir comme il se doit. J'ai frissonné en songeant à ce que Marian aurait subi si Macon et John n'étaient pas intervenus à temps.

Si je n'avais pas passé mon accord avec la Lilum.

J'étais à présent suffisamment averti pour ne pas regretter mes actes. Si pénible que soit ma situation, elle aurait pu être pire. J'en étais conscient maintenant.

— Je suis désolé, Xavier, ai-je murmuré, faute de mieux.

Il a reposé le Troisième Œil dans sa vitrine.

— Cela a eu lieu il y a fort longtemps. J'ai cependant estimé que vous deviez découvrir ce dont ils sont capables, puisque vous avez tellement hâte de vous rendre là-bas. À votre place, je m'enfuirais à toutes jambes dans la direction opposée.

— J'aimerais que ce soit possible, ai-je répondu en m'adossant à la paroi froide de la grotte.

— Que désirez-vous avec autant d'énergie pour vouloir entrer ?

Je ne doutais pas qu'aucune raison serait assez valable à ses yeux. Une seule me suffisait, toutefois.

— Quelqu'un a ajouté une page aux *Chroniques des Enchanteurs*. Et signé ma mort. Si je réussissais à la détruire...

Xavier a tendu les mains vers moi comme s'il allait me saisir par les épaules afin de me secouer jusqu'à ce que je recouvre mes esprits. Cependant, il a interrompu son mouvement à mi-course.

— Avez-vous la moindre idée de ce qu'ils vous infligeront s'ils vous attrapent ? Regardez-moi, Ethan. Je fais partie des chanceux.

— Pardon ? De la chance, vous ?

Je me suis tu avant de prononcer des mots irréparables. Était-il dingue ?

— Ils en ont puni d'autres, Mortels et Enchanteurs, sans distinction. Magie noire. La plupart ont perdu la tête, ils errent dans les Tunnels de l'Autre Monde comme des bêtes.

Ses mains tremblaient. Son récit correspondait à ce que m'avait dit Link à propos de la créature qui l'avait agressé la nuit où Obidias Trueblood était mort. En vérité, ce n'était pas un animal qui l'avait attaqué, mais un être humain ou, plus exactement, ce qui en subsistait et qu'avait rendu fou son corps torturé et modifié.

La nausée m'a secoué.

Les murs de la Garde Suprême renfermaient plus de secrets que les seules *Chroniques des Enchanteurs*.

— Je n'ai pas le choix, ai-je repris. Si je ne détruis pas cette page, je ne rentrerai pas chez moi.

Il ne m'a pas échappé que mon interlocuteur réfléchissait intensément.

— Il existe sûrement un sortilège, ai-je poursuivi, encouragé par son intérêt. Une incantation dans votre *Livre des étoiles* ou l'un de vos multiples ouvrages qui serait susceptible de m'aider.

Xavier s'est brusquement retourné vers moi et m'a planté un doigt crochu sous le nez.

— Je n'autoriserai jamais *personne* à toucher l'un de mes volumes pour lancer un sort ! s'est-il exclamé. N'avez-vous donc rien appris depuis votre arrivée ici ?

J'ai fait machine arrière.

— Pardonnez-moi. Je n'aurais pas dû dire ça. Je me débrouillerai autrement. Mais il faut que j'entre.

Le comportement du Factionnaire avait complètement changé depuis que j'avais suggéré l'utilisation d'un charme.

— Vous n'avez toujours rien à me donner, a-t-il rétorqué. Je ne puis vous indiquer les Portes sans offrande en retour.

— Vous êtes sérieux ?

Son regard m'a incité à comprendre que oui.

— Que voulez-vous, bon sang ?

— Le *Livre des lunes*, a-t-il répondu sans hésiter. Vous savez où il est. Tel est mon octroi.

— Il se trouve dans le monde des Mortels. Au cas où vous ne l'auriez pas remarqué, je suis mort. Par ailleurs, c'est Abraham Ravenwood qui le détient. Pas un type qu'on qualifierait de sympa.

Je commençais à me dire que franchir les Portes allait être l'étape la plus ardue de ma quête pour réintégrer mes pénates, en admettant que ce soit seulement possible. Xavier s'est dirigé vers la fissure qui menait à l'extérieur de la caverne.

— Vous comme moi sommes parfaitement conscients que ce ne sont pas là des obstacles insurmontables, m'a-t-il lancé. Si vous voulez entrer dans la Garde Suprême, rapportez-moi l'ouvrage.

— Quand bien même je réussirais à m'en emparer, en quel honneur vous remettrais-je le livre le plus dangereux de l'univers des Enchanteurs ? ai-je braillé. Comment m'assurer que vous ne l'utiliserez pas pour accomplir des actes horribles ?

Ses prunelles d'une grosseur anormale se sont encore agrandies.

— Y a-t-il plus horrible que l'état dans lequel je suis ? Y a-t-il pire qu'assister à la trahison de son propre corps ? Pire que sentir ses os craquer à chaque mouvement ? Pensez-vous vraiment que je courrais le risque de conclure le marché que l'ouvrage ne manquerait pas d'exiger ?

Il n'avait pas tort. On n'obtenait rien du *Livre des lunes* sans lui donner quelque chose en échange. Nous l'avions tous appris à nos dépens – le premier Ethan et Genevieve, Macon et Amma, Lena et moi. C'était le livre qui commandait.

— Et si vous changiez d'avis ? Le désespoir mène à tout.

J'avais du mal à croire que je me permettais de faire une leçon sur le désespoir à un désespéré. Xavier m'a contemplé, sa silhouette en partie dissimulée dans l'ombre.

— C'est parce que je n'ignore pas ce dont il est capable, notamment entre les mains d'un homme comme Angelus, que je ne parlerai jamais de cet ouvrage. Et je veillerai à ce qu'il ne quitte pas cet endroit. Personne d'autre que moi ne pourra jeter un coup d'œil dessus.

Il était sincère.

La magie, de la Lumière ou des Ténèbres, terrifiait Xavier.

Elle l'avait détruit de la manière la plus abominable qui soit. Il ne tenait pas à la pratiquer ni à manier un pouvoir surnaturel. Au contraire, il voulait se protéger, ainsi que les autres, de cette sorte de pouvoir. S'il y avait bien une cachette où le *Livre des lunes* serait en sécurité, c'était ici. Plus à l'abri que dans la *Lunae Libri* ou n'importe quelle lointaine bibliothèque d'Enchanteurs ; plus à l'abri que dans les tréfonds de Ravenwood ou la tombe de Genevieve. Personne ne le dénicherait ici.

J'ai donc décidé d'accéder au vœu de Xavier et de le lui confier.

Ne restait plus qu'un problème.

Déterminer comment j'allais le voler à Abraham Ravenwood, pour commencer.

J'ai dévisagé la Sentinelle.

— À votre avis, Xavier, combien d'objets magiques détenez-vous dans cette grotte ?

— Aucune importance. Je vous répète qu'ils sont interdits d'usage.

J'ai souri.

— Et si je vous annonçais que je suis en mesure de vous apporter le *Livre des lunes*, mais que j'ai besoin de votre aide ? Et de celui de quelques-uns de vos trésors ?

Ses traits se sont alors déformés en une moue étrange, sa bouche inégale s'est étirée d'une commissure à l'autre. J'ai espéré – de tout mon cœur – qu'il s'agissait d'un sourire.

— La manière d'arriver là-bas importe moins qu'arriver là-bas, ai-je répété pour la cinquième fois d'affilée.

— Dans ce pays du *Stars and Stripes* ?

— Oui. Enfin, dans ses bureaux. Sur la Grand-Rue.

Xavier a hoché la tête.

— Je vois. La rue grande. Au-delà des Vaporateurs, non ?

— Les Vaporateurs ? Oui, plus ou moins.

J'ai poussé un profond soupir. J'avais essayé d'expliquer mon plan à Xavier. J'ignorais quand il avait fréquenté le monde des Mortels pour la dernière fois, mais ça datait forcément depuis bien avant l'invention des climatiseurs par évaporation et des journaux. Ce qui était amusant, en fin de compte, au regard de son amour pour les boîtes en plastique, les disques vinyle et les bonbons.

M'emparant d'un énième livre ancien, je l'ai ouvert dans un nuage de poussière et une bouffée d'espoir – d'incertitude aussi. J'étais agacé. Être assis par terre au milieu de parchemins d'Enchanteurs, dans la caverne de cette curieuse créature, me donnait l'impression d'être revenu à la bibliothèque municipale de Gatlin, le premier jour de mon boulot d'été. J'ai tenté de me concentrer. Il y avait forcément une solution.

— Et si je Voyageais ? ai-je suggéré. Les Pilotes sont-ils en mesure de recourir à des sortilèges réservés aux Incubes ?

— Je ne crois pas, non.

Je me suis adossé à la pile de livres, à deux doigts de renoncer. Si Link avait été là, il m'aurait servi une leçon de morale pour m'apprendre à être l'Aquaman[1] du monde des Enchanteurs.

— Un Aquaman mort, ai-je marmonné entre mes dents.

— Pardon ?

— Rien.

— Un mort ?

— Inutile de remuer le couteau dans la plaie.

— Non, ce n'est pas ça. Vous n'avez pas besoin de sortilèges qui agissent dans le monde des Mortels. Puisque vous n'en êtes plus un, de Mortel. Ce qu'il vous faut, c'est un charme pour les Diaphanes.

Xavier a feuilleté furieusement quelques ouvrages.

— Un *Umbra*. Il permet d'envoyer une ombre d'un univers à l'autre. L'ombre, c'est vous. Ça devrait fonctionner.

J'ai médité. Était-il possible que ce soit aussi simple ?

J'ai contemplé ma main, de chair et d'os.

Ça n'en a que l'aspect. Tu n'es pas vraiment là. Pas comme ça. Tu n'as pas de corps.

Quelle différence y avait-il entre un Diaphane et une ombre ?

— N'oubliez pas que j'aurai à manipuler des choses. Mon plan échouera si je ne suis pas en mesure d'envoyer un message à Lena. Je dois pouvoir déplacer des journaux.

Il a incliné la tête, a grimacé. J'ai prié pour que ce soit là l'expression de la réflexion.

1. Personnage de bande dessinée qui parle aux poissons.

— Vous voulez toucher quelque chose ?
— Je viens de vous le dire.
— Pas du tout. Vous avez dit que vous deviez *déplacer* quelque chose. Ce n'est pas pareil.
— Est-ce important ?
— Oh, oui ! (Il a tourné quelques pages.) Un sortilège de *Veritas* devrait permettre à la vérité d'apparaître. À condition que vous la cherchiez, la vérité.
— Et ça va marcher ?
Pourvu qu'il ne se trompe pas !

Quelques minutes plus tard, mes doutes s'étaient envolés.
J'étais sur place. J'avais survolé la Grande Rivière – ou la Grande Barrière, ou toute couture surnaturelle. Je n'avais pas dépendu de la vision d'un corbeau. Je me trouvais sur la Grand-Rue, face aux bureaux du *Stars and Stripes*.
Enfin... mon ombre s'y trouvait, du moins.
Je me faisais l'effet d'être Peter Pan à l'envers. Comme si Wendy avait décousu mon ombre de mon corps au lieu de la recoudre à mes pieds.
J'ai traversé le mur, pénétré dans l'obscurité de la salle – mais j'étais plus sombre qu'elle. Je n'avais pas de consistance physique, ce qui n'était en rien un handicap. J'ai soulevé la main – l'ombre de ma main – et repensé aux mots que m'avait appris Xavier. Je les ai regardés se mettre en place sur la page. L'heure n'était plus aux devinettes, ni aux jeux, ni aux mots cachés.
J'ai opté pour la simplicité.
Cinq horizontal.
Livre, en espagnol.
L.I.B.R.O.
Trois vertical.
Cubes.
D.E.S.
Cinq horizontal.

Lunae.

L.U.N.E.S.

J'ai baissé le bras ; je me suis volatilisé.

Mon ultime message. Je n'avais plus rien à dire. Si Lena avait compris comment me remettre la pierre de rivière, elle se débrouillerait sûrement pour m'envoyer le *Livre des lunes*. Je l'espérais. Elle ou Macon, peut-être.

Si Abraham avait encore l'ouvrage, s'entend, et si Lena parvenait à le lui arracher.

Avec, au milieu, des tas d'autres « si ». Je me suis efforcé de les gommer, ainsi que les personnes que ces conditions impliquaient. Et le danger qui accompagnait toujours et partout le volume enchanté.

Je ne pouvais me permettre de réfléchir à cela. J'avais parcouru tout ce chemin, n'est-ce pas ?

Elle le trouverait, grâce à quoi je la retrouverais.

C'était désormais le seul Ordre des Choses qui m'intéressait.

Livre Deux

Lena

Chapitre 19
Problèmes de mortels

Parfois, Link se comportait comme un imbécile fini.

— *Libro* quoi ? *Livre des lunes* ? Qu'est-ce que ça veut dire ?

Ses yeux faisaient la navette entre moi et le *Stars and Stripes*, et il se grattait la tête. On aurait cru que c'était la première fois que j'abordais le sujet.

— Trois mots, un bouquin, Link. Je suis sûre que tu en as déjà entendu parler.

Après tout, c'était juste l'ouvrage qui avait démoli notre existence ainsi que celle de toutes les Enchanteresses de ma famille avant moi, à notre seizième anniversaire.

— Arrête de te fiche de moi ! s'est-il offusqué. Tu m'as très bien compris.

En effet.

Sauf que j'ignorais tout autant que lui pourquoi Ethan voulait le *Livre des lunes*. Je me bornais donc à fixer le journal.

Derrière moi, Amma n'a pas pipé mot. Elle avait adopté cette attitude – nouvelle – depuis un moment déjà. Depuis

Ethan. Son silence était aussi incongru que la situation en général. Ne pas l'entendre s'agiter alentour était étonnant. Encore plus étrange, nous étions installés à la table de la cuisine d'Ethan à essayer de piger le message qu'il avait fourré ce jour-là dans les mots croisés. Pouvait-il nous observer, en cet instant ?

entourée par des inconnus qui m'aiment
des (non)inconnus que le chagrin
me rend inconnus

Mes doigts se sont crispés, en quête du stylo qui n'était pas là. J'ai lutté pour oublier ces vers. Ça aussi, c'était nouveau. Écrire était devenu trop douloureux. Trois jours après la disparition d'Ethan, l'adjectif indéfini « AUCUN » avait surgi, tracé au feutre noir, sur ma paume gauche ; le substantif « MOT », sur la droite.

Dès lors, je n'avais plus rédigé une ligne. Ni sur des feuilles, ni dans mon calepin. Pas même sur mes murs. Cette ancienne habitude me paraissait remonter à des siècles.

Depuis quand Ethan était-il parti ? Des semaines ? des mois ? Le temps n'était plus qu'une longue notion floue, comme s'il s'était arrêté à la date fatale.

Tout s'était arrêté, au demeurant.

Depuis le plancher où il était assis, Link m'a dévisagée. Lorsqu'il dépliait ainsi son corps de quarteron d'Incube, il occupait presque toute la pièce. Il y avait des bras et des jambes partout. Une mante religieuse, genre, mais musculeuse.

À table, Liv étudiait son propre exemplaire de la grille qu'elle avait découpée et collée dans son fidèle carnet rouge plein d'analyses soigneusement reportées à l'encre, cependant que John se penchait par-dessus son épaule. Vu leur manière de bouger, on aurait dit qu'il leur était douloureux de ne *pas* se toucher.

Le contraire de ce qui arrivait entre Enchanteurs et Mortels.

Une humaine et un Incube hybride. Ils ne connaissent pas leur chance. Ils s'embrassent sans déclencher d'incendies.

J'ai soupiré, j'ai résisté à mon envie de leur lancer un sortilège de *Discordia*. Nous étions tous réunis. Comme si rien n'avait changé. Ne manquait qu'une personne.

Ce qui changeait tout.

Après avoir replié le journal du matin, je me suis renfoncée sur ma chaise, voisine de celle de Liv.

— *Livre des lunes*, ai-je marmonné. Rien de plus. Je ne sais pas pourquoi je m'acharne à relire cette grille. À force, je vais finir par y creuser un trou.

— Tu en serais capable ? a lancé Link, apparemment intéressé.

J'ai agité les doigts sous son nez.

— Si ça se trouve, je peux brûler autre chose que du papier. Alors, ne me tente pas.

Liv m'a gratifiée d'un sourire plein de compassion. Comme si la situation prêtait à sourire !

— Eh bien, a-t-elle dit, j'imagine que nous devons réfléchir. Voici trois termes bien définis. Sa méthode pour nous envoyer des messages s'est par conséquent modifiée.

Comme d'ordinaire, elle s'exprimait avec précision et logique, version britannique de Marian.

— Et ? a grommelé Link, irrité, une tendance récurrente chez lui ces derniers temps.

— On est donc en droit de s'interroger sur ce qui se passe… là-bas.

Là où est Ethan.

Liv n'a pas formulé plus avant. Personne ne souhaitait entendre cette phrase. Elle a sorti les trois grilles de son carnet.

— Au début, on a l'impression qu'il désire juste te révéler qu'il est…

— Vivant ? l'a coupée Link. Désolé de te décevoir, mais…

John lui a filé un coup de pied en douce. Amma a laissé tomber une poêle à frire qui a dérivé avec fracas vers l'endroit où était vautré notre Linkube.

— Ouille ! a-t-il beuglé. Pas la peine de jouer les innocents !

— Dans les parages, a rectifié John en nous regardant, Amma et moi.

J'ai acquiescé, cependant que la vieille femme posait les mains sur mes épaules. J'en ai caressé une, sa prise s'est renforcée. Ni elle ni moi n'avions envie de nous lâcher. Surtout maintenant qu'il était possible qu'Ethan ne soit pas parti pour toujours. Il avait commencé à m'expédier des missives des semaines plus tôt *via* le *Stars and Stripes*. Leur contenu importait peu. Pour moi, les messages racontaient tous la même chose.

Je suis là.

Je suis encore là.

Tu n'es pas seule.

J'aurais aimé avoir un moyen de le lui dire également.

J'ai serré plus fort les doigts d'Amma. J'avais tenté de discuter avec elle après le premier message, mais elle s'était bornée à marmonner quelque chose à propos d'un marché à respecter, d'une pagaille qu'il lui incombait de réparer. Ce qu'elle avait bien l'intention de faire. Tôt ou tard.

Pour autant, elle ne doutait pas de moi. Mon oncle non plus, d'ailleurs. Plus maintenant. À la réflexion, oncle Macon et Amma étaient les seuls à vraiment me croire. Ils comprenaient ce que je vivais pour l'avoir vécu eux-mêmes. Je n'étais pas certaine qu'oncle Macon se remettrait un jour d'avoir perdu Lila. Quant à Amma, sans Ethan, elle paraissait en baver autant que moi. De surcroît, ils avaient eu des preuves. Macon avait été présent lorsque j'avais découvert les premiers mots croisés de mon bien-aimé ; Amma jurait avoir senti Ethan dans sa cuisine.

— Bien sûr qu'il est dans les parages, ai-je répété tout fort pour la dixième fois et au bénéfice de l'assemblée. Je

suis convaincue qu'il avance. Qu'il a échafaudé une sorte de plan. Qu'il ne reste pas assis bêtement sans se bouger, qu'il n'est pas dans une tombe remplie de terre. Il s'efforce de nous revenir. J'en suis persuadée.

— Jusqu'à quel point ? a objecté Link. Tu n'es sûre de rien, Lena. Parce que rien n'est jamais sûr, hormis la mort et les impôts. Et, à mon avis, ce bon vieux proverbe concerne plus les macchabées qui le restent que ceux qui ressuscitent.

Je ne saisissais pas pourquoi il avait tant de mal à accepter qu'Ethan soit encore près de nous, qu'il ait la possibilité de nous revenir. N'était-il pas en partie Incube, après tout ? Il savait comme tout un chacun que, par ici, les bizarreries se produisaient plus souvent qu'à leur tour. Alors, pourquoi être aussi sceptique face à celle-ci en particulier ?

La mort d'Ethan lui était peut-être plus difficile à digérer qu'aux autres. Il n'était sûrement pas en état de se permettre de perdre son meilleur ami une seconde fois, quand bien même il n'en aurait perdu que l'idée. Personne ne mesurait l'épreuve que traversait Link.

Moi exceptée.

Pendant que Link et Liv se chamaillaient quant à la disparition ou non d'Ethan, j'ai glissé dans les affres des doutes que je mettais tant d'ardeur à écarter de mon esprit.

Ils ne cessaient de me harceler.

Et si cette histoire relevait entièrement de mon imagination, ainsi que l'affirmaient Reece et Bonne-maman ? Si elles avaient raison, s'il m'était juste trop dur de vivre sans lui ? Il n'y avait pas qu'elles, au demeurant : oncle Macon ne lèverait pas le petit doigt pour le ramener.

Mais si c'était vrai ? Si Ethan m'entendait ? Que lui dirais-je ?

Rentre.

Je t'attends.

Je t'aime.

Rien qu'il ne sache déjà.

À quoi bon s'embêter, alors ?

Je refusais d'écrire, et même les mots me venaient difficilement, à présent.

des mots pareils à ceux d'avant
pareils à rien
alors que rien n'est plus pareil

Il était inutile que je les formule.

John a filé un nouveau coup de pied à Link, et j'ai essayé de me concentrer sur la situation présente. Sur cette cuisine et sur notre discussion. Sur ce que j'étais en mesure de faire pour Ethan plutôt que sur les sentiments qu'il m'inspirait.

— Admettons, pour le principe, qu'Ethan est... dans les parages, a décrété Liv en toisant Link qui, cette fois, a gardé le silence. J'ai l'impression qu'il a consacré toute son énergie à nous en convaincre, il y a quelques semaines.

— Exactement à l'époque où tu as constaté un pic d'énergie à Ravenwood, lui a rappelé John.

Elle a hoché la tête tout en feuilletant son calepin.

— À moins, a grommelé Link, que ça ait été Reece qui se servait du micro-ondes.

— C'est aussi à cette période qu'Ethan a déplacé le bouton sur sa tombe, ai-je insisté avec obstination.

— C'était peut-être un jour de vent, a soupiré Link.

— Quoi qu'il en soit, il y a eu quelque chose, est intervenu John.

Il a rapproché son pied de Link. La menace d'un autre coup bien senti l'a incité, une fois n'est pas coutume, à la boucler. J'ai songé à l'accabler d'un *Silentium*, mais ça n'aurait pas été chouette de ma part. Et puis, le connaissant, je ne croyais pas que la magie aurait suffi à le faire taire.

— Par la suite, a repris Liv, qui examinait les journaux, ses messages ont commencé à changer. Comme s'il avait mis au point un truc, s'était donné un but.

— Rentrer à la maison, ai-je affirmé.

— Lena, a murmuré Amma d'une voix faible, je comprends que tu veuilles qu'il s'agisse de cela. J'ai moi aussi senti la présence de mon garçon, tout comme toi. Mais nous ignorons ce qui se mijote. Rien n'est évident quand il s'agit de transférer quelqu'un dans ou hors de l'Autre Monde. Crois-moi, si c'était facile, je m'y serais attaquée il y a longtemps.

Elle avait l'air hagard et épuisé. Je ne doutais pas qu'elle ait œuvré aussi dur que moi pour tenter de récupérer Ethan. Or j'avais tout essayé, dès le début. Je m'étais adressée à tout le monde. Le problème, c'était d'amener les Enchanteurs de la Lumière à évoquer la résurrection des morts. Je n'avais plus accès aux Enchanteurs des Ténèbres comme avant. Oncle Macon était venu me chercher à l'instant où j'avais mis le pied à l'Exil, dans les Tunnels. Je le soupçonnais de s'être entendu avec le barman, un Incube Sanguinaire sournois qui semblait prêt à n'importe quoi dès lors qu'il était assoiffé.

— Rien ne suggère que ce ne soit pas ce qui se passe, ai-je objecté, les yeux rivés sur Liv.

— Exact, a-t-elle répondu. La déduction logique voudrait que, où qu'il soit, Ethan tente de revenir. (Elle a soigneusement gommé une petite note inscrite dans la marge.) De revenir vers toi.

Elle ne m'a pas regardée en prononçant ces derniers mots. C'était inutile. Liv et Ethan avaient eu une relation bien à eux et, même si elle avait depuis trouvé mieux pour elle en la personne de John, elle était toujours très prudente dans la façon dont elle s'exprimait au sujet d'Ethan, surtout en ma présence.

— D'abord, a-t-elle enchaîné en jouant avec son crayon, la pierre de rivière. Maintenant, le *Livre des lunes*. Il doit en avoir besoin, de l'une et de l'autre, pour quelque chose de précis.

John a tiré à lui les derniers mots croisés.

— Si tu as raison, c'est bon signe. Forcément.

— Cet ouvrage est puissant, de ce côté-ci comme de l'autre, a médité Amma en massant mes épaules (ce qui a déclenché mes frissons). Pareil bouquin est une bonne monnaie d'échange.

— Un échange contre quoi ? a demandé John en nous dévisageant. Pour quelle raison ?

Amma n'a pas moufté. Je la soupçonnais d'en savoir plus que ce qu'elle n'avouait – c'était le cas, en général. Par ailleurs, elle n'avait fait aucune allusion aux Grands depuis des semaines, ce qui ne lui ressemblait pas. Surtout à présent qu'Ethan était entre leurs mains bienveillantes – pour ainsi dire. Je n'avais pas la moindre idée de ce qu'Amma concoctait, pas plus que de ce que trafiquait Ethan.

— Je l'ignore, ai-je fini par répondre à John. Ce n'est pas comme si je pouvais lui poser la question.

— Ah bon ? s'est-il irrité. Tu n'as pas de sortilège pour ça ?

— La magie ne fonctionne pas ainsi.

À mon plus grand regret, au demeurant.

— Un charme de Révélation ?

— Que je jetterais sur quoi ?

— Sa tombe ?

John a guetté un soutien auprès de Liv, mais elle a secoué la tête. Aucun de nous n'avait de solution, parce que c'était la première fois que nous affrontions un problème de ce genre. Lancer un sortilège sur quelqu'un qui n'existait pas ? Sinon ressusciter les morts – ce que Genevieve avait fait, déclenchant toute cette pagaille, ce à quoi je m'étais également frottée plus d'un siècle après elle –, nous n'avions guère de marge de manœuvre.

— De toute façon, on s'en fiche des raisons d'Ethan. Il demande le *Livre*, nous devons le lui dégoter. C'est ça, l'important.

— Mon garçon, a lâché Amma, ne passerait qu'un seul marché, là-bas. Il n'y aurait qu'une chose qui lui tiendrait vraiment à cœur, et ce serait de revenir parmi nous, sans aucun doute.

— Amma a raison, ai-je approuvé. Il faut que nous lui remettions le *Livre*.

— Tu en es sûre, Lena ? m'a apostrophée Link en se redressant. Sûre comme de la mort et des impôts que c'est bien lui qui nous envoie ces messages ? Et si c'était Sarafine ? Ou le colonel Sanders[1] ?

Il a frémi à cette idée. Il parlait d'Abraham, bien sûr, dans son costume blanc froissé et sa cravate-ruban noire. Satan incarné, aux yeux du comté de Gatlin du moins. Ce que suggérait Link aurait été le pire des scénarios.

— Ce n'est pas Sarafine, ma main à couper, ai-je répondu.

— Vraiment ? a-t-il insisté en ébouriffant ses cheveux qui étaient déjà hérissés dans toutes les directions.

Par la fenêtre, j'ai vu la Volvo de M. Wate qui se garait dans l'allée. Voilà qui mettait fin à la discussion. Les doigts d'Amma se sont raidis sur mes épaules.

— Si c'était elle, je le sentirais, me suis-je donc bornée à lâcher.

N'est-ce pas ?

J'ai contemplé les mots croisés débiles comme s'ils avaient le pouvoir de me fournir une solution, alors qu'ils étaient juste bons à me renvoyer à mon ignorance crasse.

La porte de devant s'est ouverte à l'instant où celle de derrière se refermait. John et Liv avaient filé par le jardin. Je me suis préparée à affronter l'inévitable.

— Salut, les enfants ! Vous attendez Ethan ?

M. Wate a jeté un regard plein d'espoir à Amma. Link s'est précipitamment relevé, tandis que je détournais les yeux. Parler m'était intolérable.

Par-dessus tout. Plus que vous ne l'imaginez.

— Oui, monsieur, a marmonné Link. Attendre est un faible mot. Je m'ennuie comme un rat mort sans Ethan.

---

1. Le colonel Sanders (1890-1980), fondateur de la chaîne de restauration rapide KFC, toujours représenté en costume blanc et cravate fine noire, prototype d'une élégance désuète.

Il a tenté de sourire, mais il avait l'air d'être sur le point de fondre en larmes. Même lui.

— Haut les cœurs, Wesley ! Il me manque à moi aussi.

M. Wate a passé une main affectueuse sur le crâne de Link. Puis il a ouvert un placard.

— Des nouvelles de lui, aujourd'hui, Amma ?

— Non, Mitchell.

M. Wate s'est brusquement figé, une boîte de céréales à la main.

— J'ai bien envie de me rendre en personne à Savannah. Permettre à ce garçon de sécher le lycée aussi longtemps, c'est insensé. Quelque chose cloche.

Ses traits se sont assombris. Je me suis concentrée sur sa haute silhouette maigre, comme je l'avais fait si souvent depuis la mort d'Ethan. Une fois dans ma ligne de mire, j'ai commencé à réciter les paroles du sortilège d'*Oblivio* que Bonne-maman m'avait appris à entonner dès lors que je croisais le père d'Ethan.

Ce dernier m'a contemplée avec curiosité. Je n'ai pas cillé. Seules mes lèvres remuaient. J'ai chuchoté les paroles au fur et à mesure qu'elles me venaient à l'esprit :

Oblivio, oblivio, non abest.
Oubli, oubli, il n'est pas absent.

Une bulle s'est déployée à l'intérieur de ma poitrine à l'instant où je lançais le sortilège, s'échappant de moi pour s'enrouler autour de lui. La pièce a semblé s'étirer et se contracter, j'ai craint un moment que la bulle n'éclate. Puis l'air a claqué et, soudain, tout a été terminé, l'air n'était plus que de l'air, la normalité avait repris le dessus.

Normalité… façon de parler.

Les yeux de M. Wate ont brillé avant de devenir vitreux. Il a haussé les épaules, m'a souri, a plongé la main dans la boîte de céréales.

— Enfin, s'est-il exclamé, on n'y peut rien ! C'est un chouette gosse. Mais s'il ne ramène pas sa fraise de chez Caroline d'ici peu, il sera super en retard dans ses études à son retour. À ce rythme, il sera condamné à cravacher pendant toutes les vacances de Pâques. Tu le lui diras de ma part, d'accord ?

— Oui, monsieur, je n'y manquerai pas. La prochaine fois que je l'aurai au téléphone.

J'ai souri, j'ai essuyé mes paupières avant qu'une larme ne se montre. Amma a abattu sa poêle de côtelettes de porc sur la gazinière. Link a secoué la tête.

Tournant les talons, je me suis enfuie. J'avais beau ne pas vouloir réfléchir, les mots m'ont pourchassée, telle une malédiction, tel un sortilège.

regard de l'oubli sur des céréales,
aveuglement douillet d'un père
perdu et ignorant sa perte
perdu et perclus d'amour
pour le garçon perdu
et qui ne voit même pas
une bulle
quand elle a
explosé

J'ai rejeté ces vers.

Malheureusement, on ne répare pas une bulle qui a explosé.

Même moi, je savais ça.

Chapitre 20
Un pacte avec le diable

— C'est du grand n'importe quoi ! On n'a même pas ce crétin de *Livre des lunes*. T'es sûre que le *Stars and Stupid* ne disait rien d'autre ?

Link était de nouveau vautré sur le plancher, ses pieds dépassaient de sous la table ; cette fois, nous étions dans le bureau de Macon. Nous n'avions fait aucun progrès, ce qui ne nous avait pas empêchés de nous réunir de nouveau. Autre table. Même assistance. Même problème.

Seule la présence d'oncle Macon, à moitié dissimulé dans les ombres mouvantes de la cheminée, représentait un changement. Sans compter que nous avions laissé Amma chez les Wate afin de veiller sur le père d'Ethan.

— Link a peut-être raison, même si ça me tue de le dire, a résumé Liv. Nous aurions beau tous tomber d'accord, nous aurions beau savoir que nous n'avons pas d'autre choix que de transmettre le *Livre des lunes* à Ethan, ça ne modifierait pas grand-chose à la situation. Nous ignorons où il se trouve et comment le contacter.

Elle avait très bien formulé l'opinion générale.

Je n'ai pas réagi, me bornant à tortiller mon collier d'amulettes entre mes doigts. C'est Macon qui a fini par répondre.

— Certes. Nous nous heurtons à des difficultés. Ce ne sont pas pour autant des impossibilités.

Link s'est redressé.

— La mort, monsieur, ça me paraît drôlement difficile, à moi. Sans vouloir vous offenser, bien sûr, monsieur Ravenwood.

— Localiser le *Livre des lunes* n'est pas entièrement exclu, monsieur Lincoln. Il est inutile que je vous rappelle où nous l'avons vu pour la dernière fois et qui l'avait en sa possession à ce moment-là, n'est-ce pas ?

— Abraham, a opiné Liv, se faisant de nouveau notre porte-parole. Il l'avait dans la grotte, lors de la Dix-septième Lune. Puis il l'a utilisé pour convoquer les Ires, juste avant...

— La Dix-huitième Lune, a murmuré John.

Personne ne tenait à évoquer la nuit au sommet du château d'eau. Link est reparti de plus belle.

— OK. On récupère le bouquin. Fastoche. Mais comment on se débrouille pour découvrir le trou perdu et puant où vit le colonel Sanders depuis deux cents ans ? Et après, on lui demande bien poliment d'avoir l'amabilité de nous refiler ce foutu livre ? Histoire que notre copain décédé puisse l'utiliser pour Dieu sait quoi Dieu sait où ?

Agacée, j'ai agité le poignet dans sa direction. Une étincelle s'est envolée de la cheminée et lui a brûlé la jambe. Il a vivement reculé.

— Arrête ça tout de suite ! s'est-il écrié.

— Je suis d'accord avec oncle Macon, ai-je assené. Ce n'est pas infaisable.

Liv jouait avec l'élastique qui fermait son carnet rouge, signe habituel de réflexions anxieuses.

— Sarafine est morte, a-t-elle murmuré. Cette fois, Abraham ne pourra pas compter sur elle pour le seconder.

— Il n'a jamais eu besoin d'elle, j'en ai bien peur, a objecté oncle Macon. Pas vraiment. Il serait naïf d'espérer qu'il sera plus faible qu'avant. Ne le sous-estimons pas.

— Qu'en est-il de Hunting et de sa meute ? a-t-elle demandé, les traits sombres.

Macon a contemplé le feu. Les flammes ont grandi, virant à des teintes mauves, rouges et orangées. J'ignorais s'il me croyait ou non. J'ignorais si la perspective de ramener Ethan parmi nous l'effleurait. Mais je m'en moquais, tant qu'il acceptait de m'aider. Il m'a regardée comme s'il avait deviné mes pensées.

— Hunting a beau être stupide, il n'en reste pas moins un Incube puissant. Cependant, Abraham à lui seul représente une formidable menace. Si la peur doit nous arrêter, autant admettre notre échec tout de suite.

Derrière lui, Link a ronchonné.

— Si vous êtes effrayés, s'entend, a précisé Macon en le regardant par-dessus son épaule.

— Où est-ce que vous êtes allé chercher ça ? s'est indigné Link. C'est juste que je préfère avoir toutes les chances de mon côté quand je suis sur le point de plonger dans un nid de serpents.

— C'est moi la solution, a soudain annoncé John en se redressant sur sa chaise.

Sur un ton qui laissait supposer qu'il venait de résoudre toutes nos difficultés en un tournemain.

— Pardon ? a sursauté Liv en s'écartant de lui.

— Je suis ce que désire Abraham. Ce qu'il n'arrive pas à obtenir.

— Tu rigoles ? a ricané Link. Tu en parles comme si tu étais sa petite copine.

— Je ne rigole pas et j'ai raison. J'ai cru que j'étais l'Unique en valant deux, qu'il m'incombait de... d'agir comme Ethan l'a fait. Je me trompais. En revanche, là, c'est à moi de jouer.

— La ferme ! a aboyé Link.

Bien qu'il soit de biais, j'ai vu Macon froncer les sourcils. Le vert de ses prunelles s'était assombri. Une expression que je ne connaissais que trop bien.

— Je suis d'accord, a renchéri Liv. Obéis à ton brillant frère Incube et boucle-la.

John l'a tendrement enlacée avant de reprendre la parole, comme s'il ne s'adressait qu'à elle. J'étais cependant suspendue à ses lèvres, car je commençais à piger son raisonnement.

— Je ne me tairai pas, a-t-il répondu. Pas cette fois. Je ne resterai pas sans broncher pendant qu'Ethan encaisse tous les uppercuts. Histoire de varier les plaisirs, je vais affronter ce que de droit. Ou plutôt, qui de droit.

— Précise, a grommelé Liv sans daigner le regarder.

— Abraham. Si vous lui signifiez que vous êtes prêts à passer un marché, il n'hésitera pas. Il échangera le *Livre des lunes* contre moi.

John a regardé Macon, qui a hoché la tête.

— Qu'est-ce qui te rend aussi sûr de toi ? a objecté Liv, sceptique.

— Oh, il viendra, crois-moi, a répondu John avec un sourire jaune.

En soupirant, Macon s'est enfin détourné de la cheminée pour nous faire face.

— J'apprécie votre sens de l'honneur et votre courage, John. Vous êtes un jeune homme de qualité, en dépit de vos démons personnels. Qui n'en a pas, d'ailleurs ? Néanmoins, je vous conseille de bien réfléchir à votre réelle volonté de proposer ce pacte. Car il s'agit ni plus ni moins d'une mesure désespérée.

— Je le veux, a répliqué l'Incube en se levant, comme s'il s'apprêtait à filer s'engager dans la Légion.

— John ! a grondé Liv, furieuse.

D'un geste, Macon a indiqué au garçon de se rasseoir.

— Pensez-y, a-t-il lancé. Si Abraham met la main sur vous, il y a de fortes chances pour que nous ne puissions pas vous récupérer. Pas de sitôt, en tout cas. Et si désireux que je sois de ramener Ethan (là, il m'a jeté un coup d'œil), je ne suis pas convaincu qu'échanger une vie contre une autre vaille le coup de courir le risque que représente Abraham pour nous tous.

Liv s'est postée devant John, protectrice, le défendant contre nous, contre le monde entier.

— Il est inutile qu'il y songe, a-t-elle décrété. C'est une idée immonde. Atroce. La pire que nous ayons jamais eue.

Pâle, elle tremblait. Quand elle a remarqué que je la dévisageais, elle s'est tue.

Consciente de ce que je pensais.

Non, ce plan qui n'exigeait pas de John qu'il saute du château d'eau de Summerville n'était pas le pire qui soit pour moi. J'ai fermé les paupières.

dégringole et non ne vole
chaussure terreuse perdue
pareille aux mots perdus
entre nous deux

— Tu ne m'en empêcheras pas, a protesté John. Ça ne me plaît pas plus qu'à vous tous, mais c'est comme ça et pas autrement.

Des paroles définitives qui avaient des relents hélas trop familiers. Frappée, j'ai rouvert les yeux et contemplé Liv. Ses larmes qui avaient commencé à rouler m'ont donné la nausée.

— Non, me suis-je entendue dire. Mon oncle a raison. Je refuse de t'exposer à cela, John. D'exposer qui que ce soit parmi vous. Ce serait un inutile baroud d'honneur.

Les couleurs sont revenues aux joues de Liv qui s'est affalée sur la chaise voisine de celle de John.

— C'est la seule option que nous ayons, désormais, a répondu ce dernier avec gravité. À moins que tu aies une autre solution à proposer ?

Il était vraiment déterminé. Je l'en ai aimé d'autant. Ce qui ne m'a pas empêchée de secouer la tête.

— J'en ai une. Suivons la suggestion de Link.

— La quoi de Link ? a sursauté Liv, paumée.

— Ma quoi ? a renchéri l'intéressé en se grattant le crâne.

— Localiser le trou perdu et puant où se planque Abraham depuis deux cents ans.

— Et lui demander poliment de nous remettre le *Livre* ? a enchaîné Link, plein d'espoir.

De son côté, John avait l'air de croire que j'avais perdu l'esprit.

— Non. Nous le lui volons. Ni vu ni connu.

Macon a paru intéressé.

— Cela suppose de trouver la demeure de mon aïeul. La magie noire à laquelle il s'adonne exige le plus grand secret. Je crains que le traquer ne se révèle très ardu. Il ne quitte pas le Monde Souterrain.

— Ma foi, ai-je riposté avec sérénité, je me permets de citer la personne la plus intelligente qui soit : difficulté ne veut pas dire impossibilité.

Macon m'a souri.

— Inutile de me regarder ! s'est écrié John en secouant la tête. J'ignore où habitent ces types. Je n'étais qu'un gosse. Je me souviens juste de pièces aveugles.

— Extra ! a raillé Link. Voilà qui ne court pas les rues.

Liv a posé la main sur l'épaule de John.

— Désolé, s'est-il excusé. Mon enfance est un gros nuage noir. J'ai tout fait pour l'oublier.

Opinant du bonnet, oncle Macon s'est levé.

— Fort bien. Je suggère donc que vous commenciez non pas avec les personnes les plus intelligentes qui soient, mais avec les plus âgées. Elles auront peut-être une ou deux idées de l'endroit où se terre Abraham Ravenwood.

— Pardon ? me suis-je exclamée. Tu parles des Sœurs ? Crois-tu qu'elles se rappellent notre aïeul ?

Mon ventre était noué. La démarche ne m'inspirait aucune peur, mais je ne comprenais pas la moitié de ce qu'elles racontaient, même quand elles ne déliraient pas complètement.

— Si ce n'est pas le cas, elles seront susceptibles de nous lancer sur une piste plausible. Après tout, il n'y a guère qu'elles pour ressembler un tant soit peu à des contemporaines de mon ancêtre. Même si elles n'ont pas grand-chose de contemporain, je l'admets.

— Ce n'est pas une mauvaise idée, a acquiescé Liv.

Je me suis mise debout.

— Borne-toi à une simple conversation, Lena, m'a recommandé Macon. Ne t'emballe pas. Il ne s'agit pas d'une mission de reconnaissance que tu mènerais en solo. Est-ce clair ?

— Comme du cristal.

Il me couvait comme un papa poule depuis qu'Ethan...

Depuis Ethan.

— Je t'accompagne, a annoncé Link en se mettant debout. En renfort.

Link, qui était incapable d'additionner deux nombres à virgule, paraissait toujours deviner quand mon oncle et moi étions sur le point de nous quereller.

— Je te servirai de traducteur, a-t-il ajouté avec un grand sourire.

Je connaissais maintenant les Sœurs aussi bien que ma famille. Bien qu'excentriques – une litote –, elles incarnaient ce que Gatlin avait de mieux à offrir en termes d'histoire vivante.

Histoire vivante. Une expression des indigènes.

Quand Link et moi avons grimpé sur la véranda des Wate, on entendait les représentantes de l'histoire vivante de Gatlin qui, fidèles à elles-mêmes, se chamaillaient comme des chiffonnières.

— Ça se fait pas de jeter de la vaisselle en bon état ! Quelle honte !

— Voyons, Charity Lynne ! Ce sont des cuillers en plastique. Prévues pour être jetées.

Ça, c'était Thelma la consolatrice, d'une patience à toute épreuve. Elle finirait par être canonisée. Ainsi parlait Amma, chaque fois que Thelma désamorçait une dispute entre les Sœurs.

— C'est pas pa'sque j'en connais des qui se prennent pour la reine d'Ang'terre qu'e' z-ont pour autant une couronne sur la tête, a répliqué tante Charity.

Près de moi devant la moustiquaire de la porte, Link essayait de ne pas éclater de rire. J'ai frappé. Personne n'a paru m'entendre.

— C'est quoi ces 'sinuations ? a aussitôt grondé tante Grace. Qui c'est ces « qui » ? Les védettes d'Olivoude à moitié nues...

— Grace Ann ! Surveille ton langage ! Ch'tolérerais pas d'horreurs dans c'te maison !

— ... qu'on voit dans les magazines cochons que tu d'mandes toujours à la Thelma de t'rapporter de la ville ? a poursuivi tante Grace sans se démonter.

— Allons, les filles, a tenté ladite Thelma.

De nouveau, j'ai frappé. Plus fort. Sans résultat, car les criailleries atteignaient leur paroxysme, à présent.

— Ces 'sinuations, c'est qu'on lave les belles queillères comme les pas belles avant de les ranger dans le tiroir à queillères ! s'est époumonée tante Charity. Tout le monde sait ça. Même la reine d'Ang'terre.

— L'écoute pas, Thelma. E' lave les ordures quand toi et l'Amma, vous y avez le dos tourné.

— Et alors ? a reniflé tante Charity. Faudrait pas que les voisins y jasent. On est des gens res-pect-ab' qui vont à la messe. On est point de sales pécheresses. Y a don' pas de raisons pour que nos poubelles, e' crognotent le péché.

— Sauf qu'e' sont pleines de cochonneries ! a ricané sa frangine.

J'ai cogné pour la troisième fois à la moustiquaire, puis Link a pris le relais, manquant de démonter le battant, dont l'un des gonds s'est tordu.

— Oups ! Désolé, a-t-il marmonné, embarrassé.

Amma est apparue sur le seuil. Notre présence l'a visiblement soulagée.

— Des visiteurs pour vous, mesdames ! a-t-elle annoncé en nous ouvrant la porte.

Délaissant leurs couvertures au crochet, les Sœurs ont levé la tête vers nous, charmantes et courtoises, à croire qu'elles ne venaient pas à l'instant de s'engueuler comme du poisson pourri.

Je me suis assise sur le siège dur d'une chaise en bois, pas trop confortablement. Link est resté debout près de moi, encore plus mal à l'aise.

— C'est c'que j'constate, a marmonné tante Charity. Bonjour, Wesley. Mais qui don' est avec toi ?

Elle a plissé les yeux. Tante Grace l'a gratifiée d'un coup de coude dans les côtes.

— C'est la bonne amie de l'Ethan. La mignonne p'tiote Ravenwood. Celle qu'a toujours le nez dans un livre, comme Lila Jane.

— Tout juste, ai-je opiné. Je suis l'amie d'Ethan, madame, vous m'avez déjà vue.

Un laïus que je sortais à chacune de mes visites ici.

— Et zalors ? a ronchonné tante Charity. Qu'est-que tu fiches ici, main'ant que l'Ethan, il a passé dans l'au-delà ?

Sur le seuil de la cuisine, Amma s'est figée.

— Pardon ?

Thelma a piqué du nez dans sa broderie.

— Tu m'as b'en entendue, Amma, a répondu tante Charity.

— Mais que... que ? ai-je bégayé.

— Qu'est-ce que vous racontez ? a chuchoté Link.

— Vous êtes au courant pour Ethan ? ai-je insisté en me penchant en avant. Comment ?

— Pa'sque tu penses qu'on sait pas c'qui se complote par z-ici ? s'est indignée tante Grace. On est pas des jouvencelles de l'année, j'te signale. On est plus malines que tu croilles. On connaît b'en les Enchanteurs. Comme not' poche et celle des aut' !

Elle a roulé son mouchoir en boule.

— Tout juste ! a acquiescé tante Charity avec fierté.

— Un orage, c'est un orage, a enchaîné sa sœur. Çui-ci, y traîne au-dessus de nos pauv' têtes depuis b'en longtemps. Presque toute not' vie.

— Et si vous aviez un brin de bon sens, vous vous seriez arrangées pour vous éloigner des nuages, a grommelé Amma en resserrant le plaid autour des jambes de tante Grace.

— Nous ignorions que vous saviez, ai-je dit.

— Seigneur ! s'est esclaffée tante Charity. Z'êtes aussi nuls que Prudence Jane ! Elle croyait qu'on se doutait pas qu'elle se baladait sous tout le comté. Mon œil ! On le savait, que not' papa l'avait choisie pour faire les cartes. C'est même nous qu'on lui a conseillé de la choisir, elle. M'est avis que la Prudence Jane a toujours été la plus douée de nous trois avec un crayon.

— Par le Saint Rédempteur, Charity Lynne, s'est insurgée tante Grace, tu sais aussi b'en que moi que not' papa m'aurait choisie plutôt que toi. Seulement, j'y ai dit qu'y te prenne toi, plutôt que moi, pa'sque mes cheveux, y z'arrêtaient pas de boucler, dans le Monde Souterrain. Chaque fois que j'en remontais, j'avais l'air d'un porc-épic qu'a raté sa permanente. Juré craché.

— Jure autant qu'tu veux, Grace Ann, c'est r'en que des bêtises.

— Retire ça tout de suite ! s'est exclamée tante Grace en pointant un doigt vengeur sur sa frangine.

— Tu peux toujours courir !

— Je vous en prie, mesdames, me suis-je interposée. Nous avons besoin de votre aide. Nous cherchons Abraham

Ravenwood. Il détient un objet nous appartenant. Très important.

— Faut qu'on... a commencé Link avant de s'interrompre et de rectifier le tir. Qu'on se ramène l'Ethan. Fissa.

J'ai levé les yeux au ciel. À force de fréquenter les Sœurs, on finissait par s'exprimer comme elles.

— C'est quoi, ces sottises ? a répliqué tante Grace dans une envolée de mouchoir.

— Encore des fric-frac d'Enchanteurs, m'est avis, a maugréé tante Charity.

— Et si vous nous mettiez au courant, vous deux ? nous a suggéré Amma, l'air sévère. Puisque, apparemment, on est tous fadas du n'importe quoi, dans cette baraque !

Link et moi nous sommes regardés. La soirée allait être longue.

Fric-frac d'Enchanteurs ou non, Amma a sorti les vieux albums-souvenirs des Sœurs, les rouages des cerveaux ont commencé à tourner et les bouches à s'agiter. Au début, Amma a vraiment eu du mal à entendre prononcer le nom d'Abraham Ravenwood, ce qui n'a pas empêché Link de parler.

Et de parler. Encore et encore.

Amma ne l'a pas interrompu, ce qui nous a semblé une demi-victoire. En revanche, discuter avec les Sœurs n'avait rien d'une victoire, ni entière ni partielle. En une heure, Abraham Ravenwood a été vigoureusement accusé d'être Satan, un tricheur, un scélérat, un vaurien et un voleur. Il avait viré le papa du papa de leur papa de la partie sud-est de sa pommeraie, qui lui appartenait pourtant de droit. Il avait aussi viré le papa de leur papa d'un siège au conseil municipal, lequel lui revenait pourtant de droit.

Ajoutons à cela qu'elles affirmaient – et n'en démordaient pas – qu'Abraham avait dansé plus souvent qu'à son tour avec le malin sur la plantation de Ravenwood avant le Grand Incendie de la guerre de Sécession. Lorsque j'ai tenté d'obtenir quelques précisions, elles ont refusé de se montrer plus spécifiques.

— J'ai été claire, a marmonné tante Charity. L'a dansé la gigue avec le diab'. L'a passé un pacte. J'aime pas causer ni penser à ce saligaud.

Sur ce, elle a secoué la tête avec tant de vigueur que j'ai cru que son dentier allait s'envoler.

— Mais si vous y réfléchissez bien, a persisté Link pour la énième fois de la soirée, où imaginez-vous qu'il puisse être ?

C'est tante Grace qui, enfin, nous a donné la dernière lettre de la grille de mots croisés décousue que les Sœurs considéraient comme une conversation digne de ce nom.

— Ben, chez lui, c'te blague ! Faut pas avoir inventé la poudre pour le savoir.

— Et où est-ce, chez lui, madame ? ai-je demandé, pleine d'espoir, en posant la main sur le bras de Link.

C'était la première phrase logique que nous obtenions depuis ce qui nous semblait être une éternité.

— La face o'scure de la lune, j'imagine. Là oùsque tous les diab' et les démons rôdent quand y sont pas en train de rôtir en enfer.

Je me suis assombrie. Ces deux-là ne nous menaient nulle part.

— Génial ! a ronchonné Link, aussi agacé que moi. La face obscure de la lune. Abraham Ravenwood est bien vivant et loge dans un album des Pink Floyd. Je rêve !

— T'as pas entendu Grace Ann ou quoi ? a riposté tante Charity avec humeur. Ch'comprends pas pourquoi vous aut', vous réagissez comme si c'était une 'vinette.

Amma s'est assise près d'elle et lui a pris la main.

— Et où se trouve exactement la face obscure de la lune ? s'est-elle enquise. Vous le savez, non ? Alors, dites-le-nous.

— 'videmment que j'y sais, a répondu la grand-tante d'Ethan en souriant avant de toiser sa sœur sans aménité.

Pa'sque mon papa, y m'a choisie avant la Grace. J'y sais toutes sortes de trucs, moi.

— Où est-elle ? a insisté Amma.

Grace a reniflé avant de tirer un album de souvenirs devant elles.

— Vous aut' les jeunes ! a-t-elle râlé. Vous faisez comme si vous savez tout. Comme si qu'on était bonnes pour la maison de r'traite pa'squ'on a un ou deux ans de plus que vous !

Elle a feuilleté le volume avec vigueur, comme si elle cherchait quelque chose de précis...

Ce qui s'est avéré.

Parce que là, sur la dernière page, sous une fleur de camélia desséchée et un bout de ruban rose pâle, il y avait le dessus d'une pochette d'allumettes, aux armes d'un bar ou d'un club.

— Le bon Dieu me patafiole ! s'est extasié Link.

Ce qui lui a valu une tape sur la nuque de la part de tante Charity.

C'était écrit en gros, ornementé d'une lune argentée.

LA FACE OBSCURE DE LA LUNE
MUST DE LA CITÉ-CROISSANT DEPUIS 1911

La Face Obscure de la Lune était un endroit.

Un endroit où je serais susceptible de dénicher Abraham Ravenwood et, je l'espérais, le *Livre des lunes*. À condition que les Sœurs ne soient pas complètement folles, une éventualité à ne jamais écarter.

Après avoir jeté un coup d'œil aux allumettes, Amma a quitté la pièce. Je me suis souvenue de sa visite au bokor. Inutile de lui mettre la pression. À la place, je me suis adressée à tante Grace.

— Ça ne vous dérange pas ?

Elle m'a donné l'autorisation d'un hochement du menton, et j'ai décollé la vieille pochette de l'album. La peinture de l'astre nocturne en relief s'était écaillée, mais les mots restaient lisibles. Prochaine destination : La Nouvelle-Orléans.

C'était à croire que Link venait de gagner les championnats de Rubik's Cube. À l'instant où nous sommes montés à bord de La Poubelle, il a mis à fond une chanson de l'album des Pink Floyd, *Dark Side of the Moon,* en braillant les paroles comme un malade.

Alors que nous ralentissions à un carrefour, j'ai baissé le son.

— Dépose-moi à Ravenwood, tu veux bien ? l'ai-je coupé. Il faut que je prenne un truc avant de partir à La Nouvelle-Orléans.

— Minute, papillon, a-t-il protesté en s'arrêtant. Je t'accompagne. J'ai promis à Ethan de te garder à l'œil et je ne manque jamais à ma parole.

— Je ne t'emmène pas. J'emmène John.

— Quoi ? C'est ça, le « truc » que tu dois passer prendre chez toi ? Pas question !

— Je ne demandais pas ta permission. Je te mettais au parfum, c'est tout.

— Pourquoi lui ? Qu'est-ce qu'il a de plus que moi ?

— L'expérience. Il connaît bien Abraham et il est l'Incube hybride le plus fort du comté de Gatlin. Pour ce qu'on en sait, en tout cas.

— Lui et moi, c'est du pareil au même, Lena ! a-t-il protesté en se rengorgeant.

— Tu es plus Mortel que lui. C'est ce que j'apprécie, chez toi. Même si ça t'affaiblit.

— Faible, moi ? a-t-il grogné en jouant des biceps.

Je dois avouer qu'il a failli exploser son tee-shirt. L'Incroyable Hulk du lycée.

— Excuse-moi. Tu n'es pas faible. Tu es seulement humain aux trois quarts. Ce qui est un brin trop pour ce voyage.

— OK, à ta guise. De toute façon, tu ne parcourras pas dix mètres sans moi, dans les Tunnels. Tu reviendras me supplier de t'aider en moins de temps qu'il m'en faut pour dire…

Il s'est interrompu, à court de comparaison. Typique. Parfois, les mots semblaient le déserter avant même d'avoir cheminé de son cerveau à sa bouche. Il a haussé les épaules, a conclu :

— Un machin dangereux. Super dangereux.

Je lui ai tapoté le bras.

— À plus, Link.

Il a froncé les sourcils et enfoncé l'accélérateur, et nous avons dérapé sur la chaussée dans un hurlement de pneus. Pas franchement la déchirure d'un Incube, mais bon, encore une fois, il était aux trois quarts rocker. Exactement ce qui me plaisait en lui. Mon Linkube préféré.

J'ai eu beau m'abstenir de le formuler, je ne doute pas qu'il l'ait deviné.

Je me suis arrangée pour qu'il ait tous les feux verts jusqu'à la Nationale 9. La Poubelle n'avait jamais autant pris son pied.

Chapitre 21
La Face Obscure de la Lune

Il était bien joli de décider de se rendre à La Nouvelle-Orléans afin d'y débusquer un vieux bar et un Incube encore plus vieux. La réalité n'était pas aussi simple. Entre les deux se dressait l'obstacle d'une conversation avec oncle Macon pour qu'il m'autorise à y aller.

J'ai profité du dîner pour me lancer, longtemps après que Cuisine a eu servi ses plats préférés, avant que les assiettes n'aient disparu de la table infiniment longue.

Cuisine, qui n'était jamais aussi accommodante qu'on était en droit de l'espérer de la part d'une domestique d'Enchanteur, semblait avoir deviné que l'heure était importante pour moi et m'a obéi au doigt et à l'œil, dépassant même mes attentes. Lorsque je suis descendue au rez-de-chaussée, j'ai découvert des bougies qui agitaient leurs flammes dans les candélabres et un parfum de jasmin qui embaumait l'air. Réagissant à un claquement de mes doigts, orchidées et lys se sont épanouis sur le chemin de table ; un autre ordre a fait surgir mon alto dans un coin de la salle à manger. Il m'a suffi d'un regard pour que retentisse une musique de Paganini. L'un des morceaux favoris de Macon.

Extra.

J'ai contemplé mon jean crasseux et le sweat-shirt délavé d'Ethan. J'ai fermé les paupières. Mes cheveux se sont noués en une tresse épaisse. Deux secondes plus tard, j'étais habillée.

Une petite robe noire de cocktail toute simple, celle que m'avait achetée oncle Macon à Rome, l'été précédent. J'ai effleuré mon cou, le croissant de lune en argent qu'il m'avait offert pour le bal d'hiver est apparu au creux de ma gorge.

Prête.

— Oncle Macon ? À table ! ai-je crié en direction du hall.

Mais il était déjà là, à côté de moi, aussi rapide que s'il était toujours un Incube et pouvait se transporter à travers l'espace et le temps quand bon lui chantait. Les vieilles habitudes ont la peau dure.

— Magnifique, Lena. Tes souliers sont particulièrement ravissants.

Baissant les yeux, j'ai constaté que j'avais conservé mes Converse noires déchirées. Pour la tenue de soirée, je repasserai.

Haussant les épaules, je suis allée m'asseoir avec lui.

Filets de bar au fenouil nouveau. Queue de homard tiède. Carpaccio de coquilles Saint-Jacques. Pêches au porto. Je n'avais pas faim, surtout pas pour une nourriture qu'on ne servait que dans un restaurant cinq étoiles des Champs-Élysées à Paris, un endroit où oncle Macon me traînait dès qu'il en avait l'occasion, mais lui a mangé avec appétit durant presque une heure.

Renseignement à propos des Incubes à la retraite : ils raffolent des mets Mortels.

— En quel honneur ? s'est-il finalement enquis après une bouchée de homard.

— Quoi, en quel honneur ?

— Ceci, a-t-il précisé en désignant les plats d'argent qui nous séparaient avant de soulever la cloche rutilante de l'un d'eux, dévoilant un monceau d'huîtres épicées fumantes. Et

ceci, a-t-il ajouté en lançant un coup d'œil significatif à mon alto qui jouait en sourdine. Du Paganini, bien sûr. Suis-je vraiment aussi prévisible ?

J'ai évité de croiser son regard.

— Ça s'appelle un dîner, me suis-je défendue. On le mange. Ce qui, entre parenthèses, ne semble pas te poser de problème.

Je me suis emparée d'un ridicule pichet d'eau glacée – je préférais ne pas savoir où Cuisine dénichait les éléments de notre service de table – avant qu'il en remette une couche.

— Il ne s'agit pas du tout d'un dîner, a-t-il riposté. Comme aurait dit Marc Aurèle, c'est une très tentante table de la trahison – ou de la traîtrise. (Il a avalé un autre morceau de crustacé.) Ou les deux, pour peu que Marc Aurèle ait été amoureux des allitérations.

— Il n'y a pas de trahison qui tienne, ai-je lâché avec un sourire.

Il me l'a retourné, patient. Mon oncle était bien des choses – un snob, notamment –, mais pas un sot.

— Juste une simple requête.

Il a posé son lourd verre sur la nappe. J'ai bougé un doigt, le récipient s'est rempli de vin.

Histoire de mettre toutes les chances de mon côté.

— Hors de question, a lancé oncle Macon.

— Je ne t'ai encore rien demandé.

— Quoi que ce soit, ma réponse est non. La preuve du vin me suffit. Ta tactique était toc, très chère.

— Marc Aurèle ne serait donc pas le seul à adorer les allitérations ?

— Avoue. Tout de suite.

Tirant la pochette d'allumettes, je l'ai poussée devant lui.

— Abraham ?

J'ai hoché la tête.

— Et cet endroit se trouve à La Nouvelle-Orléans ?

Derechef, j'ai opiné. Il m'a rendu la pochette, puis s'est essuyé les lèvres avec sa serviette.

— Non, a-t-il assené.

Sur ce, il a bu une gorgée de vin.

— Comment ça, non ? ai-je protesté. Tu étais d'accord avec moi, je te signale. C'est toi qui as soutenu que nous étions en mesure de le localiser.

— En effet. Et je compte m'en charger pendant que tu seras enfermée en sécurité dans ta chambre comme la gentille jeune fille que tu devrais être. Tu n'iras pas à La Nouvelle-Orléans toute seule.

— Parce que c'est la *ville* qui t'inquiète ? me suis-je exclamée, ahurie. Plus que ton ancêtre Incube âgé mais dangereux qui a tenté de nous éliminer à plusieurs reprises ?

— Lui aussi. Et La Nouvelle-Orléans. Ta grand-mère l'interdira même si j'accepte.

— L'interdira ou l'*interdirait* ?

— Pardon ?

— Si elle n'est pas au courant, ce n'est plus un problème.

Me levant, je me suis approchée de lui et l'ai enlacé. Il avait beau me mettre en rogne, soudoyer les barmen du Monde Souterrain et me confiner à la maison pour m'éviter de me lancer dans des quêtes périlleuses, je l'aimais. J'aimais aussi son amour féroce pour moi.

— Et si c'était toujours non ?

— Et si tu te rappelais qu'elle sera à la Barbade avec tante Del et les autres jusqu'à la semaine prochaine ? Je ne vois même pas où est la difficulté.

— Et si c'était un non ferme et définitif ?

À ce stade, j'ai renoncé. J'avais du mal à garder rancune à oncle Macon. Je n'y arrivais pas, d'ailleurs. Seuls mes sentiments envers lui m'avaient aidée à saisir à quel point il avait été dur pour Ethan de vivre loin de sa mère.

Lila Evers Wate. Combien de fois nos chemins s'étaient-ils croisés ?

nous aimons ce que et qui nous aimons
nous aimons qui nous aimons
et pourquoi
nous aimons pourquoi nous aimons
et découvrons
un lacet de chaussure qui tombe noué
et tendu
entre les doigts d'étrangers

Je n'avais pas envie d'y réfléchir tout en espérant que ce soit vrai. Où qu'il se trouve, j'espérais qu'Ethan était avec elle, à présent.

Donnez-lui au moins ça.

John et moi sommes partis dès potron-minet. L'heure matinale se justifiait dans la mesure où nous comptions emprunter le chemin le plus long – les Tunnels, et non un Voyage, même si, pour peu que je l'y autorise, John aurait été capable de nous transporter à notre destination en un clin d'œil.

Le détour m'était égal. Je ne voulais pas de cela ; je ne tenais pas à me souvenir des occasions précédentes où je l'avais laissé m'emporter... jusqu'à Sarafine.

Bref, nous avons suivi ma méthode. J'ai lancé un sortilège de *Resonentia* à mon alto, qui ferait des exercices dans son coin pendant mon absence. La magie finirait certes par s'épuiser, mais pas avant que j'aie eu le temps d'agir.

Je n'ai pas averti mon oncle de mon escapade. J'ai filé en douce, sans plus. Oncle Macon continuait de dormir presque toute la journée, vieilles habitudes obligent. J'avais calculé que je disposais d'au moins six bonnes heures avant qu'il ne s'aperçoive de ma disparition. Autrement dit, qu'il ne pète un plomb et ne se lance à ma poursuite.

J'avais appris un truc, l'an dernier : il existait certaines choses que personne ne vous autoriserait jamais à faire. Ce qui ne signifiait pas cependant que vous ne pouviez ni ne deviez les accomplir, surtout les importantes. Genre sauver le monde, se balader sur la couture séparant deux réalités surnaturelles ou ramener votre petit copain d'entre les morts.

Parfois, vous n'aviez pas le choix : force vous était de prendre le taureau par les cornes. Les parents – ou les oncles, qui étaient ce qui s'en rapprochait le plus – n'étaient pas préparés à l'accepter. Après tout, qui de responsable, ici-bas ou ailleurs, aurait cédé et lancé : « Mais bien sûr, mets ta vie en danger. C'est l'avenir du monde qui est en jeu, ici » ?

Quel adulte digne de ce nom aurait sorti ça ?

« Rentre pour le dîner. J'espère que tu ne mourras pas. »

Aucun, sûr et certain. Ce n'était pas leur faute. Il n'empêche, la désobéissance s'imposait alors.

J'estimais qu'il m'incombait de partir, quoi qu'en dise oncle Macon. En tout cas, c'est ce que je me suis seriné quand John et moi sommes entrés dans les Tunnels profonds situés sous Ravenwood. Dans une obscurité telle que les notions de jour et de nuit n'avaient plus de sens, ni celles de siècle ou de géographie.

Mais les Tunnels n'étaient pas l'obstacle le plus redoutable.

Non plus que de traînasser seule en compagnie de John, ce qui ne m'était pas arrivé depuis qu'il m'avait embobinée et conduite jusqu'à la Grande Barrière pour ma Dix-septième Lune.

La vérité, c'est qu'oncle Macon avait raison.

Ce qui m'effrayait le plus était le Portail et ce que j'allais découvrir derrière. Le vieux Portail à travers lequel la lumière se répandait sur les marches en pierre, au bas desquelles je patientais. Celui sur lequel était inscrit : LA NOUVELLE-ORLÉANS. Le lieu où Amma avait conclu un pacte avec la magie la plus noire qui soit.

J'ai frissonné.

John m'a dévisagée, tête inclinée.

— Pourquoi t'arrêtes-tu ici ? m'a-t-il demandé.

— Comme ça.

— As-tu peur, Lena ?

— Non. Je n'ai aucune raison d'avoir peur. Ce n'est qu'une ville.

Je me suis efforcée de repousser toute pensée concernant le vaudou, les bokors et leurs sombres pratiques. Ce n'était pas parce qu'Ethan avait suivi Amma dans ce pétrin que j'allais forcément me heurter à des Ténèbres identiques. Ou au même bokor, du moins.

Ah ouais ?

— Si tu considères que La Nouvelle-Orléans n'est rien qu'une ville, tu n'es pas au bout de tes surprises, a commenté John.

Il s'était exprimé à voix basse. J'avais beau peiner à distinguer ses traits dans la pénombre ambiante, j'ai eu l'impression qu'il avait autant la frousse que moi.

— Pourquoi dis-tu ça ?

— C'est la cité la plus enchantée du pays. Celle où se concentrent les forces de la Lumière et des Ténèbres des temps modernes. Tout est susceptible de s'y produire. À n'importe quel moment.

— Y compris dans un bar centenaire fréquenté par des créatures surnaturelles bicentenaires ?

Ça ne pouvait pas être bien méchant. Enfin, c'est ce que je me suis répété.

John a haussé les épaules.

— Ça pourrait même commencer dès maintenant, dès ici. Connaissant Abraham, le trouver risque d'être plus compliqué que nous le croyons.

Nous avons escaladé les degrés et avons débouché dans le soleil éclatant qui nous guiderait jusqu'à la Face Obscure de la Lune.

La rue, bordée de bars déglingués coincés entre d'autres bars déglingués, était déserte. Logique, vu l'heure matinale. L'artère ressemblait à toutes celles que nous avions croisées depuis que le Portail nous avait crachés dans le Vieux Carré, le quartier ayant la plus mauvaise réputation de toute La Nouvelle-Orléans. Des balustrades en fer forgé ouvragé couraient sans interruption le long de tous les balcons de tous les immeubles, même ceux situés aux carrefours. La lumière crue dévoilait des façades bigarrées au crépi décoloré et écaillé par le soleil. Les trottoirs débordaient d'ordures entassées les unes sur les autres – uniques signes de la vie nocturne qui s'était déroulée dans les parages.

— Je n'ose imaginer l'allure qu'a le coin le lendemain de mardi gras, ai-je murmuré tout en me frayant un chemin au milieu des poubelles. Rappelle-moi de ne plus fréquenter les bars.

— Pourquoi ? Nous avons pourtant pris du bon temps, à l'Exil. Toi, moi, Rid, à danser comme des malades.

John a souri, et je me suis empourprée à l'évocation de ces souvenirs.

bras qui m'enlacent
dansant, pressés,
le visage d'Ethan
pâle et tourmenté

J'ai secoué la tête pour chasser les mots.

— Je ne parlais pas d'un trou miteux pour créatures surnaturelles décadentes, ai-je précisé.

— Arrête ton char, a-t-il rigolé. Nous n'étions pas franchement décadents. En tout cas, pas toi. Rid et moi, c'est une autre histoire.

Il m'a donné une bourrade amicale. Je l'ai repoussé un brin moins amicalement.

— Ça suffit ! Tout ça s'est passé il y a un million d'années. Deux, peut-être. Je souhaite l'oublier.

— Du calme, Lena. Je suis heureux. Tu...

Un coup d'œil de ma part a suffi à le couper dans son élan.

— Toi aussi, tu seras de nouveau heureuse, a-t-il lâché. Je te le jure. Nous sommes ici pour ça, non ?

Je l'ai contemplé, debout près de moi dans une rue crapoteuse du Vieux Carré, à une heure indue de la matinée, en train de m'aider à chercher cet homme qui n'en était pas tout à fait un et qu'il haïssait plus que quiconque. Il avait plus de raisons que moi de détester Abraham Ravenwood. Or il ne protestait pas contre ce que je l'obligeais à faire.

Qui aurait cru que John finirait par être l'un des types les plus chouettes qui soient ? Qui aurait cru qu'il finirait par risquer sa propre vie afin de me ramener mon bien-aimé ?

— John ? ai-je chuchoté avec un sourire qui cachait mon envie de pleurer.

— Oui ?

Il ne m'a guère prêté attention, concentré sur les enseignes des débits de boisson. Il se demandait sûrement s'il allait avoir le cran d'entrer dans l'un d'eux. Tous avaient des allures de repaires pour tueurs en série.

— Je suis désolée.

— Hein ?

Il m'écoutait, à présent. Avec une application teintée de surprise.

— Je te prie de m'excuser pour ceci. Pour ton implication. Et si tu ne désires pas… enfin, si nous ne récupérons pas le *Livre*…

— Nous le récupérerons.

— Ce que j'essaye de te dire, c'est que je ne t'en voudrai pas si tu n'as pas envie d'en passer par là. Abraham et tout le bazar, s'entend.

Il m'était insupportable de lui infliger pareille épreuve. Ainsi qu'à Liv – en dépit de ce qui nous avait opposées à un moment. En dépit de l'amour qu'elle avait pensé éprouver pour Ethan.

Avant.

— On va le trouver, ce bouquin. Viens et cesse de raconter des bêtises.

D'un bon coup de pied, John a démoli une montagne de déchets, et nous avons traversé une mer de bouteilles de bière vides et de serviettes en papier trempées.

Nous avons ainsi parcouru la moitié d'un pâté de maisons, scrutant l'intérieur des portes cochères, en quête d'éventuels signes de vie. À ma grande surprise, des gens s'y planquaient, se fondant littéralement dans les retraits en bois sculptés. Affalés dans des couloirs noirs, récupérant des ordures dans des ruelles désertes et ombreuses. J'en ai même repéré, silhouettes furtives, sur des balcons.

À la réflexion, le Carré français ne différait guère de l'univers des Enchanteurs. Ou du comté de Gatlin. Un monde caché dans un monde, au vu et au su de tous.

Il suffisait de savoir où regarder.

— Là-bas, ai-je soudain lâché en tendant le doigt.

LA FACE OBSCURE DE LA LUNE

Une enseigne en bois se balançait à deux chaînes antiques. Elle grinçait à chaque bourrasque.

Alors qu'il n'y avait pas un souffle de vent.

Plissant les paupières à cause de la lumière aveuglante, j'ai essayé de voir de l'autre côté de la porte ouverte.

L'endroit ne ressemblait pas à ses homologues déserts du quartier. Même de la rue, on percevait des éclats de voix.

— Il y a déjà des clients à cette heure ? a marmonné John avec une grimace.

— Il n'est peut-être pas si tôt, pour eux. Il est peut-être tard, même.

Mon regard a croisé celui d'un homme renfrogné qui, adossé à l'encadrement de l'entrée, tentait d'allumer une cigarette. Grommelant entre ses dents, il s'est détourné.

— Ouais, beaucoup trop tard, ai-je renchéri.

— Tu es certaine que c'est le bon bar ? a insisté John en secouant la tête.

Pour la énième fois, je lui ai montré la pochette d'allumettes. Il l'a soulevée afin de comparer le logo à l'enseigne. Identiques. Même le croissant de lune sculpté dans le bois était une réplique exacte de celui imprimé sur le carton.

— J'espérais que non, a-t-il murmuré en me rendant la pochette.

— Ne rêve pas, ai-je répondu en écartant du pied un mouchoir sale qui menaçait mes Converse noires.

Il m'a adressé un clin d'œil.

— Les dames d'abord.

Chapitre 22
L'OISEAU DANS SA CAGE DORÉE

Il a fallu un moment à ma vision pour s'ajuster à la pénombre du bar, et encore plus longtemps au reste de mon corps pour tolérer la puanteur ambiante. Il régnait ici une odeur de moût, de rouille et de bière éventée – de vieillesse. Dans l'obscurité, j'ai distingué des rangées de petites tables rondes ainsi qu'un comptoir en zinc très haut, presque aussi grand que moi. Des bouteilles s'alignaient sur des étagères jusqu'au plafond, lequel était si élevé que les longs lustres en laiton semblaient être suspendus dans le vide.

La poussière recouvrait la moindre surface, le moindre flacon. Elle tourbillonnait dans l'air, visible là où de rares rayons de lumière parvenaient à filtrer à travers les fenêtres fermées par des volets. John m'a donné un léger coup de coude.

— Tu ne connais pas un sortilège susceptible de nous boucher le nez ? Genre *Minus Puantus* ?

— Non, mais je n'hésiterai pas à recourir à un *La Fermus* quelconque si tu commences comme ça.

— Hou ! Quel mauvais caractère ! N'oublie pas que tu es Lumière. Tu es du côté des gentils.

— Je te signale que j'ai brisé le moule. Lors de ma Dix-septième Lune, quand j'ai été Appelée Lumière et Ténèbres. J'ai mon côté sombre.

Sur ce, je lui ai lancé un regard qui ne plaisantait pas.

— Arrête, tu me fais peur, s'est-il marré.

— Et tu as raison. Alors, gare à toi.

J'ai désigné un miroir publicitaire accroché aux lambris du mur, juste derrière lui. La silhouette d'une femme accompagnait ces mots : « Les lèvres ayant touché de l'alcool ne toucheront pas les nôtres. »

— Pas du tout la profession de foi des cheerleaders de Jackson, ai-je marmonné en secouant la tête.

— Quoi ? a sursauté John en levant les yeux.

— Je te parie que cet endroit était un *speakeasy* pendant la Prohibition, un bar clandestin. Ils pullulaient sûrement, à La Nouvelle-Orléans. Ce qui signifie qu'il existe sans doute une autre salle derrière celle-ci. Tu ne crois pas ?

— Si, a-t-il opiné. Par ailleurs, Abraham ne choisirait jamais une planque ouverte à tous vents. Où que nous ayons habité, il y avait systématiquement un lieu de repli. Sauf que je ne me souviens pas d'avoir mis les pieds ici.

Lui et moi avons observé les alentours.

— Il possédait ce QG avant que tu vives avec lui, si ça se trouve, ai-je suggéré. Il a dû y revenir, sachant que personne n'était en mesure de le connaître.

— Mouais. Il n'empêche, il y a un truc qui cloche, ici.

C'est alors qu'une voix familière a retenti dans mon crâne. Ou plutôt un ricanement, suave et sinistre à la fois, reconnaissable entre tous.

Ridley ? C'est toi ?

Elle n'a pas répondu à mon Chuchotement. Soit elle ne l'avait pas entendu, soit nous n'étions plus capables de communiquer, à cause d'un trop long manque de pratique. Je devais en avoir le cœur net, cependant.

J'ai grimpé en vitesse l'escalier situé au fond du bar, John à mes basques. Une fois dans la pièce à l'étage, je me suis mise à tambouriner contre un mur – il m'avait semblé que la voix de ma cousine était venue de derrière, volant pardessus des caisses et des casiers à bouteilles empilés. La paroi sonnait creux : de toute évidence, il y avait une autre salle au-delà.

Ridley !

J'ai écarté un tas de cartons afin de dégager un passage pour mieux voir. Puis, fermant les paupières, je me suis élevée en l'air jusqu'à flotter à côté d'une imposte pratiquée au sommet du mur. J'ai ouvert les yeux. Le spectacle que j'ai découvert m'a tellement surprise que je suis retombée par terre.

J'aurais juré avoir aperçu ma cousine, des tonnes de maquillage et ce qui ressemblait à un éclat doré. Rid ne courait aucun danger. Elle traînait juste dans le coin, occupée à se vernir les ongles. Une sucette au bec, heureuse comme une reine.

Ou alors, j'hallucinais.

Bon Dieu ! Je te me la massacre !

— Rid, je te le jure, si tu es aussi dingue, si tu as viré Ténèbres à ce point, je vais me faire un plaisir de t'enfoncer tes sucettes chéries l'une après l'autre au fond de la gorge.

— Quoi ? a crié John.

Ses bras ont enserré ma taille afin de me calmer. Je lui ai montré le mur.

— Rid. Elle est derrière.

J'ai frappé sur la paroi, au-dessus d'une rangée de caisses.

— Non, non, non !

Il a commencé à reculer, comme si la seule mention de ma cousine lui donnait envie de s'esbigner. J'ai senti que j'étais rouge de colère. Et prête à tuer Rid. Elle était *ma* cousine, je voulais la flinguer – bref, c'était une affaire de famille. Rien qui concerne John.

— Écoute, ai-je pantelé, il faut que je la rejoigne.

— As-tu perdu la tête ?

— Sûrement.

— Si elle fricote avec Abraham, elle ne se sauvera pas. Or il serait préférable qu'il ne découvre pas notre présence tant que nous n'avons pas réfléchi à un moyen de mettre la main sur le *Livre*.

— Je ne pense pas qu'il soit là.

— Tu le penses ou tu en es certaine ?

— S'il était là, tu le sentirais, non ? J'avais cru comprendre que vous deux aviez une sorte de lien privilégié. Ce n'est pas ainsi qu'il t'a lavé le cerveau ?

Devant l'expression coupable qui s'est dessinée sur le visage de John, j'ai eu honte de mes paroles.

— Oui, peut-être, a-t-il marmonné. Pas sûr. (Il a levé les yeux vers le fenestron.) Bon, d'accord, tu entres là-dedans et tu vois quel est le problème de Rid. Moi, je monte la garde, des fois qu'Abraham rôde dehors, et je m'assure qu'il ne rapplique pas pendant que tu es à l'intérieur.

— Merci, John.

— Attention ! Pas de bêtises, hein ? Si elle est devenue trop Ténèbres, tu oublies. Personne ne peut la changer. On l'a tous appris à nos dépens.

— Je sais.

Mieux que quiconque, même, à l'exception de Link, sans doute. Cependant, au plus profond de moi, je savais aussi mieux que quiconque que ma cousine était comme tout un chacun. Au sens où elle voulait absolument ressembler à tout le monde, être aimée et heureuse, avoir des amis… rien que de très banal.

Jusqu'à quelle profondeur pareil caractère peut-il s'enfoncer dans les Ténèbres ?

En même temps, le Nouvel Ordre ne nous avait-il pas prouvé que le prix avait été payé – Ethan y avait veillé – et

que les choses n'étaient jamais aussi simples qu'elles nous paraissaient ?

Moi-même, ne me suis-je pas Appelée à la fois Lumière et Ténèbres ?

— Ça ira, là-dedans ?

Est-ce vraiment différent pour les autres ? Pour Ridley ? Surtout pour elle *?*

— Je te parle, Lena, a insisté John en m'enfonçant un doigt dans les côtes. Merci d'émettre un son indiquant que tu m'as entendu avant que je t'autorise à te jeter dans la fosse aux lions.

Je me suis ressaisie.

— Vas-y, ai-je dit. Tout se passera bien.

— Je te donne cinq minutes. Pas une de plus.

— OK. Quatre me suffiront.

Il a disparu. J'étais à présent seule pour régler cette histoire de cousine – Ténèbres ou Lumière, bien ou mal. Ou, peut-être, juste à la croisée des chemins.

Décidant qu'il me fallait repérer les lieux avec plus de précision, je me suis emparée d'un casier à bouteilles et l'ai tiré sous l'imposte. J'ai grimpé dessus, il a chancelé et menacé de se renverser, mais j'ai réussi à ne pas perdre l'équilibre.

Malheureusement, je n'étais pas assez grande.

Bon sang !

Fermant les yeux, j'ai tordu l'air entre mes doigts afin de me hisser vers le plafond. La lumière dans la pièce s'est mise à vaciller.

J'y suis !

Je volais moins que je ne lévitais. Je me suis élevée jusqu'à ce que mes Converse planent à quelques centimètres au-dessus de la caisse.

Plus qu'un petit effort pour vérifier en bonne et due forme si ma cousine était perdue à jamais, si elle s'était alliée à l'Incube le plus ténébreux qui soit, et ce, sans possibilité de retour.

Juste un bref regard.

J'ai tendu le cou, à peine au niveau du fenestron.

Alors, j'ai découvert les barreaux qui descendaient du plafond dans toutes les directions et enfermaient Ridley. Une espèce de prison dorée. Une cage à oiseau, en quelque sorte.

J'en suis restée ébahie. Ridley ne paressait pas sur une banquette, nichée dans le giron luxueux d'Abraham. Elle était retenue contre sa volonté.

Elle s'est retournée, nos yeux se sont croisés. Elle a bondi sur ses pieds, a secoué les barreaux de sa geôle. L'espace d'une seconde, j'ai eu l'impression d'avoir devant moi une Fée Clochette dévoyée, barbouillée de mascara et de rouge à lèvres.

Elle avait pleuré. Pire encore, ses bras étaient couverts de bleus, notamment autour des poignets. Traces de cordes ou de chaînes. De menottes, peut-être.

Il était évident que la pièce était l'un des repaires d'Abraham. Enfin, c'est ce que je me suis dit, dans la mesure où elle avait des allures de labo de savant fou, avec un lit unique à côté d'une étagère bourrée de livres. Une haute table en bois croulait sous des appareils scientifiques. Ça aurait pu être le bureau d'un chimiste. Encore plus étrange, les deux côtés de l'imposte paraissaient ne pas s'ajuster exactement, en termes d'espace physique. La vision qu'elle offrait s'apparentait à celle qu'aurait rendue un télescope à la lentille crasseuse, et il m'était impossible de déterminer avec précision les dimensions de la salle. Connaissant Abraham, elle pouvait s'achever n'importe où dans le monde des Mortels.

Mais bon, ces détails ne comptaient guère. Il s'agissait de Ridley. Voir n'importe qui dans sa situation vous aurait brisé le cœur – que la prisonnière soit ma tête de linotte insouciante de cousine rendait la chose d'autant plus cruelle.

Mes cheveux se sont mis à boucler sous l'effet du Souffle Enchanteur familier.

Aurae Aspirent
Ubi teuor, ibi adeo.
Que se lève le vent,
Où je vois, je me rends.

J'ai commencé à me disperser dans le néant. L'univers a cédé devant moi et, lorsque mes pieds ont atterri sur le sol, je me suis rendu compte que je me tenais à côté de Ridley.

À l'extérieur de la cage dorée.

— Qu'est-ce que tu fiches ici, cousine ? m'a-t-elle lancé.

Elle a glissé une main aux longs ongles roses à travers les barreaux.

— Je pourrais te poser la même question, Rid. Tu vas bien ?

Je me suis prudemment approchée. J'avais beau adorer ma cousine, je n'oubliais pas pour autant ce qui s'était produit. Elle avait opté pour les Ténèbres et nous avait tous abandonnés, Link, moi et les autres. Aussi, il était difficile de deviner quel camp elle avait choisi.

Comme toujours.

— Ça me semble évident, non ? a-t-elle rétorqué. Et j'ai été en bien meilleure forme. Rudement meilleure même.

Elle a secoué les barreaux avant de s'accroupir et de fondre en larmes, comme si nous étions de nouveau petites filles et qu'un camarade l'avait vexée dans la cour de récréation. Ce qui n'était pas souvent arrivé. En général, j'étais celle qui pleurait.

Rid avait toujours été la plus forte de nous deux.

Voilà qui expliquait peut-être pourquoi ses sanglots m'émouvaient.

Je me suis agenouillée et j'ai attrapé sa main.

— Désolée, Rid. J'étais si furieuse après toi... Tu n'es pas réapparue lorsque Ethan est... Maintenant qu'Ethan...

— Je sais, a-t-elle répondu sans me regarder. J'ai appris la nouvelle. Je suis super mal. C'est là que ça a tourné au vinaigre. Abraham était fou de rage, et ça ne s'est pas arrangé quand j'ai commis l'erreur de vouloir partir. Je souhaitais seulement rentrer à la maison. Il était tellement furax qu'il m'a jetée ici.

Elle a secoué la tête, comme si ce souvenir était trop douloureux à supporter.

— J'aurais dû me douter que tu reviendrais, Rid, à moins que quelque chose t'en empêche. Je suis vraiment navrée.

— Ce n'est pas grave. L'eau a coulé sous les ponts.

Elle s'est essuyé les yeux, étalant un peu plus son maquillage au passage.

— Tirons-nous avant qu'Abraham rapplique, a-t-elle ensuite dit. Sinon, tu risques de terminer coincée ici avec moi durant les deux prochains siècles.

— Où est-il allé ?

— Aucune idée. D'ordinaire, il traîne toute la sainte journée dans son horrible labo plein de créatures. Mais la durée de ses absences varie.

— Dans ce cas, tu as raison. Filons.

J'ai observé la pièce.

— As-tu vu Abraham avec le *Livre des lunes*, Rid ? Le bouquin est-il ici ?

— Tu rigoles ? Plutôt crever que d'approcher ce machin, puisqu'il bousille la vie de tous ceux qui ont le malheur de le toucher.

— Mais l'as-tu aperçu ?

— Non. Pas ici, du moins. Si Abraham l'a encore, il n'est pas assez bête pour le transbahuter avec lui. Il est mauvais, pas idiot.

Mon cœur s'est serré. De nouveau, Ridley a ébranlé sa prison.

— Dépêche, Lena ! Je ne peux pas sortir toute seule. Il s'agit d'un sortilège de Protection, j'ai l'impression. Je deviens dingue...

Soudain, un fracas énorme a retenti, et un tas de caisses a dégringolé à côté de moi. Des éclats de bois et de verre ont volé partout, comme si je venais de flinguer le projet scientifique sur lequel travaillait Abraham pour les prochaines olympiades. Une espèce de matière visqueuse verte maculait mes cheveux.

Oups !

Oncle Macon était en train de se dégager de John Breed, lequel avait un pied pris dans les restes d'une caisse en bois.

— Où sommes-nous ? a demandé oncle M en contemplant la cage avec incrédulité. Quel est cet endroit bizarre ?

— Oncle M ? a lancé Ridley, aussi soulagée qu'égarée. Tu as Voyagé ?

— Je l'ai trouvé devant le bar, a expliqué John. Il m'a pris par le collet et n'a pas voulu me lâcher. Quand j'ai essayé de me sauver, il a suivi le mouvement, genre.

John a dû se rendre compte de la tête que je tirais, parce qu'il a commencé à se défendre.

— Hé ! Ne me regarde pas comme ça. Je n'avais pas l'intention de ramasser des auto-stoppeurs.

Oncle Macon l'a foudroyé des yeux, politesse que lui a rendue John.

— Lena Duchannes ! s'est ensuite exclamé mon oncle.

Il était furibond comme jamais. Son costume impeccable était lui aussi taché de substance verte. Il a toisé Ridley, puis moi, avant de tendre un doigt tremblant de rage vers nous.

— Vous deux, sortez d'ici immédiatement !

Nouant les doigts autour de ceux de Ridley, j'ai marmonné l'*Aurae Aspirent* pendant qu'oncle Macon tapait impatiemment du pied. Une seconde plus tard, Ridley était hors de sa prison.

— Oncle Macon… ai-je commencé.

— Pas un mot ! m'a-t-il coupée en levant sa main gantée, ses prunelles traversées par des éclairs qui m'ont convaincue de la boucler. À présent, a-t-il enchaîné, concentrons-nous sur notre objectif tant qu'il nous reste du temps. Le *Livre*.

John avait déjà entrepris de tirer des caisses ouvertes et de chercher dans la bibliothèque. Oncle Macon et moi nous sommes attaqués à la tâche également, jusqu'à avoir fouillé le moindre recoin. Assise sur le lit, Ridley boudait, ce qui n'allégeait pas l'atmosphère mais ne nous compliquait pas non plus les choses. J'ai voulu y voir un signe encourageant.

D'après ce que renfermait cette pièce, Abraham Ravenwood avait l'air d'être l'équivalent Enchanteur du Dr Frankenstein. Je n'ai pas identifié grand-chose en dehors des habituels becs Bunsen et éprouvettes, alors que j'avais suivi des cours de chimie renforcés au lycée. Par ailleurs, au rythme où oncle Macon et John démolissaient les lieux, notre quête semblerait d'ici peu avoir été menée par le monstre de Frankenstein.

— Il n'est pas ici, a conclu John au bout d'un moment.

— Dans ce cas, nous non plus, a aussitôt décrété oncle Macon en rajustant son imperméable. À la maison, John.

Voyager était un truc. La vitesse avec laquelle l'Incube a immédiatement réussi à nous transporter chez nous en a été un autre. Je me suis retrouvée loin du repaire d'Abraham et de retour dans ma chambre avant que Ridley ait eu le temps d'essuyer son maquillage de raton laveur.

Mon alto jouait encore le *Caprice* n° 24 de Paganini à mon arrivée.

Chapitre 23
Dar-ee Keen

Le lendemain, il pleuvait, et le Dar-ee Keen prenait l'eau de toutes parts, comme s'il avait décidé de renoncer et de sombrer. Encore plus déprimant, oncle Macon ne s'était même pas donné la peine de me punir. Visiblement, la situation était assez grave pour qu'il n'ait pas besoin de m'enfermer dans ma chambre. Ce qui était grave en soi.

La pluie s'infiltrait partout, à l'intérieur comme à l'extérieur du Dar-ee Keen. Les néons carrés bourdonnants dégouttaient, les murs transpiraient et des taches pareilles à des larmes sinuaient lentement de sous le portrait de guingois de l'Employée du mois – bien sûr, une des cheerleaders de Jackson à en juger par sa bobine, même si elles commençaient à toutes se ressembler.

Pas quelqu'un qui mérite qu'on pleure dessus. Plus maintenant.

J'ai balayé du regard le restaurant vide, guettant l'apparition de Link. En une telle journée, personne ne s'aventurait dehors, pas même les mouches. Ce n'est pas moi qui leur jetterais la pierre.

— Sérieux, tu ne pourrais pas arrêter ça, Lena ? J'en ai marre de cette flotte. Et je pue le chien mouillé.

Link avait surgi de nulle part et se glissait sur la banquette en face de moi. Il avait tout du chien mouillé, en effet.

— La pluie n'est en rien responsable de ton odeur, mon ami, ai-je répondu en souriant.

Contrairement à John, Link était suffisamment humain pour que les éléments naturels continuent de l'affecter. Il a adopté sa posture habituelle : affalé dans un coin du box, il a joué le type susceptible de s'endormir à tout instant.

— Par ailleurs, ai-je précisé, je n'y suis pour rien.

— T'as raison, tiens ! Ça n'a été que soleil et chatons depuis décembre.

Un coup de tonnerre a retenti. Link a levé les yeux au ciel.

— J'imagine que tu as eu vent des nouvelles, ai-je repris en fronçant les sourcils. Nous avons localisé la planque d'Abraham. Aucune trace du *Livre*, en revanche. Du moins, nous ne l'avons pas trouvé.

— Tu m'étonnes ! a-t-il soupiré. Et maintenant ?

— On passe au plan B. On n'a pas le choix.

John.

Je n'ai pas réussi à le dire. Sur la banquette, ma main s'est recroquevillée en un poing. Dehors, le tonnerre a de nouveau roulé. De mon fait ? J'ignorais si c'était moi qui manipulais la météo ou le contraire. J'avais perdu la trace de moi-même depuis des semaines. J'ai contemplé les gouttes qui tombaient dans un seau en plastique rouge au milieu de la salle.

pluie de plastique rouge
ses larmes à elle bougent

Je me suis secouée, histoire d'éloigner les mots, mais je n'ai pu m'empêcher de fixer le récipient. L'eau se déversait du plafond à un rythme régulier. Pareil à une chamade ou à un poème. À une liste de disparus.

Macon d'abord.
Puis Ethan.
Non.
Mon père.
Puis Macon.
Ma mère.
Puis Ethan.
John désormais.

Combien de mes proches étaient morts ?

Combien mourraient encore ? John y laisserait-il sa peau lui aussi ? Liv me pardonnerait-elle jamais ? Cela avait-il encore une quelconque importance ?

J'ai scruté les gouttes de pluie répandues sur le plateau graisseux devant moi. Link et moi nous taisions, entourés par des papiers gras chiffonnés, des gobelets en plastique pleins de glace pilée. Un repas froid et détrempé que personne ne songeait à manger. Pour peu qu'il ne soit pas coincé à la table familiale, Link ne faisait même plus semblant de tripoter sa nourriture. Il m'a planté son index dans le bras.

— Allez, Lena ! John sait ce qu'il fait. C'est un grand garçon. On va récupérer le bouquin et Ethan, si dingo que soit ton plan.

— Je ne suis pas folle.

À qui ces paroles s'adressaient-elles ? À lui ou à moi ?

— Je n'ai pas dit que tu l'étais.

— Tu ne loupes pas une occasion de me traiter de cinglée.

— Parce que tu crois que je n'ai pas envie qu'il revienne ? Parce que tu crois que ça n'est pas naze de tirer des paniers sans qu'il soit là à me regarder, à me balancer que je suis nul ou que j'ai pris la grosse tête ? J'écume les rues de Gatlin au volant de La Poubelle, les chansons que nous écoutions ensemble à fond, alors que je n'ai plus aucune raison de les écouter.

— Je pige que c'est dur, Link. Je suis la mieux placée pour ça.

Ses yeux se sont remplis de larmes, il a baissé la tête.

— Je n'ai même plus envie de chanter, a-t-il marmonné. Les gars du groupe parlent de se séparer. Les Crucifix Vengeurs vont finir par devenir une équipe de bowling. À ce rythme, a-t-il ajouté comme s'il était à deux doigts de vomir, je vais être obligé d'aller à la fac. Ou pire.

— Arrête, Link.

Il avait raison. S'il s'inscrivait à la fac, même à l'université populaire de Summerville, cela signifierait que la fin du monde s'était bel et bien produite, en dépit de nos multiples efforts, à Ethan et à moi, pour l'éviter.

Nos efforts… avant.

— Je ne suis peut-être pas aussi courageux que toi, Lena.

— Bien sûr que si. Tu as survécu à ta mère pendant des années, non ?

J'ai tenté de sourire, mais il n'était plus à un stade où j'étais en mesure de lui remonter le moral. J'avais l'impression de me parler à moi-même.

— Si ça se trouve, je dois juste laisser tomber quand les chances sont aussi minces qu'en ce moment.

— Tu délires ? Les chances sont toujours minces.

— C'est moi qui ai été mordu. Moi qui me tape de sales notes et qui réussis même à planter les cours de rattrapage l'été.

— Ce n'était pas ta faute. Tu aidais Ethan à me sauver.

— Reconnais-le. La seule fille que j'ai aimée de ma vie m'a préféré les Ténèbres.

— Rid t'aimait. Tu le sais. À propos de Ridley, d'ailleurs…

J'avais failli oublier pourquoi je lui avais donné rendez-vous ici. Il n'était toujours pas au courant.

— Franchement, tu ne comprends pas, ai-je enchaîné. Rid...

— Le sujet est clos. Notre relation était une erreur. J'avais tout foiré jusque-là, j'aurais dû me douter que ça foirerait là aussi.

Il s'est tu quand la cloche accrochée au-dessus de la porte a émis un tintement lointain, et que le temps s'est interrompu dans un tourbillon de plumes rose vif et de perles en étain mauves rétro, style années 1920. Sans parler de l'eye-liner, des contours de la bouche soulignés d'un trait de crayon, de tous les endroits susceptibles d'être poudrés, fardés et peints aux couleurs de l'arc-en-ciel cosmétique.

Ridley.

En moins de temps qu'il m'en a fallu pour prendre conscience de sa présence, je me suis ruée hors de mon siège afin de l'enlacer.

J'avais beau savoir qu'elle viendrait – j'étais celle qui l'avait libérée d'Abraham –, la voir se frayer, saine et sauve, un chemin entre les tables en Formica du Dar-ee Keen n'en était pas moins génial. J'ai manqué de l'envoyer à bas de ses talons de huit centimètres. Personne ne portait de chaussures aussi hautes qu'elle.

Cousine, a-t-elle Chuchoté, tandis que j'enfouissais mon visage dans le creux de son épaule, humant des odeurs de laque, de gel douche et de sucre. Des paillettes ont virevolté autour de nous, s'échappant de la lotion étincelante dont elle s'était enduit tout le corps.

Lumière ou Ténèbres, cela n'avait jamais fait beaucoup de différence entre nous. Pas quand l'heure était grave. Nous étions du même sang, et nous étions réunies.

C'est bizarre que Courte Paille ne soit pas là. Désolée, cousine.

Je sais, Rid.

Le Dar-ee Keen, c'était comme à la maison, comme si Ridley avait enfin pigé l'ampleur de la catastrophe.

Ce que j'avais perdu.

— Ça va, la môme ? a-t-elle demandé en s'écartant pour m'observer.

— Non, ai-je avoué en secouant la tête, la vision troublée par les larmes naissantes.

— L'une de vous a l'intention de me mettre au parfum ou quoi ? a braillé Link.

Il semblait sur le point de s'évanouir, de dégobiller – voire les deux à la fois.

— J'essayais justement de t'expliquer. Nous avons trouvé Ridley enfermée dans l'une des cages d'Abraham.

— Un peu comme un paon, tu vois le genre, Chaud Bouillant ? a renchéri Ridley.

Elle n'a pas regardé Link en face, et je me suis demandé si c'était parce qu'elle ne le souhaitait pas ou parce qu'elle n'osait pas.

— Un paon très chaud, a-t-elle ajouté.

Ce qui se passait entre ces deux-là m'échapperait toujours. Ça échapperait à tout le monde. À eux y compris.

— Salut, Rid.

Link était pâle, même pour un quarteron d'Incube. On aurait dit qu'il venait d'encaisser une gifle. L'interpellée lui a envoyé un baiser par-dessus la table.

— T'es craquant, Chaud Bouillant.

— Et toi... tu... tu... Enfin, tu sais, quoi.

— Oui, a-t-elle acquiescé avec un clin d'œil avant de se tourner vers moi. Tirons-nous d'ici. Ça date de trop longtemps, je ne peux plus supporter ça.

— Supporter quoi ? a lancé Link en réussissant à ne pas bégayer ce coup-ci.

Même si, cette fois, son teint était aussi rouge que le seau en plastique placé sous la fuite du plafond. Ridley a poussé un soupir et collé sa sucette de l'autre côté de sa bouche.

— À ton avis ? Je suis une Sirène, Dingo Dink. Une vilaine fille. Il faut que je retrouve les miens.

— Ce vieux bouc d'Abraham ? a marmonné Ridley en secouant la tête.

— Oui, c'est ça, le plan.

Pour ce qu'il valait, à condition qu'il vaille quelque chose.

L'atmosphère était sombre, et les suspensions de l'Exil paraissaient augmenter encore la pénombre au lieu de l'éclairer. Je n'en voulais pas à Ridley d'avoir tenu à nous entraîner ici – toujours le premier lieu où elle s'était réfugiée lorsqu'elle était Ténèbres.

Cependant, quand on ne l'était pas, Ténèbres, ce n'était pas l'endroit le plus relaxant qui soit. On passait la moitié de sa nuit à s'assurer qu'on ne dévisageait pas le mauvais client ni ne lui souriait accidentellement.

— Tu es certaine que refiler le *Livre des lunes* à Courte Paille va l'aider à dé-calencher ?

Sur le tabouret voisin, Link a grondé. Il avait insisté pour nous accompagner et jouer les gardes du corps, mais il était évident qu'il détestait cette boîte encore plus que moi.

— Surveille tes paroles, Rid, a-t-il protesté, Ethan n'a pas calenché. Il est juste… pas trop en forme.

J'ai souri. Lui avait le droit de me dire qu'Ethan était mort, mais ce n'était pas le même refrain quand quelqu'un d'autre se le permettait. Ce qui impliquait que Ridley n'était plus des nôtres, aux yeux de Link du moins. Elle l'avait quitté pour de bon, elle avait choisi les Ténèbres pour de bon.

Elle nous était étrangère, à présent.

Ce qu'il a paru estimer également, car il a lâché :

— Faut que j'aille aux toilettes.

Il a cependant hésité, peu désireux de me laisser seule. Dans un club comme l'Exil, tous les consommateurs étaient flanqués de leur protection rapprochée. La mienne était un quarteron d'Incube au cœur d'or.

— Ton plan est naze, m'a lancé Ridley, une fois qu'il a eu été hors de portée de voix.

— Le plan n'est pas naze.

— Abraham refusera d'échanger John contre le *Livre des lunes*. John ne vaut plus rien pour lui, maintenant que l'Ordre des Choses a été restauré. C'est trop tard.

— Ce ne sont que des supputations.

— Tu oublies que, ces derniers mois, j'ai passé plus de temps que je ne le voulais avec Abraham. Il a été fort occupé. Il s'enferme toute la sainte journée dans son labo de Frankenstein, à essayer de comprendre ce qui a dérapé avec John Breed. Il a repiqué à ses recherches scientifiques de dingue.

— Ce qui me donne raison. Il voudra récupérer John et acceptera notre marché.

— Non mais tu t'entends ? a-t-elle soupiré. Ce n'est pas un gentil. Lui remettre John, c'est criminel. Lorsque Abraham ne colle pas des ailes supplémentaires aux chauves-souris, il rencontre en secret un type chauve à te flanquer une frousse de tous les diables.

— Tu pourrais être plus précise ? Ta description recouvre un large éventail de gens.

— Je ne sais pas trop. Ange ? Angelo ? Un nom religieux comme ça.

Je me suis figée. Entre mes mains, mon verre est devenu de glace. Des particules gelées ont collé au bout de mes doigts.

— Angelus ?

Rid a englouti une chips qu'elle avait piochée dans le bol noir posé sur le comptoir.

— C'est ça. Ils ont fait alliance en vue d'une attaque ultra-secrète. Je n'ai pas eu droit aux détails, mais ce mec hait les Mortels autant qu'Abraham.

Qu'est-ce qu'un membre du Conseil de la Garde Suprême pouvait bien fricoter avec un Incube Sanguinaire comme Abraham Ravenwood ? Après ce qu'Angelus avait tenté d'infliger à Marian, je ne doutais pas qu'il soit un monstre, mais j'avais plutôt cru qu'il était une espèce de père la vertu dingue. Pas du genre à comploter avec Abraham.

Il est vrai que ce n'était pas la première fois que ce dernier et la Garde Suprême semblaient avoir des objectifs identiques. Oncle Macon avait d'ailleurs soulevé la question juste après le procès de Marian.

— Il faut que nous en parlions à Marian, ai-je dit en secouant la tête, consternée. Mais d'abord, on récupère le livre. Bref, à moins que tu aies une meilleure idée, on donne rendez-vous à Abraham pour lui proposer notre marché.

J'ai terminé le reste de mon eau gazeuse glacée avant de reposer brutalement le verre sur le bar.

Il a explosé entre mes doigts.

Autour de moi, le silence s'est installé, et j'ai senti les regards – prunelles inhumaines, certaines dorées, certaines noires comme les Tunnels – me fixer. Je me suis cachée derrière mes cheveux. Devant la grimace du barman, j'ai jeté un coup d'œil en direction de la porte, m'attendant presque à découvrir oncle Macon sur le seuil.

— T'as de drôles d'yeux, m'a dit le gars en me fixant.

— C'est juste que l'un d'eux n'a pas viré, est intervenue Ridley avec décontraction. Tu sais ce que c'est.

Nous avons guetté sa réaction, nerveuses et tendues sur nos tabourets. Mieux valait éviter d'attirer l'attention, à l'Exil, surtout quand on ne pouvait se targuer que d'un seul œil doré. Le barman a continué à me dévisager pendant un moment, puis il a opiné et consulté sa montre.

— Ouais, a-t-il acquiescé. Je sais ce que c'est.

Cette fois, il a regardé vers l'entrée de la boîte. Il avait sûrement déjà alerté mon oncle.

Sale rapporteur.

— Tu vas avoir besoin de toute l'aide possible, cousine.

— Pardon, Rid ?

— Je vais encore être obligée de vous porter secours, bande d'idiots.

Elle a balayé un éclat de verre du comptoir.

— Comment ?

— T'occupe. Il se trouve que je ne suis pas qu'une jolie fille. Même si j'en suis une aussi. Tout ça *et* une jolie fille.

Elle a souri, d'un sourire peu convaincant cependant. Même son insolence m'avait l'air surjouée, désormais. La disparition d'Ethan l'affectait-elle autant que nous autres ?

Quoi qu'il en soit à son sujet, mon instinct s'est révélé juste à propos d'une chose au moins.

Oncle Macon a déboulé, précis comme un coucou suisse, et je me suis retrouvée dans ma chambre avant d'avoir pu interroger Ridley sur ce qu'elle éprouvait réellement.

Chapitre 24
La main qui berce[1]...

Ridley nous attendait derrière la rangée de tombeaux la plus excentrée du cimetière qui, à en juger par le nombre de bouteilles de bière abandonnées dans les buissons, était aussi un haut lieu de la vie nocturne du comté de Gatlin.

J'étais réticente à traîner par ici. Les empreintes d'Abraham entachaient encore Son Jardin du Repos Éternel. Rien ne semblait avoir changé depuis que, quelques semaines seulement avant la Dix-huitième Lune, il avait invoqué les Ires. Panneaux de danger et rubans jaunes dessinaient un labyrinthe entre les mausolées détruits, les arbres déracinés et les stèles craquelées de la nouvelle section du cimetière. À présent que l'Ordre des Choses était restauré, l'herbe ne séchait plus, les sauterelles avaient disparu. Toutefois, les cicatrices étaient visibles pour qui savait regarder.

Réaction typique de Gatlin, les dégâts les plus apparents avaient déjà été dissimulés sous des couches de terre

1. « … est celle qui gouverne le monde. » Vers tiré d'un poème de William Ross Wallace (1819-1881), qui chante la force des mères et fait désormais figure de proverbe.

fraîche. C'était là que se tenait Ridley. Les cercueils avaient été réensevelis, les tombes refermées. Ça ne m'étonnait pas. Les bons citoyens de Gatlin n'étaient pas du genre à laisser trop longtemps leurs squelettes hors du placard.

Rid a déballé une sucette à la cerise et l'a agitée autour d'elle avec des gestes théâtraux.

— Je lui ai vendu le truc. Il l'a gobé sans moufter. Alors que ma boule était aussi puante que toi, Dingo Dink.

Elle a souri à Link.

— C'est l'hôpital qui se moque de la charité, a-t-il aussitôt riposté.

— Tu sais que j'ai l'odeur d'un glaçage sur un gâteau, a-t-elle répondu en agitant ses longs ongles roses comme des serres. Et si tu approchais, histoire que je te prouve à quel point je peux être douce et sucrée ?

Link s'est posté à côté de John, qui était adossé à un ange en affliction fendu en deux.

— C'était juste une constatation, poupée. Et je te sens très bien d'ici.

Ce jour-là, Link en faisait des tonnes, dans le genre quarteron d'Incube indifférent. Maintenant qu'il avait admis que Ridley nous était revenue, c'était comme s'il ne vivait que pour échanger des insultes avec elle. Cette dernière s'est tournée vers moi, agacée de ne pas avoir réussi à l'embêter plus que ça.

— Il ne m'a fallu qu'un petit saut à La Nouvelle-Orléans pour qu'Abraham me mange dans la main.

Voilà qui était difficile à avaler, et John n'y a pas cru une seconde.

— Tu penses vraiment que nous allons gober ça ? a-t-il rétorqué. Que tu as envoûté Abraham en quelques coups de sucette ? Tu as des actions dans une fabrique de bonbons ?

— Bien sûr que non, a boudé Ridley. J'ai dû enrober un brin. Et j'ai eu une idée. Qui est assez bête pour m'obéir au doigt et à l'œil sans réfléchir un instant ? Notre cher Dinkubus, naturellement !

Elle a envoyé un baiser à Link.

— Conneries ! s'est hérissé celui-ci.

— Bref, j'ai raconté à Abraham que j'utilisais Link et ses sentiments pour moi, que j'avais infiltré votre petit groupe débile et que j'avais deviné votre plan encore plus débile. Puis je me suis plainte qu'il m'ait encagée comme un oiseau de paradis. Certes, j'ai précisé que je ne lui reprochais rien. Après tout, qui n'aurait pas envie de m'avoir avec lui toute la sainte journée ?

— Si ce n'est pas une question rhétorique, j'y répondrai avec plaisir, a grogné Link.

— Il n'était pas fâché que tu te sois enfuie ? a demandé John.

— Il était parfaitement conscient que je ne resterais pas, dès lors que j'aurais trouvé le moyen de me sauver, a expliqué Ridley, dont la voix a un peu déraillé dans les aigus. Je suis une Sirène. Il n'est pas dans ma nature d'être emprisonnée. Je lui ai dit que j'avais utilisé mon don de Persuasion sur son minable garçon de courses Incube pour qu'il me laisse partir. Ça s'est mal terminé. Abraham lui a concocté une cage encore plus vaste que la mienne.

— Quoi d'autre ? me suis-je enquise.

Je tenais à cerner quelles étaient nos chances de récupérer le *Livre*. Tout en jouant avec mon collier de babioles, je me suis efforcée de ne pas penser aux souvenirs qui y étaient autant attachés que les amulettes.

— Je lui ai détaillé votre plan tout en lui assurant que je préférais parier sur lui que sur vous, a enchaîné Ridley avec un sourire enjôleur à l'adresse de Link. Vous savez que je suis toujours du côté des gagnants. Abraham a avalé mes salades, évidemment. Le contraire m'aurait étonnée. Il est d'une crédulité ahurissante.

Link a paru sur le point de la balancer de l'autre côté du cimetière.

— Va-t-il venir ? a lancé John, toujours suspicieux. Aujourd'hui ?

— Oui. En chair et en os. Enfin, l'expression n'est pas à prendre littéralement. Pas du tout, même.

Elle a frissonné.

— Il a vraiment accepté de m'échanger contre le *Livre des lunes* ? a insisté John.

Avec un soupir, Ridley s'est appuyée contre le mur d'un tombeau.

— Disons que, *grosso modo*, ça s'est déroulé comme ça : « Ils sont assez bêtes pour imaginer que vous leur donnerez le bouquin contre John, ce que, évidemment, vous ne ferez pas. » Après, on a dû se marrer et faire un brin de magie sous l'emprise de l'ivresse. J'ai la mémoire un peu floue, à ce stade.

— Le problème, a lâché Link en croisant les bras, c'est que nous n'avons aucune certitude de ce que tu nous racontes, Rid. Plus Ténèbres que toi, il n'y a pas. Dans ce cas, comment savoir dans quel camp tu es vraiment ?

Il s'est placé devant moi, protecteur.

— Rid est ma cousine, Link, ai-je plaidé.

Cependant, j'avais des doutes moi aussi. Ridley était redevenue une Enchanteresse des Ténèbres. La dernière fois qu'elle m'avait proposé son aide, elle m'avait piégée et conduite droit entre les griffes de ma mère, lors de ma Dix-septième Lune.

Certes, elle m'aimait, j'en étais sûre. Autant qu'une créature des Ténèbres pouvait aimer, s'entend. Autant qu'elle pouvait aimer quelqu'un en dehors d'elle-même.

— Bonne question, Dingo Dink, a-t-elle riposté en se penchant vers lui. Dommage seulement que je n'aie aucune intention d'y répondre.

— Un de ces jours, je m'en chargerai en personne, alors, a-t-il rétorqué en plissant le front.

J'ai souri.

— Permets-moi de te donner un indice, a-t-elle ronronné. Ce jour-là n'est pas encore arrivé.

Sur ce, la Sirène qu'il aimait détester s'est volatilisée dans un tourbillon de paillettes roses, tel un nuage de barbe à papa.

La nuit tombait lorsque nous avons laissé Liv et oncle Macon dans le bureau, absorbés par tous les manuscrits d'Enchanteurs qu'ils avaient réussi à dénicher sur les Diaphanes et l'histoire de Ravenwood. Persuadée qu'Ethan essayait de nous contacter, Liv était bien décidée à trouver un moyen de communiquer avec lui. À chacun de mes passages dans la pièce, je l'avais vue prendre des notes ou régler le gadget dément qu'elle utilisait pour mesurer les fréquences surnaturelles. À mon avis, elle tentait désespérément d'arriver à une solution qui éviterait d'échanger John contre le *Livre des lunes*.

Là-dessus, ce n'est pas moi qui lui jetterais la pierre.

Oncle Macon était dans un état d'esprit identique, même s'il ne l'avouait pas. Il écumait le moindre journal intime et bout de papier susceptibles de mentionner les endroits où Abraham aurait pu cacher l'ouvrage.

Voilà pourquoi il m'était impossible de leur révéler ce que nous nous apprêtions à faire. Nous connaissions les sentiments de Liv sur le sacrifice de John ; oncle Macon, lui, se méfiait de Ridley comme de la peste. Je leur ai donc raconté que je me rendais sur la tombe d'Ethan, accompagnée de John.

Link nous attendait au cimetière. Le ciel était à présent obscur et, sur le chemin de Son Jardin du Repos Éternel, j'ai à peine distingué un corbeau qui tournoyait haut dans le firmament en croassant. Un frisson m'a ébranlée. Cet oiseau représentait forcément un présage. De quelle sorte ? Difficile à dire. Soit le rendez-vous se déroulerait sans anicroche, je récupérerais le *Livre des lunes* et, avec un peu de chance, Ethan par la même occasion ; soit j'échouerais et je perdrais John par-dessus le marché.

John Breed n'était pas l'amour de ma vie. Mais il était celui d'une autre. Par ailleurs, lui et moi avions passé quelques sombres mois ensemble, à l'époque où j'avais eu l'impression qu'il était le seul, avec Rid, auquel je pouvais me confier. Sauf qu'il n'était plus celui d'alors. Il avait changé et ne méritait pas de retourner entre les griffes d'Abraham. Un destin que je ne souhaitais à personne.

Qu'étais-je devenue ?

marchander une vie
qui n'est pas la mienne
n'est pas une affaire
le
chagrin
coûte
cher

John évitait de me regarder ; Link fixait le sentier devant nous. J'ai eu le sentiment que mon égoïsme forcené les décevait.

Moi-même, je me décevais.

C'est ainsi, je suis ce que je suis. Je ne vaux pas mieux que Ridley. Je ne pense qu'à ce que je convoite.

Cela ne m'a toutefois pas empêchée d'avancer.

Tout en suivant les garçons à travers les arbres, je tâchais de ne pas réfléchir. Si l'essentiel de Son Jardin du Repos Éternel était en cours de restauration afin de recouvrer l'état d'avant l'attaque des Ires, il en allait autrement de sa partie la plus ancienne. Je n'y étais pas revenue depuis la nuit où la terre s'était ouverte, tapissant les collines de cadavres en décomposition et d'ossements brisés. Certes, les corps n'étaient plus là. Mais le sol était encore labouré, et d'immenses entonnoirs remplaçaient les tombes qui avaient entouré celles de générations de Wate depuis avant la guerre de Sécession. Même si Ethan n'était pas enterré ici.

Dieu soit loué.

— Ça craint, a ronchonné Link en escaladant la colline, armé de ses cisailles de jardin. Mais ne te bile pas, Lena. Je te couvre. Abraham ne t'emportera pas dans son pays de vieux saligaud. Pas sans que je me sois battu. Pas avec mon outil chéri.

John l'a bousculé d'une bourrade.

— Oublie ça, le bleu. Tu ne seras pas en mesure d'approcher suffisamment de Hunting pour couper l'herbe à ses pieds. Et si Abraham remarque ton outil, il s'en servira pour te trancher la gorge sans même le toucher.

Link a repoussé John, et je me suis baissée afin d'éviter les dommages collatéraux – genre me retrouver au bas de la pente.

— N'empêche que mes cisailles m'ont sacrément aidé quand je me suis rendu chez cet Obidias et que j'ai dégommé ce mec chauve-souris rôti comme un poulet. Évite seulement de me faire liquider, Enchanteur.

— Une minute ! a lancé John en reprenant son sérieux.

Il s'est arrêté net, nous a regardés.

— Abraham n'est pas un plaisantin. Tu n'as pas la moindre idée de ce dont il est capable. Ni toi, ni moi, ni personne, d'ailleurs. Ne t'en mêle pas, laisse-moi gérer. Tu es juste ici en renfort, au cas où Hunting ou ta copine nous chercheraient des poux dans la tête.

— Rid est avec nous, lui ai-je rappelé.

— En théorie, a précisé Link, les mâchoires serrées. Et elle n'est pas ma copine.

— L'expérience m'a appris que Ridley n'est jamais que dans son propre camp, a rétorqué John.

Il a enjambé la statue brisée d'un ange en prière dont les mains étaient lézardées au niveau des poignets. Tous ces chérubins abîmés commençaient à ressembler à un fort mauvais présage.

Si Link a paru contrarié, il n'a pas insisté. Il n'appréciait pas qu'un autre que lui critique ma cousine. Du coup, j'ai vraiment douté que les choses soient réellement terminées entre eux deux.

Lui et John sont repartis, sinuant entre des cercueils craquelés et des branches d'arbre jusqu'à un trou gigantesque qui se trouvait au-delà du mausolée des Honeycutt. J'essayais de garder le rythme, mais ils étaient des Incubes, et je ne pouvais pas grand-chose pour les ralentir, sinon lancer un sortilège qui m'aurait clonée en Incube à mon tour.

De toute façon, ça n'a pas tardé à n'avoir plus guère d'importance, car nous sommes parvenus au bout du chemin.

Abraham nous y attendait.

Soit nous avions foncé tête baissée dans son piège, soit lui dans le nôtre. L'heure était venue de le découvrir.

Abraham Ravenwood se tenait de l'autre côté de la vaste dépression. Il portait un long manteau noir, était coiffé d'un chapeau tuyau de poêle et s'appuyait à un tronc déchiqueté. Il semblait s'ennuyer ferme, comme s'il avait été contraint de se déplacer pour une peccadille.

Sous son aisselle était coincé le *Livre des lunes*.

— Il l'a apporté, ai-je chuchoté avec un soupir de soulagement.

— Mais nous ne le tenons pas encore, a soufflé Link.

En col roulé noir et blouson de cuir, Hunting était posté derrière son arrière-arrière-arrière-grand-père. Il expédiait des ronds de fumée en direction de Ridley. Celle-ci, vêtue d'une robe rouge, a toussé et chassé la fumée en lui jetant un sale regard.

Qu'elle soit habillée d'écarlate et à quelques pas de deux Incubes Sanguinaires me perturbait. J'ai espéré que John se trompait, et qu'elle était vraiment de notre côté, à la fois pour le bien de Link et le mien propre.

Lui et moi l'aimions. Or on ne contrôle pas ceux qu'on aime, quel que soit notre désir de le faire. Tel avait été le problème auquel s'était heurtée Genevieve avec Ethan Carter Wate. Celui qu'avait rencontré oncle Macon avec Lila, Link avec Rid. Et, sans doute, celui de Ridley face à Link.

L'amour est avant tout la manière dont tous les liens commencent à se dénouer.

— Vous l'avez apporté ! ai-je lancé à Abraham.

— Et tu l'as amené, a-t-il répondu en contemplant John, les yeux plissés. Mon cher garçon. Si tu savais combien j'étais inquiet !

— Je ne suis pas votre cher garçon, a riposté John en se raidissant. Et vous ne vous êtes jamais préoccupé de moi, alors inutile de nous raconter des craques.

— C'est faux ! s'est récrié le patriarche en affichant un air blessé. Tu m'as coûté beaucoup d'énergie.

— Trop, si tu veux mon avis, est intervenu Hunting.

— Personne ne te le demande, a craché Abraham.

Renvoyé sèchement dans ses buts, Hunting a serré les dents et balancé son mégot dans l'herbe. Il paraissait furax. Ce qui augurait sûrement qu'il passerait sa colère sur un innocent qui ne s'y attendait pas. Autrement dit, nous étions tous des candidats potentiels.

— Lorsque vous m'avez traité en esclave et utilisé pour vos sales besognes ? a raillé John, amer. Merci, mais l'énergie que vous mettez dans vos basses œuvres ne m'intéresse pas.

Abraham a avancé d'un pas, le lacet noir qui lui servait de cravate s'est agité sous la brise.

— Je me fiche de ce qui t'intéresse, a-t-il lâché. Tu existes pour un objectif précis et, lorsqu'il sera atteint, tu ne me seras plus d'aucune utilité. Or je pense que toi comme moi savons comment je me débarrasse des rebuts. (Il a ricané.) J'ai assisté à l'immolation de Sarafine, et mon seul souci sur le moment a été de fuir les cendres qui risquaient de tacher mon veston.

Il ne mentait pas. Moi aussi, j'avais été témoin de la fin de ma mère. Non que je songe à Sarafine comme à une mère. Mais entendre Abraham en parler ainsi a réveillé des sensations en moi, même si je n'ai pas réussi à les identifier.

De la sympathie ? de la compassion ?

Ai-je de la peine pour la femme qui a tenté de me tuer ? Est-ce envisageable ?

John m'avait raconté qu'Abraham haïssait les Enchanteurs autant que les Mortels. Je ne l'avais pas cru jusqu'à ce que je voie Sarafine mourir dans les flammes. Le patriarche des Ravenwood était froid, calculateur et mauvais. Il était le diable incarné, ou du moins ce qui s'en rapprochait le plus.

Relevant la tête, John l'a interpellé :

— Contentez-vous de remettre le *Livre* à mes amis, et je partirai avec vous. Tels étaient les termes du marché.

Le vieillard s'est esclaffé sans faire un geste pour nous donner l'ouvrage.

— Ils ont changé, figure-toi, s'est-il écrié. À la réflexion, je préfère le conserver. Je prendrai aussi ton nouvel ami, a-t-il ajouté en désignant Link du menton.

Ridley a cessé de boulotter sa sucette.

— À quoi bon ? a-t-elle demandé. Il ne vous servira à rien, croyez-moi.

Ce n'était pas vrai. Abraham en était parfaitement conscient. Un sourire malsain a étiré ses lèvres.

— À ta guise. Nous le livrerons aux chiens de Hunting, dans ce cas. Une fois à la maison.

Autrefois, Link aurait reculé, en proie à une terreur absolue. Mais ça, c'était avant que John le morde, et que sa vie en soit transformée. Avant qu'Ethan meure, et que tout change. Je l'ai contemplé, debout près de John. Il n'avait pas l'intention de déserter le champ de bataille, quand bien même il avait la frousse. Ce Link-là avait disparu depuis longtemps.

John a voulu se placer devant lui, il l'en a empêché du bras.

— Je peux me défendre tout seul, a-t-il assené.

— Ne sois pas idiot, a rétorqué l'autre. Tu n'es qu'un quarteron d'Incube, doté d'une force moitié moindre que la mienne, sans même une goutte de sang d'Enchanteur dans les veines.

— Les garçons ! a lancé Abraham avec un claquement de doigts. Tout ceci est fort émouvant, mais il est temps de partir. J'ai des tas de choses à faire et de gens à tuer.

John a carré les épaules.

— Nous n'irons nulle part avec vous, à moins que vous ne leur rendiez le *Livre*. J'ai été en contact avec de puissants Enchanteurs, récemment. Désormais, c'est moi qui décide de mes choix.

John collectionnait les talents d'autrui comme Abraham les victimes. Il s'était ainsi approprié le pouvoir de Persuasion de Ridley, quelques-uns de mes dons d'Élue, sans parler de tous les Enchanteurs qui l'avaient touché sans connaître cette aptitude particulière. Sa phrase a sûrement poussé Abraham à s'interroger sur les forces qu'il avait accumulées.

Pourtant, j'ai commencé à céder à l'affolement. Pourquoi n'avions-nous pas erré un peu plus souvent dans les Tunnels pour permettre à John de rassembler encore plus de pouvoirs ? Et pour qui m'étais-je prise en pensant que j'étais en mesure de m'attaquer à mon ancêtre ?

Hunting a jeté un coup d'œil complice à ce dernier – il m'a paru évident qu'ils partageaient un secret.

— Ah oui ? a dit Abraham en lâchant le *Livre des lunes* à ses pieds. Dans ce cas, viens le chercher.

John se doutait certainement qu'il s'agissait d'une chausse-trappe ; il a quand même avancé. J'ai regretté que Liv ne soit pas là pour assister à pareille démonstration de courage. D'un autre côté, j'ai aussi été contente qu'elle soit absente. Parce que, alors que je n'en étais pas éprise, j'avais moi-même du mal à le regarder progresser pas à pas vers le très vieil Incube.

Levant la main, Abraham a tourné le poignet comme s'il manœuvrait le bouton d'une porte.

Ce seul geste a tout bouleversé. Aussitôt, John a plaqué les mains autour de son crâne, comme si ce dernier venait de s'ouvrir de l'intérieur, et il est tombé à genoux. Abraham, le bras tendu devant lui, a lentement refermé le poing, et John a été secoué par de violents soubresauts que rythmaient ses hurlements de douleur.

— C'est quoi ce bordel ? a rugi Link.

Attrapant John, il l'a brutalement redressé, mais il a titubé, tenant à peine debout.

Hunting s'est esclaffé. Près de lui, la sucette de Ridley tremblait entre ses doigts.

J'ai essayé de songer à un sortilège susceptible d'arrêter Abraham, ne serait-ce qu'une seconde.

Il a avancé d'un pas en relevant son manteau pour qu'il ne traîne pas par terre.

— Crois-tu vraiment que j'aurais créé un être aussi puissant que toi sans le contrôler ? a-t-il lancé à John.

Celui-ci s'est figé, ses prunelles vertes emplies de terreur. Il a plissé les paupières dans ses efforts pour lutter contre la souffrance.

— Pardon ?

— Allons, allons, mon garçon, ne fais pas l'innocent. C'est moi qui t'ai fabriqué. J'ai trouvé la bonne combinaison, les parents qui m'étaient nécessaires, et j'ai inventé une nouvelle race d'Incube.

John a tangué sous l'effet de l'ahurissement.

— Mensonge ! a-t-il crié. Vous m'avez recueilli enfant.

— La réalité dépend de ce que tu entends par « recueillir », a souri le patriarche.

— Quoi ? a balbutié John, le visage cendreux.

— Nous t'avons pris sous notre coupe, a expliqué Abraham en tirant un cigare de la poche de sa veste. Après tout, j'étais à l'origine de ta naissance. Tes parents ont eu droit à quelques années de bonheur ensemble. Un lot plus enviable que celui imparti à la plupart d'entre nous.

— Que leur est-il arrivé ? a grondé John, les dents serrées.

Sa fureur était presque palpable. Abraham s'est tourné vers Hunting, qui a allumé son cigare à l'aide d'un briquet en argent.

— Réponds donc au gamin, Hunting.

L'interpellé a refermé le briquet en haussant les épaules.

— C'était il y a longtemps, a-t-il dit. Ils étaient juteux. Et tendres. Mais j'ai oublié les détails.

John s'est jeté en avant et, avec un bruit de déchirure, s'est fondu dans l'obscurité. En moins d'une seconde, il avait disparu dans un frémissement d'air. Il a resurgi juste sous le nez d'Abraham, l'a saisi à la gorge.

— Je vais te tuer, espèce de fils de pute !

Les tendons de son avant-bras se sont gonflés ; cependant, sa prise ne s'est pas resserrée. Les muscles bandés prouvaient qu'il s'efforçait de refermer les doigts, sans résultat. Il a voulu s'aider de son second poignet. Rien.

— Tu es impuissant face à moi, a ricané Abraham. Je suis l'architecte du projet. Jamais je n'aurais conçu une arme telle que toi sans la doter d'un coupe-circuit.

Ridley a reculé. En dépit de toute sa volonté, John a constaté que sa main se rouvrait et s'écartait. C'était un spectacle insupportable. Abraham semblait dominer John encore plus que lors de la nuit de la Dix-septième Lune. Pire encore, la conscience nouvelle de l'Incube ne changeait rien à son incapacité à contrôler son corps. Il était la marionnette de son créateur.

— Vous êtes un monstre, a sifflé John, le poing toujours à quelques centimètres de la gorge d'Abraham.

— La flatterie ne te mènera nulle part. Tu m'as causé trop de soucis, mon garçon. Tu as une dette envers moi, et j'ai bien l'intention de me rembourser sur ta chair.

D'un simple geste des mains, il a éloigné John qui s'est retrouvé flottant au-dessus du sol en train de s'étrangler lui-même. Il s'agissait d'autre chose que d'une simple leçon, cependant.

— Tu ne me sers plus à rien, lui a lancé le vieillard. Tout ce travail en vain.

Les yeux de John ont roulé dans leurs orbites, son corps s'est affaissé.

— Mais vous affirmiez qu'il était votre arme ultime ! a crié Ridley.

— Malheureusement, il est *défectueux*.

Soudain, j'ai détecté un mouvement à la périphérie de ma vision. L'instant d'après, une voix a résonné.

— Cet adjectif s'appliquerait parfaitement à toi aussi, grand-père.

Oncle Macon a surgi de derrière les tombeaux. Ses prunelles vertes luisaient dans le noir.

— Repose le garçon.

Encore une fois, Abraham a ri. Pourtant, il n'avait pas l'air amusé du tout.

— Moi, défectueux ? Je prends ça comme un compliment, de la part du petit Incube qui voulait devenir Enchanteur.

Il a relâché son emprise sur John, juste assez pour lui permettre de respirer. La colère du patriarche était dirigée sur oncle Macon, à présent.

— Je n'ai jamais souhaité être Enchanteur, a répondu ce dernier, mais j'accepte avec joie le destin qui me libère des Ténèbres auxquelles tu as condamné notre famille.

Il a pointé un doigt vers John. Une vague d'énergie a explosé, frappant le jeune homme de plein fouet. Ses mains sont retombées, son corps s'est écrasé par terre.

Hunting a fait mine de se jeter sur son frère. Abraham l'en a empêché. Il a applaudi avec componction.

— Bien joué. Joli tour de passe-passe, fiston. Lors d'une prochaine soirée entre amis, tu allumeras peut-être mon cigare. Mais assez plaisanté. Qu'on en finisse.

Hunting n'y a pas réfléchi à deux fois. Il a disparu dans la pénombre, habituelle déchirure, pour se matérialiser devant son frère. Celui-ci était focalisé sur le firmament. À l'instant où Hunting resurgissait, une tache de lumière éclatante a brusquement envahi le ciel.

Un soleil rayonnant.

Oncle Macon avait déjà accompli ce prodige, sur le parking du lycée. La clarté était cependant beaucoup plus violente, cette fois-là, et plus concentrée. Celle qui avait émané de lui avait été d'un vert typiquement Enchanteur ; celle-ci était plus puissante et plus naturelle, à croire qu'elle émanait de la nue elle-même.

Le corps de Hunting a été secoué de contractures. Il s'est raccroché à la chemise de son frère, et les deux hommes ont glissé à terre.

La lumière assassine s'est renforcée.

La peau d'Abraham était blême, pareille à des cendres blanches. Apparemment, la clarté l'affaiblissait également, même si c'était moins vite que Hunting.

Tandis que celui-ci essayait de rester en vie avec l'énergie du désespoir, Abraham paraissait n'avoir qu'une envie, celle de nous tuer tous. Le vieil Incube Sanguinaire était doté d'un pouvoir extraordinaire. Il a tendu le bras afin de s'emparer d'oncle Macon. Je savais qu'il ne fallait pas le sous-estimer. Même blessé, il ne renoncerait pas avant de nous avoir éliminés.

Une bouffée d'affolement m'a submergée. J'ai dirigé toutes mes pensées, toutes mes cellules sur Abraham. Autour de lui, le sol a cédé, s'est effondré comme si on tirait un tapis de sous ses pieds. Déséquilibré, il a tangué, s'est tourné vers moi.

Il a fermé la paume devant lui, et une force invisible s'est serrée autour de mon cou. J'ai senti que je lévitais en battant l'air de mes Converse.

— Lena ! a hurlé John.

Il a fermé les paupières et s'est focalisé sur son créateur. Malheureusement, il n'a pas été assez rapide.

J'avais la respiration coupée.

— Certainement pas, a dit Abraham à John.

Il a agité sa main libre, a obligé l'Incube à mettre un genou à terre.

Link s'est rué en avant, mais, d'un autre léger mouvement du poignet, le vieillard l'a expédié au loin. Le dos de Link a heurté une tombe abîmée avec un craquement sinistre.

Je me débattais pour ne pas perdre conscience. Sous moi, j'apercevais Hunting qui étranglait oncle Macon. Toutefois, il semblait ne plus avoir assez de force pour lui infliger grand mal. Sa peau se décolorait peu à peu, son corps prenait une transparence fantomatique.

J'ai haleté, la respiration courte. Hunting a lâché son frère pour se tortiller, en proie à une souffrance réelle.

— Macon ! Arrête ! a-t-il supplié.

L'interpellé était tout entier concentré sur lui. La lumière a persisté, tandis que l'obscurité désertait le corps de Hunting et s'infiltrait dans le sol labouré. L'Incube Sanguinaire a émis son dernier souffle, il a tressailli puis s'est pétrifié.

— Désolé, mon frère. Tu ne m'as pas laissé le choix.

Macon a contemplé le cadavre de Hunting qui se désintégrait avant de se volatiliser complètement. À croire qu'il n'avait jamais existé.

— Un de moins, a-t-il commenté d'une voix lugubre.

La main en visière sur ses yeux, Abraham a vérifié que son complice était vraiment mort. Sa peau à lui commençait également à blêmir, mais pas au-delà de ses poignets. Il aurait largement le temps de me tuer avant que la magie de Macon ne fasse son œuvre.

Les paupières closes, j'ai lutté contre la douleur. Un engourdissement s'était emparé de mon esprit.

Dans le ciel, un coup de tonnerre a éclaté.

— Un orage ? s'est moqué Abraham. Est-ce tout ce dont tu es capable, ma chère ? Quel gâchis. Ta mère tout craché.

Un mélange de colère et de culpabilité a commencé à bouillonner en moi. Sarafine avait été un monstre, mais

c'était Abraham qui l'y avait poussée, qui l'avait aidée à en devenir un. Il avait joué de ses faiblesses pour l'attirer dans les Ténèbres. De mon côté, j'avais assisté à son trépas sans broncher. Si ça se trouve, j'étais aussi monstrueuse qu'elle.

Nous étions tous des monstres, sans doute.

— Je n'ai rien en commun avec ma mère ! ai-je crié.

Le destin de Sarafine avait été scellé sans qu'elle y consente, elle n'avait pas été assez forte pour résister à Abraham. Contrairement à moi. Derrière lui, la foudre a frappé un arbre dont le tronc s'est embrasé. Tout en veillant à me garder sous sa férule, mon ancêtre a retiré son chapeau et l'a agité.

— Pour moi, a-t-il ricané, la fête n'est jamais complète sans un bon incendie.

Mon oncle s'est remis debout, ses cheveux noirs décoiffés, ses iris verts plus brillants qu'avant.

— Je ne peux qu'être d'accord, a-t-il murmuré.

La lumière du jour s'est intensifiée, incandescente comme un projecteur braqué sur Abraham. Le rayon a soudain explosé en une déflagration d'une blancheur aveuglante pour former deux faisceaux d'énergie pure. Le patriarche a vacillé et s'est protégé les yeux. Sa poigne de fer s'est relâchée, et je suis tombée sur le sol.

Le temps a paru s'arrêter.

Sous nos regards médusés, les rais étincelants ont balayé le firmament.

Link en a profité pour se dématérialiser dans un froissement, comme un vrai pro. J'en suis restée baba. Jusqu'alors, chaque fois qu'il avait recouru au procédé, il m'avait pratiquement écrasée comme une crêpe.

Pas là.

Une fissure s'est fendillée dans l'espace rien que pour lui, à seulement quelques centimètres d'Abraham Ravenwood. Link a tiré de la ceinture de son jean ses cisailles de jardin et les a brandies au-dessus de sa tête. Puis il les a plongées dans le cœur du vieil Incube avant que ce dernier n'ait pu se rendre compte de ce qui se passait.

Les prunelles noires d'Abraham se sont écarquillées pour fixer son assassin. Il a lutté contre la mort, cependant qu'un cercle rouge suintait autour de la double lame. Link s'est penché vers lui.

— Finalement, tout ce boulot n'aura pas été vain, monsieur Ravenwood. Je suis le meilleur des deux univers réunis. Un Incube hybride maître de son propre tableau de bord.

Des quintes de toux rauques ont secoué le vieillard, incapable de s'arracher au garçon presque Mortel qui venait de mettre fin à sa vie. Puis son corps a glissé à terre, les cisailles volées au labo de sciences du bahut toujours fichées dans sa poitrine.

Link a enjambé le cadavre de l'Incube Sanguinaire qui nous avait si longtemps tourmentés. Celui que des générations d'Enchanteurs n'avaient pas réussi à affaiblir. Le meilleur ami d'Ethan a adressé un vaste sourire renforcé par un hochement de tête à John.

— Que tous ces foutus Incubes aillent se faire voir ! a-t-il déclaré. Voilà comment on te règle un problème à la Mortel !

Chapitre 25
La porte de la mort

Surplombant le cadavre d'Abraham, Link l'a regardé se dissoudre en minuscules particules de néant. S'approchant de lui, Ridley a noué le bras autour du sien.

— Récupère tes cisailles, Chaud Bouillant. Elles seront bien pratiques si je dois me sortir d'une cage un de ces jours prochains.

Link a obtempéré.

— Je tiens à remercier l'unité de biologie du lycée Jackson, a-t-il annoncé. Ne séchez jamais le bahut, les enfants !

Il a rengainé l'outil dans la ceinture de son jean. John lui a flanqué une grande tape sur l'épaule.

— Merci de m'avoir sauvé la peau. À la Mortel.

— Tu sais bien que j'ai des talents de ouf, s'est marré Link.

— Personne ne le contestera, dorénavant, monsieur Lincoln, a dit oncle Macon en époussetant son pantalon. Bien joué. Votre timing était on ne peut plus parfait.

— Comment as-tu appris que nous étions ici ? lui ai-je demandé.

Amma nous avait-elle dénoncés ?

— M. Breed a été assez aimable pour laisser un mot.

Je me suis tourné vers John, qui s'était mis à donner de petits coups de pied dans la terre.

— Tu as vendu la mèche ? me suis-je récriée. Et notre promesse de ne rien dire à mon oncle ?

— Je n'ai rien vendu du tout, s'est-il défendu, penaud. Le message était destiné à Liv. Je n'allais quand même pas disparaître sans lui avoir fait mes adieux.

— Franchement, mec, a marmonné Link, une note ? Tant que tu y étais, pourquoi pas carrément leur refiler une carte ?

C'était la deuxième fois que la culpabilité de John et l'un des messages qu'elle entraînait conduisaient Liv – ou Macon, en l'occurrence – jusqu'à lui.

— Vous devriez être reconnaissants au sentimentalisme de M. Breed, a lâché oncle M. Sans cela, votre soirée se serait fort mal terminée, j'en ai peur.

— T'es quand même une andouille, a lancé Link à John en lui décochant un coup de coude dans les côtes.

J'ai cessé d'écouter.

Pourquoi Liv n'a-t-elle pas pu la fermer ?

Inutile de reprocher tes propres erreurs à Liv, m'a répondu une voix.

J'en suis restée bouche bée. Jamais encore mon oncle n'avait Chuchoté avec moi. Ce don, il ne pouvait l'avoir acquis qu'après s'être transformé en Enchanteur.

— Comment ? lui ai-je demandé.

— Mes pouvoirs ne cessent d'évoluer. Celui-ci était imprévisible.

Il a haussé les épaules en affichant l'innocence.

Je me suis efforcée de ne songer à rien. Ce qui ne l'a pas empêché de continuer à m'enguirlander.

Sérieusement ! Tu croyais être en mesure de l'emporter sur Abraham toute seule, au beau milieu d'un cimetière ?

— Comment avez-vous deviné que nous étions ici ? s'est soudain enquis John. Je ne l'ai pas précisé dans ma note.

Oh, mon Dieu...

— Oncle M ? Saurais-tu également lire dans l'esprit des autres ?

— Rien qu'un brin, a-t-il lâché.

Il a claqué des doigts, et Boo a surgi sur la colline. Connaissant mon oncle, ces quelques mots valaient confession. J'ai senti que mes cheveux se soulevaient, cependant qu'une bourrasque de vent claquait alentour. Je me suis exhortée au calme.

— Tu m'as *espionnée* ? Il me semblait pourtant que nous avions passé un marché à ce propos !

— C'était *avant* que toi et tes amis ne décidiez que vous étiez de taille à vous attaquer seuls à Abraham Ravenwood, a-t-il riposté, en colère. Rien ne te sert donc de leçon ?

Le *Livre des lunes* gisait par terre, l'astre gravé sur la couverture de cuir noir face au ciel. Link s'est penché dans l'intention de le ramasser.

— À ta place, j'éviterais, Chaud Bouillant, lui a conseillé Ridley. Tu n'es pas assez Incube pour ça.

C'est elle qui s'est emparée de l'ouvrage. Elle a porté sa sucette à ses lèvres, comme pour l'embrasser.

— Je ne voudrais pas que ces belles mains soient brûlées, a-t-elle ajouté.

— Merci, poupée.

— Ne m'appelle pas...

— Oui, oui, je sais, l'a-t-il interrompue en lui prenant sa sucette.

Je les ai regardés se dévisager. N'importe quel crétin aurait compris qu'ils étaient amoureux, même s'ils étaient les seuls crétins à l'ignorer.

La poitrine serrée, j'ai pensé à Ethan.

la pièce manquante
mon souffle
mon cœur
ma mémoire
moi
l'autre moitié
la moitié manquante

Suffit !

Je n'avais aucune envie de composer des poèmes, surtout maintenant que mon oncle pouvait les déchiffrer. De toute façon, c'était un message entièrement différent qu'il me fallait expédier à présent.

— Passe-moi le bouquin, Rid.

Elle s'est exécutée.

L'ouvrage qui avait failli tuer Ethan puis oncle Macon. L'ouvrage qui prenait plus qu'il ne donnait. Une part de moi souhaitait l'incendier pour voir s'il se consumerait, quand bien même je doutais qu'un élément aussi banal que le feu soit susceptible de le détruire. Il n'empêche, ça en aurait valu la peine, ne serait-ce que pour empêcher quelqu'un de s'en servir pour faire du mal à autrui ou à soi-même. Mais Ethan le réclamait, et j'avais confiance en lui. Quoi qu'il projette, j'étais sûre que ça ne serait tourné contre personne. Quant à se faire du mal à lui-même, il ne le pouvait sans doute plus, maintenant.

— Il faut que nous le déposions sur la tombe de Lila.

Oncle Macon m'a examinée pendant un long moment avec un mélange bizarre de tristesse et d'inquiétude.

— Très bien, a-t-il acquiescé.

Son ton laissait entendre qu'il acceptait par pure gentillesse.

Je me suis dirigée vers la sépulture de Lila Wate, juste à côté de la concession où, selon les braves gens de Gatlin, mon oncle était enterré. Ridley a poussé un soupir théâtral.

— On n'est pas sortis de ce fichu cimetière ! Génial !

Link a enroulé un bras autour de ses épaules avec décontraction.

— N'aie pas peur, poupée, je te défendrai.

— Toi ? a-t-elle rétorqué, soupçonneuse. As-tu pigé que j'étais redevenue une Enchanteresse des Ténèbres ?

— Je préfère penser que tu es grise plutôt que noire. Et puis, aujourd'hui, je suis prêt à passer l'éponge. Après tout, je viens d'éliminer le Galactus[1] des Incubes.

— Comme tu voudras, a-t-elle répondu en rejetant en arrière ses cheveux blonds et roses.

Cessant de leur prêter attention, j'ai continué d'avancer, le *Livre des lunes* serré contre ma poitrine. Je sentais la chaleur qui en irradiait, comme si le cuir craquelé était capable de me brûler moi aussi.

Je me suis agenouillée devant la tombe de la mère d'Ethan. À l'endroit où j'avais déposé le caillou noir de mon collier. Ça avait marché pour la pierre ; il ne me restait plus à espérer que ça fonctionnerait aussi pour le livre. Ce dernier était forcément plus vital qu'un galet, n'est-ce pas ?

Mon oncle contemplait la sépulture avec raideur. Combien de temps l'aimerait-il encore ? Jusqu'à la fin des temps, sans doute.

J'ignorais pour quelle raison, mais cet endroit était un Portail que j'étais incapable de franchir. L'important était qu'Ethan, lui, puisse le faire.

Doive.

J'ai placé le *Livre* sur la pierre, l'ai effleuré… pour la dernière fois, ai-je espéré.

Je ne sais pas pourquoi tu en as besoin, Ethan, mais le voici. S'il te plaît, rentre.

J'ai attendu, comme si le volume allait disparaître sous mes yeux.

---

1. Créature surpuissante de l'univers des bandes dessinées Marvel Comics.

Rien.

— Il vaudrait mieux que nous partions, a suggéré Link. Ethan veut sûrement un peu d'intimité ou un truc comme ça pour réaliser ses tours de fantôme.

— Il n'est pas un fantôme ! ai-je aboyé.

— Désolé. Ses tours de Diaphane.

Quel que soit le terme qu'il utilise, ça revenait au même, ce qu'il ne comprenait pas. L'horrible, c'était l'image qu'ils évoquaient. Un Ethan pâle et sans vie. Mort. Comme la nuit de ma Seizième Lune, après que Sarafine l'a poignardé. La panique a comprimé mes poumons comme deux mains qui m'auraient étranglée. La perspective d'un Ethan mort m'était intolérable.

— Allons-nous-en, nous verrons bien ce qui se passe, a dit John.

— Certainement pas, a objecté oncle Macon, qui avait soudain renoncé à sa gentillesse. Navré, Lena...

— Et si c'était Lila ? l'ai-je provoqué.

Son visage s'est fermé. La question a flotté dans l'air. Lui comme moi connaissions la réponse. Si la femme qu'il aimait avait eu besoin de lui, il aurait été prêt à tout pour l'aider, de ce côté-ci de la tombe comme de l'autre.

J'en étais certaine.

Après m'avoir regardée longtemps, il a soupiré et hoché la tête.

— D'accord. Je te permets d'essayer. Mais si ça échoue...

— Minute ! est intervenue Ridley qui s'était assise sur une stèle et faisait claquer son chewing-gum. On ne peut pas abandonner comme ça le bouquin le plus puissant pour les Enchanteurs et les Mortels et fiche le camp. Imaginez que quelqu'un le trouve ?

— Je crains que Ridley n'ait raison, a acquiescé oncle Macon. J'attendrai ici.

— Je ne crois pas que ça marchera, monsieur, a lancé Link. Sauf votre respect, vous êtes un type assez redoutable. Monsieur.

— Il est exclu de laisser le *Livre des lunes* sans surveillance, monsieur Lincoln.

Lentement, une idée s'est dessinée dans mon cerveau.

— Et si autre chose qu'un humain le gardait ?

— Hein ? a marmonné Link en se grattant la tête.

Je me suis baissée.

— Boo ? Viens me voir, mon garçon.

Se levant, l'animal s'est secoué dans un geyser de poils aussi épais que ceux d'un loup.

— Bon chien, l'ai-je flatté en enfonçant les mains derrière ses oreilles.

— Pas mauvaise idée, a commenté ma cousine.

Se fourrant deux doigts dans la bouche, elle a sifflé.

— Vous croyez vraiment qu'un seul cabot sera à même de lutter contre la Meute Sanglante si elle débarque ? a demandé Link.

— Boo Radley n'est pas un chien ordinaire, a protesté oncle Macon en croisant les bras.

— Même un chien d'Enchanteur a parfois besoin d'aide, a répondu Rid.

Une branche a craqué, et une créature a bondi hors des buissons.

— Sainte merde de Dieu ! s'est exclamé Link.

Il a brandi ses cisailles à l'instant où les pattes de Bade touchaient terre. L'énorme puma de Leah Ravenwood a grogné.

— Le chaton de ma sœur, a souri oncle M. Excellente initiative. Il émane de cette bête le degré d'intimidation qui fait défaut à Boo.

Ce dernier a aboyé, offensé.

— Minou, minou...

Ridley a tendu la main, Bade s'est approché.

— Tu es complètement dingue, a dit Link.

Bade a de nouveau grondé à son adresse, tandis que Rid s'esclaffait.

— Tu es jaloux parce que Bade ne t'aime pas, Chaud Bouillant.

— En tout cas, moi, je ne le caresse pas, a décrété John en reculant d'un pas.

— Pour résumer, ai-je déclaré, nous laissons le *Livre* ici un moment et attendons de voir ce qui se produit. Assis, ai-je ordonné à Boo en le serrant contre moi.

Il s'est installé devant la tombe comme un chien de garde. Bade l'a rejoint et s'est paresseusement étendu devant lui.

Je me suis relevée. J'avoue que j'étais réticente à quitter les lieux.

Et si quelque chose arrivait au bouquin ? Il était sûrement la seule chance qu'avait Ethan de nous revenir. Fallait-il courir un risque pareil ? Remarquant que je ne bougeais pas, John a désigné un monticule à quelques mètres de la sépulture.

— Nous n'avons qu'à nous planquer de l'autre côté, des fois que ces deux-là aient besoin d'un coup de main ?

Ridley a sauté de son perchoir. Ses chaussures à semelles compensées ont atterri juste à côté de la tombe. Dans le Sud, cela devait équivaloir à sept ans de malheur. Et encore plus à Gatlin. Elle m'a prise dans ses bras, a agité une sucette sous mon nez.

— Viens. Je te raconterai les aventures que j'ai vécues quand j'étais aux fers.

Link a trottiné vers nous.

— Tu as bien parlé de fers ? C'est comme des menottes, non ?

Il était excité comme une puce.

— Monsieur Lincoln ! l'a morigéné oncle Macon, l'air d'avoir envie de l'étrangler.

Link a stoppé net.

— Euh... pardonnez-moi, monsieur. C'était juste une blague.

J'ai laissé Ridley m'entraîner de l'autre côté de la butte, tandis que Link se dépêtrait avec notre oncle. John nous a emboîté le pas, ses lourdes bottes aussi bruyantes que s'il avait été un Mortel.

J'ai fermé les yeux, histoire de faire comme si ces chaussures appartenaient à Ethan.

Malheureusement, il était de plus en plus difficile de jouer la comédie. Je me suis surprise à lui Chuchoter les mêmes cinq mots à l'envi.

Reviens, je t'en supplie.

M'entendait-il ? Était-il déjà en route ?

J'ai compté les minutes tout en me demandant combien de temps nous allions devoir attendre avant de retourner vérifier la tombe. Même les chicaneries de Link et de Ridley ne réussissaient pas à me distraire. C'est dire.

— J'ai l'impression que ton nouveau statut de quarteron d'Incube te monte à la tête, a lancé ma cousine.

— À moins que ce ne soit d'avoir éliminé le saligaud des saligauds, a rétorqué Link en bandant ses biceps.

— Oh, je t'en prie ! a-t-elle soufflé en levant les yeux au ciel.

— Il vous arrive d'arrêter ? s'est enquis John.

Tous deux ont virevolté pour le regarder.

— Arrêter quoi ? ont-ils jappé comme un seul homme.

J'étais sur le point de conseiller à John de laisser tomber lorsqu'un mouvement noir a traversé le ciel.

Le corbeau. Le même que celui qui nous avait observés sur le chemin du rendez-vous avec Abraham. Si ça se trouve, il nous suivait.

Il savait peut-être quelque chose.

Il a plongé, a tournoyé au-dessus de la tombe de Lila.

— Le corbeau ! ai-je crié en décampant.

John s'est aussitôt matérialisé à mon côté.

— Qu'est-ce que tu racontes ?

Link et les autres nous ont rattrapés.

— Y a le feu ?

J'ai montré le volatile.

— Je crois que ce corbeau nous a suivis.

— Intéressant, a marmonné oncle Macon, qui observait l'oiseau.

— Quoi donc ? a demandé Ridley en produisant une bulle de chewing-gum.

— Une Voyante comme Amarie te dirait que nombreux sont ceux qui croient que les corbeaux peuvent franchir les frontières entre le monde des vivants et celui des défunts.

Nous sommes arrivés au sommet de la butte. Tête levée, Bade et Boo contemplaient l'agile oiseau noir.

— Et ça nous avance à quoi ? a lâché Link. Même s'il est capable de voler d'un univers à l'autre, vous pensez sérieusement que ce corbac pourrait transporter le *Livre des lunes* ?

Personnellement, je n'en avais aucune idée. En revanche, il était clair que le volatile avait un lien avec Ethan. Ma main à couper.

— Pourquoi est-ce qu'il tourne comme ça ? a demandé John.

— Il a sûrement peur du gros chat, a suggéré Ridley, dans notre dos.

Une fois n'est pas coutume, elle avait sans doute raison.

— Bade et Boo ? ai-je crié. À la maison !

Le puma a dressé les oreilles en entendant son nom. Boo, hésitant, a interrogé Macon des yeux.

— File ! lui a-t-il intimé.

Le chien a incliné la tête. Puis il a disparu dans les hautes herbes. Bade a bâillé, dévoilant ses immenses crocs blancs, avant de s'engouffrer à sa suite, sa queue se balançant comme celle des lions dans les reportages que Link ne cessait de regarder sur la chaîne Discovery. Il avait beau prétendre que c'était sa mère qui se régalait de ce genre d'émissions, je l'avais pas mal de fois surpris fasciné devant l'écran, ces deux derniers mois.

Le corbeau a effectué un cercle, puis a foncé vers nous et s'est perché sur la stèle. Ses petites prunelles noires ont donné l'impression qu'il me fixait avec attention.

— Pourquoi est-ce qu'il te mate comme ça ? m'a lancé Link.

S'il te plaît. Prends ce livre ou fais-le disparaître. Débrouille-toi pour le remettre à Ethan.

Oncle Macon m'a dévisagée.

Il ne t'entend pas, Lena. On ne Chuchote pas avec un oiseau. Hélas !

Je l'ai toisé. À ce stade, j'étais prête à n'importe quoi.

Qu'en sais-tu ?

L'oiseau a sauté à terre, et ses serres ont effleuré la couverture en cuir. Il a croassé et s'est vite éloigné.

— Le livre l'a brûlé, à mon avis, a dit John.

Juste. Mes yeux se sont remplis de larmes. Si le corbeau ne pouvait pas toucher l'ouvrage, comment le porterait-il à Ethan ? J'avais laissé ma pierre sur la tombe d'Ethan, mais je ne savais pas ce qu'elle était devenue, juste qu'elle avait disparu.

— Il n'a peut-être aucun rapport avec le bouquin, a suggéré John. Si ça se trouve, il n'est qu'un messager.

— Et quel serait le message ? ai-je répondu en reniflant et en essuyant mes joues.

— Ne t'inquiète pas, a-t-il murmuré en serrant mon épaule.

— Mais comment allons-nous donner le *Livre* à Ethan ? Il le lui faut, sinon...

Je n'ai pas pu terminer. Cette seule idée me révulsait.

Nous avions risqué nos vies pour traquer Abraham Ravenwood, nous avions réussi à le tuer – Link, du moins. Le *Livre des lunes* était ici, à mes pieds, et je n'avais aucun moyen de le remettre à Ethan.

— On se débrouillera, cousine, a dit Ridley en ramassant le volume. Quelqu'un a forcément une réponse.

John m'a souri.

— Quelqu'un l'a, a-t-il renchéri. Surtout qu'il s'agit de ce livre-là. Viens, allons l'interroger.

Un vague espoir a agité mon cœur.

— Tu penses à la même personne que moi ?

— Oui. C'est la Journée des Présidents[1]. Un jour férié, si je ne m'abuse.

Ridley a tiré sur sa minijupe, qui n'a pas bougé d'un centimètre.

— Qui pense à qui et où allons-nous ?

L'attrapant par le bras, je l'ai entraînée vers le bas de la colline.

— À la bibliothèque, Rid. Ton endroit préféré.

— Bah ! a-t-elle marmonné en vérifiant le vernis de ses ongles, je ne déteste pas. Sauf tous ces bouquins.

Je n'ai pas relevé.

À cette heure, un seul livre m'importait. Tout mon univers ainsi que l'avenir d'Ethan en dépendaient.

1. Soit *Presidents' Day*, jour férié national en l'honneur des différents présidents des États-Unis, qui tombe le troisième lundi de février.

Chapitre 26
PHYSIQUE QUANTIQUE

Depuis la grille secrète qui menait à la *Lunae Libri*, je distinguais les premières marches de l'escalier. Marian était assise derrière le bureau de réception circulaire, à l'endroit exact où je savais la trouver. Liv arpentait le fond de la salle, là où commençaient les rayonnages.

Lorsque nous sommes entrés, elle a vivement relevé la tête. Dès qu'elle a aperçu John, elle s'est précipitée vers nous. Il l'a devancée cependant. Dans une déchirure soyeuse, il s'est matérialisé devant elle et l'a enlacée. Mon cœur a eu un soubresaut lorsque j'ai vu quel soulagement envahissait le visage de l'Anglaise. J'ai lutté contre l'envie qui pointait.

— Tu n'as rien ! s'est exclamée Liv en serrant les mains autour de la nuque de John.

Puis elle a reculé, et son expression s'est modifiée.

— À quoi pensais-tu ? l'a-t-elle grondé. Combien de fois encore as-tu l'intention de filer pour faire n'importe quoi ? Et vous, nous a-t-elle lancé, à Link et à moi, combien de fois encore comptez-vous l'y encourager ?

— Hé ! a plaidé Link, les bras levés en guise de reddition. Nous n'étions même pas là, le coup d'avant.

— Laisse-le, a murmuré John en appuyant son front contre celui de sa bien-aimée. C'est contre moi que tu devrais être en colère.

Une larme a roulé sur la joue de Liv.

— Je ne sais pas ce que j'aurais...

— Je vais bien.

— Grâce à moi, s'est aussitôt rengorgé Link.

— C'est vrai, a confirmé John. Mon affidé nous a sauvé la mise.

— Ce mot a intérêt à être positif, a grogné Link en arquant les sourcils.

Oncle Macon s'est raclé la gorge et a ajusté une manchette de sa chemise blanche amidonnée.

— Il l'est, monsieur Lincoln, il l'est.

Les bras croisés, Marian a contourné son bureau.

— Quelqu'un daignerait-il m'expliquer ce qui s'est passé ce soir ? a-t-elle lancé en interrogeant mon oncle du regard. Liv et moi étions folles d'inquiétude.

Il m'a foudroyée des yeux.

— Comme vous pouvez l'imaginer, leur petite rencontre avec mon frère et Abraham ne s'est pas déroulée comme prévu. M. Breed a failli y trouver une fin précoce.

— Heureusement, oncle Macon nous a tirés de là, est intervenue Ridley sans même se donner la peine de dissimuler son ironie. Il a flanqué un coup de soleil à Hunting, alors qu'il n'y avait même pas de soleil. Et maintenant, venons-en au moment où vous nous faites la leçon et nous punissez.

Marian s'est vivement tournée vers Macon.

— Affirmerait-elle que...

— Hunting nous a quittés, oui.

— Abraham aussi, a précisé John.

Marian a contemplé oncle Macon comme s'il venait de séparer les flots de la mer Rouge.

— Vous avez tué Abraham Ravenwood ?

— Non, madame, c'est moi ! s'est rengorgé Link, aux anges.

Marian en est restée muette de stupéfaction.

— Il faut que je m'assoie, a-t-elle ensuite marmonné.

Ses genoux ont fléchi, et John a couru chercher une chaise derrière la réception.

— Vous êtes en train de m'annoncer que Hunting et Abraham ne sont plus ? a résumé la bibliothécaire en se massant les tempes.

— En effet, a opiné oncle Macon.

— Autre chose ? a-t-elle murmuré, complètement abasourdie.

— Juste ceci, tante Marian.

Le surnom qu'Ethan lui donnait m'avait échappé sans que je m'en rende compte. J'ai laissé tomber le *Livre des lunes* sur le plateau en bois poli, près d'elle.

— Nom d'un chien ! a soufflé Liv.

J'ai contemplé le cuir noir usé et le croissant de lune ; brusquement, l'importance de cet instant m'a submergée. Mes mains se sont mises à trembler, et mes jambes ont donné l'impression de vouloir se dérober sous moi.

— Je n'en reviens pas, a murmuré Marian.

Elle a inspecté l'ouvrage avec suspicion, comme si je lui avais rapporté en retard un de mes emprunts. Cette femme serait toujours bibliothécaire dans l'âme.

— C'est le vrai, a précisé Ridley en s'adossant à l'une des colonnes en marbre.

Marian s'est postée devant son bureau comme pour s'interposer entre ma cousine et le bouquin le plus dangereux des deux mondes – Enchanteur et Mortel.

— Il me semble que ta place n'est pas ici, Ridley.

Cette dernière a relevé ses lunettes de soleil sur son front, et ses prunelles jaunes de chatte ont regardé Marian en clignant.

— Je sais, je sais, a-t-elle répondu, je suis une Enchanteresse des Ténèbres, et le club secret des gentils m'est interdit. C'est ça ? Ce que c'est naze !

— La *Lunae Libri* est ouverte aux Enchanteurs de la Lumière comme à ceux des Ténèbres. Ma remarque tendait plutôt à dire que tu n'as pas ta place parmi nous.

— Tout va bien, suis-je intervenue. Rid nous a aidés à récupérer le *Livre*.

Rid a fait une bulle de chewing-gum. Lorsqu'elle a explosé, le claquement s'est répercuté sur les murs.

— Aidé ? a-t-elle répété. D'accord, si par ça tu entends que j'ai tendu un piège à Abraham pour que vous lui fauchiez le *Livre des lunes* et que vous l'éliminiez ensuite.

Marian l'a dévisagée avec étonnement. Puis, sans un mot, elle s'est approchée d'elle avec une poubelle qu'elle a brandie sous sa bouche.

— Pas dans ma bibliothèque. Crache-le.

— Vous vous rendez compte que ce n'est pas un simple chewing-gum, hein ? a soupiré Ridley.

Marian n'a pas bronché.

Rid a craché.

Marian a reposé la poubelle par terre.

— Ce que j'ai du mal à comprendre, a-t-elle repris, c'est pour quelle raison vous avez mis vos vies en danger pour cet ouvrage repoussant. J'apprécie qu'il ne soit plus entre les mains des Incubes Sanguinaires, mais...

— Ethan le réclame ! ai-je lancé. Il a trouvé un moyen de communiquer avec moi et m'a dit qu'il le lui fallait. Il essaye de revenir parmi nous.

— Tu as reçu un message ?

— Plusieurs. Dans le *Stars and Stripes*.

J'ai inspiré profondément.

— J'ai besoin que vous me fassiez confiance, ai-je enchaîné en la fixant droit dans les yeux. Et j'ai besoin que vous m'aidiez.

Marian m'a observée un long moment. J'ignore ce qu'elle a pensé, soupesé ou même décidé. En tout cas, elle n'a pas pipé mot.

Parce qu'elle en était incapable, à mon avis.

Puis, avec un hochement de tête, elle m'a invitée à m'asseoir à côté d'elle.

— Raconte-moi tout, m'a-t-elle ordonné.

J'ai obtempéré. À tour de rôle, nous avons exposé les détails, Link et John se réservant l'histoire de notre rendez-vous avec Abraham, Rid et oncle Macon apportant des précisions sur mon plan pour échanger John contre le *Livre des lunes*. À ce moment-là, Liv a tiré une tête de trois pieds de long, tant elle avait du mal à supporter ce passage.

Marian a gardé le silence jusqu'à ce que nous en ayons terminé. Je n'ai cependant eu aucune difficulté à déchiffrer ses émotions, du choc à l'horreur, de la compassion au désespoir.

— Est-ce tout ? a-t-elle demandé, épuisée par notre récit.

— Non, il y a pire, ai-je soufflé en regardant Ridley.

— Pire que Link disséquant Abraham avec des cisailles de jardin ? a grimacé celle-ci.

— Non. Parle-lui des projets d'Abraham. De ce que tu as saisi à propos d'Angelus.

À la mention de ce nom, oncle Macon a sursauté.

— De quoi s'agit-il ?

— Angelus et Abraham complotaient quelque chose. J'ignore quoi.

— Contente-toi de ce que tu sais.

Nerveuse, Ridley a enroulé une mèche rose autour de son doigt.

— Cet Angelus est carrément dingue. Il vomit les Mortels. Il estime que les Enchanteurs des Ténèbres et la Garde Suprême devraient dominer le monde, un truc comme ça.

— Pourquoi ? a réfléchi tout fort Marian.

Elle serrait les poings si fort que ses jointures avaient blanchi. Ses propres ennuis avec la Garde Suprême ne remontaient pas à si loin qu'elle n'en conserve encore un souvenir cuisant.

— Parce qu'il est complètement déjanté ? a suggéré Ridley en haussant les épaules.

Marian et mon oncle ont échangé un regard et entamé une conversation muette.

— Nous ne pouvons autoriser Angelus à mettre le pied ici. Il est bien trop dangereux.

— Je suis d'accord, a acquiescé oncle M. Il faut que nous...

— Ce que je sais, l'ai-je interrompu, c'est que nous devons avant tout donner le *Livre des lunes* à Ethan. Grâce à quoi, nous aurons une chance de le ramener ici.

— Tu en es persuadée ?

Marian avait parlé tout bas, dans un souffle. Rien ne me le garantit, mais j'ai eu l'impression d'être la seule à l'entendre. Marian ne doutait pas des aberrations de l'univers des Enchanteurs – elle en avait été un témoin privilégié – et elle aimait Ethan autant que moi. Il était comme un fils pour elle.

Elle et moi voulions y croire.

— Oui, ai-je donc répondu. Je n'ai pas le choix.

Se levant de sa chaise, elle a contourné son bureau avec sa sérénité habituelle.

— Alors, c'est réglé. Nous allons nous débrouiller pour transmettre le *Livre des lunes* à Ethan.

Je lui ai souri avec reconnaissance, mais elle était déjà perdue dans ses pensées et inspectait la bibliothèque comme si cette dernière recelait la solution à notre problème.

Ce qui, parfois, était le cas.

— Il y a forcément un moyen, non ? a lancé John. Dans l'un de ces parchemins, peut-être, l'un de ces volumes anciens...

— Nom d'une pipe ! a maugréé Ridley avec une grimace. Des vieux bouquins !

Elle a dévissé un flacon de vernis à ongles.

— Tâche d'être un peu plus respectueuse, Ridley, l'a morigénée Marian. C'est à cause d'un *bouquin* que les enfants de la famille Duchannes sont maudites depuis des générations.

— OK, OK, a boudé l'interpellée.

Marian lui a piqué son vernis.

— Encore une chose que j'interdis dans ma bibliothèque.

Elle a jeté le flacon à la poubelle. Si Ridley l'a fusillée du regard, elle n'a pas osé protester.

— Avez-vous déjà posté un ouvrage dans l'Autre Monde, docteur Ashcroft ? s'est enquise Liv.

— Non, jamais.

— Vous pourriez utiliser Carlton Eaton, a proposé Link, plein d'espoir. Vous emballez le livre dans du papier kraft, comme pour les trucs qu'emprunte ma mère, et envoyez c'est pesé.

— Je crains que ça ne fonctionne pas, Wesley.

Même Carlton Eaton, qui se permettait de lire le courrier des Mortels comme celui des Enchanteurs, n'était pas en mesure de procéder à pareille livraison.

Liv a feuilleté son carnet rouge avec agacement.

— Il existe forcément une solution. Après tout, quelles étaient vos chances de reprendre le *Livre des lunes* à Abraham, hein ? Maintenant que nous l'avons, nous n'allons pas renoncer !

Tirant son crayon de derrière son oreille, elle s'est mise à gribouiller tout en marmonnant entre ses dents.

— Les lois de la physique quantique doivent permettre ce genre d'éventualité...

J'ignorais tout des lois de la physique quantique, mais je savais une chose.

— La pierre de mon collier a disparu après que je l'ai déposée sur la tombe d'Ethan. Pourquoi en irait-il autrement avec le *Livre* ?

Tu l'as prise, Ethan, j'en suis certaine. Pourquoi n'as-tu pas fait de même avec le livre ?

Me rendant compte qu'oncle Macon m'entendait, j'ai essayé d'arrêter.

En vain. Je n'étais pas plus capable de cesser de Chuchoter que je ne l'étais d'empêcher les mots de se manifester, attendant que je les couche par écrit quelque part.

lois de la physique
lois de l'amour
du temps et de l'espace
et l'entre-deux
l'entre(-deux) toi et moi
où nous sommes
perdus et hagards
hagards et perdus

— Le *Livre* est trop lourd, peut-être ? a suggéré Link. Ce petit caillou n'était pas plus gros qu'une pièce de vingt-cinq *cents*.

— Je ne crois pas que ce soit là la raison, Wesley, a objecté Marian. Même si tout est possible.

— Ou impossible, a ricané Ridley en remettant ses lunettes de soleil et en tirant la langue.

— Alors, pourquoi ne parvient-il pas à franchir le seuil de l'au-delà ? a insisté John.

Marian a jeté un coup d'œil aux notes de Liv en réfléchissant à la question.

— Le *Livre des lunes* est un objet surnaturel puissant. Personne ne mesure vraiment l'étendue de ses pouvoirs. Pas plus les Gardiens que les Enchanteurs.

— Par ailleurs, a enchaîné Liv, si les origines de sa magie proviennent du monde des Enchanteurs, il est envisageable qu'il soit profondément enraciné ici. Comme un arbre pousse dans un endroit précis.

— Es-tu en train de dire que le *Livre* ne veut pas changer d'univers ? a réagi John.

— Ou qu'il ne le peut pas, a répondu Liv en remettant son crayon derrière son oreille.

— Ou qu'il ne le doit pas, a précisé oncle Macon avec gravité.

Ridley s'est laissée glisser jusqu'au sol et a étiré ses longues jambes.

— Quel bazar ! a-t-elle grogné. J'ai risqué ma peau, et voilà que nous sommes coincés ici avec ce truc. Et si on filait dans les Tunnels, histoire de voir si un des méchants a une solution ? La bande des vilains, genre ?

Liv a croisé les bras sur son tee-shirt qui proclamait : EDISON N'A PAS INVENTÉ L'AMPOULE ÉLECTRIQUE.

— Tu proposes d'apporter le *Livre des lunes* dans un bar fréquenté par les Enchanteurs des Ténèbres ? a-t-elle protesté.

— Tu as une meilleure idée ?

— Moi, oui, est intervenue Marian.

Elle a enfilé sa veste de tricot rouge.

— Où allez-vous ? a demandé Liv.

— Rendre visite à quelqu'un d'averti non seulement sur cet ouvrage, mais aussi sur l'endroit qui défie les lois de la physique des mondes Enchanteur et Mortel. Quelqu'un qui a peut-être la réponse à nos interrogations.

— Excellente idée, a approuvé mon oncle.

Il n'existait qu'une personne correspondant à cette description.

Une personne qui aimait Ethan aussi fort que moi. Qui aurait fait n'importe quoi pour lui, y compris trouer l'univers.

Chapitre 27
Le pouvoir des deux mondes

— N'espère pas mettre le pied dans mon allée, tu m'entends ?

Amma a refusé de laisser Ridley approcher de la maison. Elle nous l'a signifié sur tous les tons possibles et imaginables dès que nous avons tenté de la contacter.

— Causez toujours. Moi vivante, aucun Enchanteur des Ténèbres n'entrera ici. Moi morte, non plus. Il n'y a pas de madame qui tienne. Non, c'est non.

Elle a fini par accepter de nous rejoindre à Greenbrier, cependant. Macon a préféré ne pas participer à l'entretien.

— C'est mieux ainsi, s'est-il justifié. Amarie et moi ne nous sommes pas revus depuis la nuit... où c'est arrivé. Je ne crois pas que le moment soit opportun.

— Tu as peur d'elle ? a répliqué Ridley avec un regain d'intérêt. C'est dingue.

— Je serai à Ravenwood si vous avez besoin de moi, a-t-il conclu en fusillant Rid du regard.

— C'est dingue, ai-je souri.

Nous avons attendu dans l'enceinte en ruine du vieux cimetière de la plantation. J'ai résisté à l'envie de gagner la sépulture d'Ethan, malgré l'attirance familière, le désir d'être près de lui. J'étais convaincue au fond de moi qu'il existait un moyen de le ramener parmi nous, et je me battrais jusqu'à ce que je découvre lequel.

Amma était pleine d'espoir elle aussi, malgré les doutes et les appréhensions que j'avais décelés dans ses yeux. Chaque fois que je lui avais apporté une nouvelle grille de mots croisés, elle avait manifesté son farouche désir de récupérer Ethan. À mon avis, elle n'était pas près de se convaincre de quoi que ce soit tant qu'elle risquait de le perdre derechef.

Mais grâce au *Livre*, nous avions progressé.

Ridley était appuyée à un arbre, à saine distance de la brèche du mur. Elle redoutait autant Amma que Macon, quand bien même elle ne l'aurait admis pour rien au monde.

— Ne lui adresse pas la parole, l'a avertie Link. Tu sais comment elle réagit dès qu'il est question de ce fichu bouquin.

— Moi qui pensais qu'Abraham était une purge ! a soupiré ma cousine en levant les yeux au ciel. Amma est encore pire.

À cet instant, une chaussure orthopédique noire à lacets est apparue dans le trou.

— Pire que quoi ? a grommelé Amma en examinant Rid de la tête aux pieds. Pire que tes mauvaises manières ? Ou que tes goûts vestimentaires ?

Elle-même portait une robe jaune qui n'était que soleil et douceur de vivre. Et qui jurait avec son expression maussade. Ses cheveux noirs grisonnants étaient noués en un chignon serré, et elle tenait un sac à couture. Je la fréquentais depuis suffisamment longtemps pour deviner qu'il ne renfermait aucun instrument de couture, cependant.

— Pire qu'une gamine qu'on tire de l'enfer pour qu'elle replonge de plus belle dans son propre feu ? a poursuivi Amma en dévisageant Ridley avec soin.

Ma cousine n'a pas retiré ses lunettes de soleil. J'ai toutefois distingué sa honte. Je la connaissais trop bien. Amma avait ce talent de vous faire sentir minable quand vous la déceviez, même si vous étiez une Sirène sans sympathie particulière pour elle.

— Ce n'est pas ce qui s'est passé, s'est défendue Rid dans un souffle.

Amma a lâché son sac par terre.

— Ah oui ? Je sais pourtant de source sûre que tu as eu un jour la possibilité de choisir entre le bien et le mal, et que tu as renoncé à cette chance. Je me trompe ?

— Ce n'est pas aussi simple, a marmonné Ridley en se trémoussant, mal à l'aise.

Amma a émis un reniflement dédaigneux.

— Ma foi, a-t-elle dit, tu peux toujours te raconter des histoires si ça t'aide à mieux dormir la nuit. Mais n'essaye pas de me vendre tes salades, je ne suis pas acheteuse. En outre, a-t-elle ajouté en montrant la sucette dans la main de Ridley, tout ce sucre te gâtera les dents, Enchanteresse ou pas.

Link est parti d'un rire nerveux. Amma l'a poignardé de son œil de lynx.

— Qu'est-ce qui t'amuse donc tant, Wesley Lincoln ? Tu es dans les ennuis jusqu'au cou, encore plus que la fois où je t'ai surpris dans ma cave quand tu avais neuf ans.

— Ce sont les ennuis qui m'ont trouvé, madame, a plaidé Link en rougissant comme une tomate.

— Bah ! Tu sais très bien aller les chercher tout seul. Aussi sûr que le soleil brille tout pareil sur les saints comme sur les pécheurs.

Elle nous a tour à tour regardés.

— Alors, qu'est-ce qu'il y a encore ? Je vous préviens : ça a intérêt à ne pas menacer l'équilibre de l'univers, ce coup-ci.

— On est tous des saints, madame, a lancé Link. Pas de pécheurs ici.

Il a reculé de quelques centimètres, histoire de m'appeler à la rescousse.

— Crachez le morceau. J'ai tante Charity et tante Grace sur les bras et je ne peux pas les laisser trop longtemps seules avec Thelma, sinon ces trois bourriques sont capables de commander tout ce qui sera présenté sur la chaîne de téléachat.

Amma n'appelait plus guère les grands-tantes d'Ethan « les Sœurs » depuis que l'une d'elles était morte.

Marian a avancé et posé une main rassurante sur celle de la vieille gouvernante.

— Il s'agit du *Livre des lunes*.

— Nous l'avons ! ai-je lancé sans pouvoir me retenir.

Liv s'est écartée, révélant le volume posé sur le sol derrière elle. Amma a écarquillé les yeux.

— Suis-je censée apprendre comment vous l'avez eu ? a-t-elle demandé.

— Surtout pas ! a braillé Link. Enfin, non, madame, c'est inutile.

— L'essentiel est qu'il est en notre possession, a dit Marian.

— Sauf que nous ne parvenons pas à le transmettre à Ethan ! ai-je crié, consciente de mes accents désespérés.

En secouant la tête, Amma s'est approchée du *Livre* et en a fait le tour, comme si elle tenait à garder ses distances.

— Évidemment que vous n'y arrivez pas, a-t-elle grondé. Ce livre est trop puissant pour un seul monde. Si vous voulez l'expédier de celui des vivants à celui des morts, vous allez devoir utiliser les pouvoirs des deux univers.

Je n'ai pas franchement compris ce que cela signifiait. De toute façon, je n'avais qu'une idée en tête.

— Acceptez-vous de nous aider ?

— Ce n'est pas de moi que vous avez besoin. C'est du destinataire.

— On lui a laissé le livre, mais il ne l'a pas pris, a objecté Link en se rapprochant d'Amma.

— Ethan n'est pas assez fort pour transporter ce genre d'objet. Il ne sait sûrement même pas comment s'y prendre.

— D'autres en sont capables, en revanche, a tenté Marian, cajoleuse. À plusieurs.

Allusion aux Grands.

Amma accepterait-elle de les convoquer, cependant ?

Je me suis mordu la lèvre, impatiente.

Dites oui, s'il vous plaît.

— Je me doutais bien que, si vous m'avez appelée, c'était pour voir jusqu'où la folie peut aller, a ronchonné la vieille dame en ouvrant son sac, dont elle a tiré un petit verre et une bouteille de bourbon. C'est pour ça que je ne suis pas venue les mains vides.

Elle a rempli le verre avant d'ajouter en me désignant :

— Mais tu vas devoir m'aider. Nous avons besoin du pouvoir des deux mondes, ne l'oublie pas.

— Je ferai ce qu'il faut, ai-je acquiescé.

Amma a hoché le menton en direction de Ravenwood.

— Eh bien, commence donc par rassembler le reste des tiens. Toute seule, tu n'es pas assez puissante.

— Il y a Rid, et John est à moitié Enchanteur, ai-je objecté.

— Ça ne suffira pas. Si tu veux que ce bouquin traverse la frontière, tu dois appeler les autres.

— Ils sont à la Barbade.

— En réalité, ils sont rentrés il y a quelques heures, a corrigé Marian. Reece est passé à la bibliothèque ce soir. Ta grand-mère ne supportait pas la moiteur des îles, d'après elle.

J'ai réprimé un sourire. Ce que ma grand-mère ne supportait pas, c'était de louper les événements, et Reece ne valait pas mieux. Vu la concentration de talents que représentaient les membres de ma famille, j'étais certaine qu'ils avaient deviné que quelque chose se tramait.

— Je veux bien leur demander, mais le voyage risque de les avoir fatigués.

J'étais suffisamment soucieuse à l'idée qu'oncle M change d'avis au sujet de mon plan pour ne pas avoir envie d'y mêler le reste du clan, ce qui aurait été à la fois risqué et bête.

Amma a croisé les bras, obstinée comme jamais.

— Je te répète que ce livre n'ira nulle part sans eux, a-t-elle assené.

Il était inutile de lui tenir tête. J'avais vu Ethan essayer et il avait rarement réussi. Or Amma l'aimait plus que quiconque sur terre. Bref, je n'avais aucune chance.

— Je t'accompagne, a déclaré Ridley. Histoire de te soutenir.

— Ta mère va péter un câble si tu te montres, ai-je riposté. Je vais être obligée de leur annoncer ton retour. Il me faudra aussi leur expliquer que tu…

Je me suis interrompue. Personne dans la famille n'apprécierait de découvrir que Ridley s'était retournée vers Sarafine afin de récupérer ses pouvoirs d'Enchanteresse des Ténèbres.

— … as changé, ai-je conclu.

Link a détourné les yeux.

Mais le pire restait à venir.

— Ça sera déjà assez compliqué de révéler à Bonne-maman que je détiens le *Livre des lunes*.

Rid a passé un bras autour de mes épaules.

— Tu n'as donc pas appris que la meilleure façon de distraire quelqu'un d'une mauvaise nouvelle est de lui en donner une encore plus mauvaise ? a-t-elle souri en m'entraînant vers la maison. Or il n'en existe pas de pire que moi.

— Sans blague ! a lâché Link.

Virevoltant sur ses talons, ma cousine a ôté ses lunettes et l'a fixé.

— La ferme, Dingo Dink ! Sinon, je m'arrange pour que tu te matérialises dans la chambre de ta mère et que tu lui révèles que tu es devenu méthodiste.

— Tu n'as plus aucun pouvoir sur moi, poupée.

Elle lui a envoyé un baiser rose et collant.

— On parie ?

Chapitre 28
Une fissure dans tout

Lorsque j'ai ouvert la porte, l'air de la maison a paru bouger. Non – il *a* bougé. Des centaines de papillons voletaient un peu partout, d'autres étaient posés sur les délicats meubles anciens qu'oncle Macon avait mis des années à accumuler.

Des papillons.

Quels effets produisais-je donc sur Ravenwood ?

Un minuscule lépidoptère vert aux ailes rayées d'or s'est juché au bas de la balustrade de l'escalier.

— Macon ? C'est toi ? a lancé Bonne-maman depuis l'étage.

— Non, Bonne-maman, c'est Lena.

Elle a dévalé les marches, habillée d'un haut blanc à col montant, les cheveux coiffés en chignon, ses bottines à lacets pointant sous sa jupe longue. Sur cette majestueuse volée d'escalier parfaitement restaurée, elle avait tout de la belle Sudiste dans un vieux film.

Après avoir jeté un coup d'œil aux insectes qui volaient dans le hall, elle m'a enlacée.

— Je suis heureuse de te voir d'aussi bonne humeur.

Elle savait que l'intérieur de Ravenwood se transformait au gré de mon moral. Pour elle, une pièce pleine de papillons était synonyme de bonheur. Pour moi, en revanche, c'était tout à fait autre chose, une chose à laquelle je m'accrochais fermement.

L'espoir. Qui planait. Vert et or. Lumière et Ténèbres. À l'instar de celle que j'étais devenue la nuit de mon Appel.

J'ai effleuré l'étoile en fil de fer de mon collier. Il fallait que je me concentre. Ma quête m'avait conduite à ce moment. Ethan se trouvait quelque part dans les limbes, et j'avais une chance de le ramener parmi les vivants. Pour cela, je devais seulement convaincre ma famille de nous prêter ses dons.

— Bonne-maman ? J'aimerais que tu m'aides.

— Évidemment, ma chérie.

Elle n'aurait pas répondu ainsi si elle s'était doutée de ce que j'allais lui demander.

— Imagine que j'aie retrouvé le *Livre des lunes*...

Elle s'est figée.

— Pourquoi me racontes-tu cela, Lena ? Sais-tu où il est ?

J'ai opiné. Remontant sa jupe, elle a filé vers l'escalier.

— Il faut que nous avertissions Macon. Plus vite nous aurons remis cet ouvrage dans la *Lunae Libri*, mieux ce sera.

— Ce n'est pas possible.

Lentement, elle s'est retournée afin de me dévisager.

— Explique-toi, jeune fille. Et commence donc par me dire comment tu as récupéré ce *Livre des lunes*.

— J'ai participé, a révélé Ridley en surgissant de derrière un pilier.

J'ai retenu mon souffle jusqu'à ce que je constate avec certitude que Ravenwood Manor n'était pas sur le point de s'écrouler.

— Comment es-tu entrée ici, toi ?

Bonne-maman maîtrisait sa voix autant que Ridley, voire plus. Elle existait depuis longtemps, et il en fallait plus que mon Enchanteresse des Ténèbres de cousine pour la déstabiliser.

— Grâce à Lena.

La déception a brièvement traversé les yeux de ma grand-mère.

— Te voici de nouveau affublée de lunettes de soleil.

— En guise de protection, a répondu Ridley en se mordant nerveusement la lèvre. Le monde est dangereux.

C'était une phrase que notre grand-mère nous serinait, petites. Surtout à Ridley. Je me souvenais aussi d'une autre de ses maximes, maxime qui allait peut-être nous permettre de repousser assez longtemps notre confession à propos d'Abraham pour que je réussisse à transmettre le *Livre* à Ethan.

— Bonne-maman, ai-je lancé, te rappelles-tu le marché que tu as conclu avec Rid la première fois qu'elle est allée à une soirée ?

— Je ne crois pas, non, m'a-t-elle répondu, interloquée.

— Tu lui as interdit de monter dans la voiture de quelqu'un ayant bu.

— Un excellent conseil. Mais quel rapport ?

— Tu lui as également dit que, si elle téléphonait pour nous annoncer que son chauffeur était ivre, tu enverrais quelqu'un la chercher. Sans lui poser de questions. (Une lueur de compréhension a éclairé les yeux de Bonne-maman.) Tu lui as promis qu'elle n'aurait pas d'ennuis, où qu'elle soit allée, quoi qu'elle ait fait.

Un peu gênée, ma cousine s'est adossée au pilier.

— Ouais, a-t-elle confirmé. Un peu comme la carte « Vous êtes libéré de prison ». Soit dit en passant, pareille carte m'aurait été drôlement utile, récemment.

— Cette conversation est-elle destinée à m'éclairer sur votre possession de l'ouvrage le plus maléfique des mondes Enchanteur et Mortel ? a marmonné notre grand-mère, soupçonneuse.

— Je t'appelle pour t'annoncer que mon chauffeur est ivre, ai-je lancé.

— Pardon ?

— Je voudrais que tu me fasses confiance et que tu accomplisses un truc sans me poser de questions. C'est pour Ethan.

— Lena, Ethan est...

— Stop ! l'ai-je coupée en levant une main. Toi et moi savons pertinemment que les gens sont en mesure de communiquer depuis l'au-delà. Ethan m'a contactée. C'est pour ça que j'ai besoin de toi.

— C'est vrai, a décrété une voix. Enfin, elle le croit. Pour ce que ça vaut...

Reece se tenait dans l'embrasure ombreuse de la salle à manger. Si je ne l'avais pas remarquée, elle si, apparemment. Il suffisait à une Sibylle d'un seul regard sur vos traits pour les lire, et Reece n'avait pas d'égal en la matière.

— Quand bien même, a objecté Bonne-maman, tu exiges là un peu plus que ma confiance, Lena. Malgré tout l'amour que j'ai pour toi, je ne peux pas...

— Nous n'essayons pas d'utiliser le *Livre des lunes*, ai-je plaidé. Nous souhaitons le transmettre à Ethan.

Un lourd silence s'est installé. J'ai guetté la réaction de ma grand-mère.

— Qu'est-ce qui te pousse à croire que c'est possible ? a-t-elle fini par lâcher.

Je me suis alors lancée dans le récit des messages que m'avait envoyés Ethan *via* les grilles de mots croisés, tout en évitant soigneusement de préciser comment j'avais mis la main sur le livre et en invoquant la clause « mon chauffeur a bu ». J'avais conscience qu'une explication s'imposerait tôt ou tard. Mais rien ne pressait, surtout pas ce soir. Une fois l'ouvrage expédié à Ethan, Bonne-maman pourrait m'interroger tout son content.

Au demeurant, oncle M avait la priorité quand il s'agissait de me punir.

Ma grand-mère m'a écoutée attentivement tout en sirotant une tasse de thé qui avait surgi entre ses mains – merci, Cuisine. Elle n'a pas pipé mot, ne m'a pas quittée des yeux pendant mon histoire. Quand elle a enfin reposé sa tasse sur la soucoupe, j'ai compris qu'elle avait pris une décision. Elle a inspiré un grand coup.

— Si Ethan demande ton assistance, nous ne pouvons que la lui fournir. C'est la moindre des choses, puisqu'il s'est sacrifié pour nous.

— Non mais tu t'entends parler, Bonne-maman ? s'est exclamée Reece en levant les bras au ciel.

— Comment pourrait-elle, vu les piaillements d'orfraie que tu pousses ? l'a rabrouée Ridley.

Ignorant la pique, Reece a enchaîné :

— Tu as vraiment l'intention d'envoyer dans l'Autre Monde le livre le plus puissant de l'univers des Enchanteurs ? Sans même te préoccuper de savoir qui le recueillera ?

— Te bile donc pas, a marmonné Rid. Tu n'y seras pas.

Reece l'a toisée comme si elle mourait d'envie de la poignarder avec des cisailles de jardin bien à elle.

— Ethan est là-bas, ai-je plaidé.

Bonne-maman a hésité, traversée par une nouvelle pensée.

— Il ne s'agit pas de poster un colis, Lena. Et si le *Livre* n'atterrissait pas au bon endroit ?

Cette remarque a eu le don de rasséréner Reece, qui a affiché un air satisfait. Cette fois, c'est Ridley qui a donné l'impression de songer à des cisailles.

— Amma va convoquer les Grands.

Après une ultime gorgée de thé, la tasse s'est volatilisée.

— Ma foi, a ensuite décrété Bonne-maman, si Amma s'implique, c'est qu'elle a de bonnes raisons. Je vais chercher mon manteau.

— Une minute ! ai-je objecté. Tout le monde doit venir. D'après Amma, seuls nos pouvoirs réunis seront assez forts pour arriver au but.

Reece s'est tournée vers oncle Macon, qui nous avait rejointes en douce aux premiers éclats de voix d'une dispute familiale.

— Tu comptes les en empêcher ou quoi ? l'a-t-elle apostrophé.

Il a choisi ses mots avec soin.

— D'un côté, j'estime que c'est une très mauvaise idée.

— Ah ! a triomphé Reece.

— Quoi ? me suis-je écriée.

La défection de mon oncle était justement ce que j'avais redouté quand Amma m'avait envoyée chercher des renforts.

— Laissez-le terminer, les filles, a grondé ma grand-mère.

— De l'autre, a repris oncle M, nous avons une dette envers Ethan, une dette que nous ne serons jamais en mesure de lui rembourser comme il se doit. Je l'ai vu offrir sa vie pour nous, un geste d'une extrême gravité.

J'ai mieux respiré. *Dieu soit loué !*

— Oncle Macon… a commencé Reece.

D'un signe, il lui a intimé de se taire.

— Ceci n'est pas sujet à discussion. Sans Ethan, tu serais aujourd'hui privée de tes pouvoirs, voire pire. L'Ordre avait été brisé, nous en découvrions juste les premiers effets. C'était très mal parti, crois-moi.

— Inutile d'arguer plus avant, alors, a décrété Bonne-maman. Je monte chercher Del, Barclay et Ryan.

La mention de sa mère a provoqué une raideur chez Ridley. Tante Del avait toujours le cœur brisé quand sa fille disparaissait. Là, elle ignorait qu'elle était revenue. Dans la peau d'une Enchanteresse des Ténèbres, qui plus est.

Je me suis souvenue de la joie de tante Del lorsque, l'été précédent, Ridley avait perdu ses dons. Le statut de Mortel valait mieux que celui de créature des Ténèbres, surtout dans notre famille.

— Tu n'as rien à fiche ici ! a lancé Reece à sa sœur. Tu ne crois pas que tu as déjà provoqué assez de dégâts ?

Ridley s'est pétrifiée.

— J'ai jugé que tu n'avais pas eu ton compte, sœurette. Te laisser tomber m'était insupportable. Après tout, tu m'as toujours tellement soutenue.

Son ton se voulait sarcastique, mais son chagrin était audible. Le cœur de pierre de Ridley n'était qu'une apparence soigneusement entretenue.

Des voix ont résonné, et tante Del a surgi au sommet des marches. Oncle Barclay la tenait fermement par la taille. J'ignore si elle nous avait entendues ou si Bonne-maman lui avait annoncé la nouvelle ; en revanche, il était clair qu'elle était au courant, vu la manière dont elle se tordait les mains.

Oncle Barclay l'a entraînée vers le rez-de-chaussée. Sa haute silhouette dominait celle, menue, de son épouse. Ses cheveux poivre et sel étaient bien coiffés et, une fois n'est pas coutume, il semblait appartenir à la même époque que nous. Ryan les suivait, sa longue chevelure blonde rassemblée en une queue-de-cheval.

Lorsque Ryan et Ridley étaient réunies, leur ressemblance était frappante. Ces six derniers mois, Ryan s'était de plus en plus transformée en adolescente, bien qu'elle n'ait que douze ans.

— Je suis heureuse de constater que tu vas bien, a murmuré tante Del à Rid, avec un pauvre sourire. Je me suis fait tellement de souci.

— Abraham la retenait prisonnière, ai-je lâché tout à trac.

Ridley s'était certes rendue coupable de bien des choses, mais j'avais du mal à accepter qu'on la juge lorsqu'elle était innocente. Le visage de tante Del s'est affaissé, celui des autres aussi. Pas celui de Reece, toutefois. Protectrice, elle s'est interposée entre sa mère et sa sœur des Ténèbres.

— C'est vrai ? a demandé oncle Barclay avec une réelle anxiété.

Rid a nerveusement joué avec l'une de ses mèches.

— Oui. Un hôte charmant.

Elle a Chuchoté à mon adresse avec les accents du désespoir. *Ne leur dis pas, cousine. Pas tout de suite.*

— Je vais bien, a-t-elle poursuivi tout fort. Inquiétons-nous plutôt d'Ethan. Mes mésaventures avec le grand méchant loup n'intéressent personne.

— Si, moi ! a lancé Ryan en s'approchant prudemment de son aînée.

Rid n'a pas répondu, se bornant à lui tendre la main. En souriant, Ryan s'en est emparée. Quelqu'un a étouffé un petit cri. Tante Del. Ou moi, peut-être.

— Si Lena a confiance en toi, moi aussi, a déclaré Ryan. Les sœurs devraient se soutenir, a-t-elle ajouté en fixant Reece.

Cette dernière n'a pas bronché, mais nul besoin d'être une Sibylle pour lire sur son visage. De minuscules fissures étaient en train de se former sur la carapace que Reece mettait beaucoup d'énergie à entretenir. Ces craquelures n'étaient pas évidentes à discerner, mais elles existaient bel et bien. Le début de quelque chose – des larmes, le pardon, des regrets… difficile à déterminer.

Cela m'a rappelé ce qu'avait dit un jour Marian à Ethan, avant que les événements ne se produisent. Une de ses fameuses citations, d'un certain Leonard Cohen en l'occurrence : « Il y a une fissure dans tout. C'est ce qui permet à la lumière d'entrer. »

C'est exactement ce à quoi m'ont fait songer les traits de Reece.

La lumière commençait enfin à y entrer.

— Lena ? Ça va ?

Oncle Barclay a jeté un coup d'œil au plafond. Le lustre en cristal se balançait dangereusement au-dessus de nos têtes. J'ai respiré profondément, il a aussitôt cessé.

Contrôle-toi, ma fille.

— Oui, oui, ai-je menti.

J'ai composé les vers mentalement, même si je n'avais pas l'intention d'autoriser mon feutre à les coucher sur le papier :

penchée
telle la branche d'un arbre
cassés
tels les éclats de mon cœur
fendue
telle la dix-septième lune
en miettes
telle la vitre
le jour de notre rencontre

J'ai fermé les paupières pour tenter de réduire au silence les mots qui ne cessaient de surgir.

Non.

Je les ai ignorés, je les ai expulsés de mon esprit. Je ne les Chuchoterais pas à oncle Macon, je n'en écrirais pas un jusqu'à ce qu'Ethan revienne.

Pas le moindre.

— Amarie nous attend, a annoncé oncle Macon en enfilant son manteau en cachemire. Allons-y. Ce n'est pas une dame qui apprécie de poireauter.

Boo se tenait derrière lui, son poil touffu se fondant dans l'obscurité de la pièce.

Ridley a ouvert la porte et a filé à toute vitesse. Elle avait déballé une sucette rouge avant même d'avoir atteint le bas du perron. Elle a hésité une seconde devant le parterre de fleurs avant d'empocher le papier.

Les gens changeaient peut-être, finalement – y compris ceux qui avaient opéré les mauvais choix, pour peu qu'ils s'efforcent de redresser la barre. Je n'en avais aucune certitude, mais je l'espérais vivement. Personnellement, j'avais commis mon compte d'erreurs, l'année précédente.

Je me suis dirigée vers le seul qui avait bien agi.
Le seul qui importait.
Ethan.
J'arrive.

Chapitre 29
Les mains des morts

— Eh bien, ce n'est pas trop tôt !

Bras croisés dans une posture d'impatience, Amma surveillait la brèche du vieux mur quand nous avons franchi cette dernière. Oncle Macon n'avait pas menti : elle détestait qu'on la fasse languir.

— Je suis sûre qu'il n'a pas été simple de réunir tout le monde, a dit Marian en posant une main apaisante dans le dos de la vieille dame.

— Il y a pas simple et pas simple, a ronchonné celle-ci avec un reniflement agacé.

John et Liv étaient assis par terre côte à côte, la tête de la jeune fille appuyée sans façon sur l'épaule de l'Incube. Oncle Barclay a escaladé le trou après moi, puis s'est retourné afin d'aider tante Del à enjamber les pierres. Elle a cligné des paupières à plusieurs reprises, les yeux fixés sur un endroit guère éloigné de la tombe de Genevieve. Elle a tangué sur ses pieds, et son mari a dû la retenir.

Visiblement, les strates du temps se manifestaient d'elles-mêmes, comme toujours avec tante Del, et elle seule. Je me suis demandé ce qu'elle voyait. Greenbrier avait abrité tant de drames. La mort d'Ethan Carter Wate, la première fois que Genevieve avait utilisé le *Livre des lunes* pour le ressusciter, le jour où Ethan et moi avions découvert le médaillon et eu une vision, la nuit où tante Del avait recouru à ses pouvoirs pour nous montrer des bribes de l'histoire de Genevieve en ces lieux mêmes.

Tout avait changé depuis, cependant.

La fois où Ethan et moi avions tenté de restaurer l'Ordre des Choses, et où j'avais accidentellement embrasé l'herbe.

Celle où j'avais assisté à la mort de ma mère, dévorée par les flammes.

Tante Del voit-elle réellement tout cela ? Le voit-elle ?

Un étrange sentiment de honte m'a submergée, j'ai prié pour qu'elle ne distingue rien.

Amma a salué Bonne-maman d'un signe de tête.

— Vous avez l'air en forme, Emmaline.

— Tout comme vous, Amarie.

Oncle Macon a été le dernier à rejoindre le jardin perdu de Greenbrier. Il s'est attardé près du mur, empreint d'un malaise presque imperceptible qui ne lui ressemblait pas. Amma a croisé son regard, et j'ai eu l'impression qu'ils échangeaient des mots qu'eux seuls étaient capables de percevoir.

Il était impossible d'ignorer la tension. À ma connaissance, ils ne s'étaient pas revus depuis la nuit où Ethan nous avait quittés. Tous deux prétendaient que la situation était normale ; sauf que là, le contraire sautait aux yeux. Amma avait l'air de vouloir arracher la tête de mon oncle.

— Amarie, a-t-il murmuré lentement en s'inclinant.

— Je suis surprise que tu sois venu. Ne crains-tu pas que ma méchanceté abîme tes belles chaussures ? Ce serait dommage. Pas avec des souliers de soirée aussi chers.

Qu'est-ce que c'est que ce délire ?

Méchante, Amma ? C'était une sainte ; du moins, je l'avais toujours envisagée comme telle.

Bonne-maman et tante Del ont échangé un coup d'œil, apparemment aussi paumées que moi. Marian, elle, a baissé la tête. Elle était au courant de quelque chose, mais n'en dirait rien.

— Le chagrin rend les gens désespérés, a répondu oncle M. Je suis bien placé pour le savoir.

Amma lui a tourné le dos pour se planter devant le whisky et le verre plein posés par terre à côté du *Livre des lunes*.

— Je ne crois pas que tu saches quoi que ce soit, Melchizedek, a-t-elle lâché. Si je ne pensais pas que nous avons besoin de toi, je t'enverrais immédiatement promener.

— C'est injuste. J'essayais seulement de te protéger...

Il s'est interrompu en se rendant compte que nous l'observions. Tous, sauf Marian et John qui se démenaient pour ne regarder ni Amma ni mon oncle – ce qui, par conséquent, signifiait qu'ils fixaient le sol ou le *Livre des lunes*, sachant que cela ne devait en rien les soulager.

Virevoltant sur ses talons, Amma a affronté oncle Macon.

— La prochaine fois, arrange-toi pour me protéger un peu moins et protéger mon garçon un peu plus ! Pour peu qu'il y en ait une, de prochaine fois !

Reprochait-elle à oncle Macon de ne pas avoir été suffisamment auprès d'Ethan lorsqu'il vivait encore ? C'était insensé...

— Pourquoi vous disputez-vous ? ai-je lancé. On dirait Reece et Ridley.

— Hé ! a protesté Reece.

Ridley s'est contentée de hausser les épaules.

— Je croyais que vous étiez ici pour aider Ethan, ai-je repris.

Amma a grogné, mon oncle a paru malheureux, mais ni elle ni lui n'ont moufté.

— Nous sommes tous inquiets, a fini par intervenir Marian. Mieux vaudrait que nous oubliions nos rancœurs pour nous concentrer sur la tâche qui nous attend. Que voulez-vous de nous, Amma ?

— Les Enchanteurs doivent former un cercle autour de moi, a répondu l'interpellée sans quitter des yeux Macon. Les Mortels peuvent se répartir entre eux. Le pouvoir de ce monde-ci nous est nécessaire pour remettre cet objet malin à ceux qui l'emporteront sur le restant du chemin.

— Les Grands, n'est-ce pas ? ai-je demandé.

— Oui. S'ils daignent se manifester.

Comment ça ? Étaient-ils susceptibles de ne pas le faire ?

— Lena, a repris Amma, il faut que tu m'apportes le *Livre*.

Quand j'ai soulevé le volume poussiéreux, j'en ai senti l'énergie qui battait comme un cœur.

— Le *Livre* va se montrer réticent, a expliqué Amma. Il souhaite rester ici, où il a le loisir de provoquer des ennuis. Comme ta cousine.

Rid a soupiré, mais la gouvernante ne s'adressait plus qu'à moi.

— Je vais convoquer les Grands, a-t-elle poursuivi, mais tu devras garder une main sur l'ouvrage jusqu'à ce qu'ils le prennent.

Et comment allait-il réagir ? S'envolerait-il ?

— Les autres, formez la ronde. Tenez-vous bien par la main.

Il a d'abord fallu que Ridley et Link se chamaillent, puis que Reece refuse de toucher Ridley ou John. Enfin, ils ont obtempéré. Amma m'a jeté un bref regard.

— Les Grands ne sont pas particulièrement contents de moi. Ils risquent de bouder. Et même s'ils viennent, je ne te garantis pas qu'ils accepteront de prendre le livre.

Je n'imaginais pas que les Grands puissent en vouloir à Amma. Ils étaient ses ancêtres, ils n'avaient jamais rechigné à accourir à notre rescousse. Cette fois-ci n'était qu'un appel à l'aide supplémentaire.

— Que les Enchanteurs projettent tout ce qu'ils ont en eux au milieu du cercle.

Se penchant, Amma a ramassé le verre de bourbon et l'a vidé cul sec avant de le remplir de nouveau pour oncle Abner.

— Je me fiche de ce qui arrive, a-t-elle précisé. Envoyez vos pouvoirs vers moi.

— Mais si vous êtes blessée ? s'est inquiétée Liv.

Amma l'a dévisagée, l'air ravagé, brisé.

— Je ne pourrais pas l'être plus que je ne le suis actuellement, a-t-elle riposté. Quoi qu'il se passe, accrochez-vous et continuez.

Lâchant tante Del, oncle Macon a avancé d'un pas.

— Cela faciliterait-il les choses si je t'aidais ? a-t-il proposé à Amma.

— Hors de mon cercle ! a-t-elle crié en tendant un doigt tremblant vers lui. Tu joueras ton rôle de là-bas.

Une bouffée de chaleur a émané du *Livre*, comme si sa colère enflait pour rencontrer celle de la vieille dame. Regagnant la ronde, oncle Macon a reformé la chaîne.

— Tu me pardonneras un jour, Amarie, a-t-il dit.

— Ce jour-là n'est pas encore arrivé, a-t-elle répliqué, tandis que ses prunelles noires s'étrécissaient et toisaient les siennes, vertes.

Puis elle a clos les paupières, et mes cheveux se sont mis à boucler de par leur seule volonté, cependant qu'elle entonnait l'incantation usuelle.

Sang de mon sang,
Racines de mon âme,
Je vous prie d'intercéder.

Des bourrasques ont commencé à souffler autour de moi, dans les limites de la ronde, le tonnerre a résonné au loin. La chaleur du *Livre* s'est mélangée à celle de mes paumes, la chaleur que je dominais, à laquelle je pouvais ordonner de brûler et de détruire.

Amma poursuivait sa litanie comme si elle s'adressait au ciel.

> ***Je vous convoque pour porter à ma place.***
> ***Pour voir à ma place.***
> ***Pour agir à ma place.***

Un rayon vert a surgi des doigts d'oncle Macon et s'est répandu sur le pourtour du cercle de chaînon en chaînon. Bonne-maman a fermé les yeux comme si elle s'efforçait de canaliser le pouvoir de Macon. L'ayant remarqué, John l'a imitée, et la lumière s'est intensifiée.

Un éclair a déchiré le firmament, mais l'univers ne s'est pas descellé, les Grands ne sont pas apparus.

Où êtes-vous ? ai-je supplié en silence.

Amma a essayé une nouvelle fois.

> ***Voici les routes que je ne peux traverser.***
> ***Seuls vous pouvez remettre ce livre à mon garçon.***
> ***Transmettez-le à votre monde de la part du nôtre.***

Je me suis concentrée plus fort, ignorant la brûlure du *Livre* entre mes mains. Une branche s'est brisée, puis une deuxième. Rouvrant les yeux, j'ai vu une étincelle qui sautait hors du cercle. Elle s'est embrasée comme si on avait allumé la mèche d'un bâton de dynamite et s'est répandue à travers l'herbe en créant un second anneau autour du premier.

Le Sillage de Feu, les incendies incontrôlables qui se déclenchaient parfois, malgré moi. Par ma faute, le jardin se consumait de nouveau. Combien de fois faudrait-il que cette terre brûle pour qu'on en arrive à l'irréparable ?

Amma a serré les paupières. Ses paroles ont nettement résonné dans l'air. Ce n'était plus une incantation, c'était une prière.

— Je sais que vous ne voulez pas venir pour moi. Mais venez pour Ethan. Il compte sur vous, vous êtes sa famille autant que vous êtes la mienne. Agissez comme de juste. Ce sera la dernière fois. Oncle Abner. Tante Delilah. Tante Ivy. Grand-maman Sulla. Twyla. S'il vous plaît.

Derechef, le ciel s'est déchiré, et la pluie s'est mise à dégringoler. Le feu a cependant continué de crépiter, la lumière des Enchanteurs de briller.

Soudain, j'ai distingué une petite chose noire qui tournoyait au-dessus de nous.

Le corbeau.

Le corbeau d'Ethan.

Amma a ouvert les yeux et l'a vu elle aussi.

— C'est ça, oncle Abner. Ne punis pas Ethan pour mes erreurs. Je suis certaine que tu as veillé sur lui, là-bas, comme tu as toujours veillé sur nous ici-bas. Il a besoin de ce livre. Tu sais peut-être pourquoi, même si moi je l'ignore.

L'oiseau s'est rapproché, des visages se sont dessinés sur la nue obscure, l'un après l'autre, leurs traits prenant forme dans l'univers qui nous dominait.

Oncle Abner a été le premier à apparaître, tout ridé par les ans.

Le corbeau s'est juché sur son épaule, telle une souris minuscule sur le pied d'un géant.

Sulla la Prophétesse a suivi, ses tresses majestueuses cascadant dans son dos. Des colliers de perles emmêlés reposaient sur sa poitrine, à croire qu'ils ne pesaient rien. Ou qu'ils valaient la peine de leur poids.

Entre mes paumes, le *Livre des lunes* a bondi comme s'il cherchait à m'échapper. J'ai toutefois deviné que ce n'était pas les Grands qui l'attrapaient.

C'était lui qui résistait.

Je l'ai agrippé fermement, tandis que tante Delilah et tante Ivy surgissaient ensemble. Elles se tenaient par la main et nous regardaient d'en haut comme si elles évaluaient la scène. Nos intentions, nos capacités… va savoir.

Mais elles nous jugeaient – je le sentais, le *Livre* aussi, qui a derechef tenté de se libérer d'entre ma peau calcinée.

— Ne le lâche pas ! m'a avertie Amma.

— Pas de souci ! ai-je crié pour dominer les rugissements du vent. Où êtes-vous, tante Twyla ?

Ce sont les prunelles noires de cette dernière qui se sont d'abord révélées à nous, puis son doux visage et ses bras surchargés de bracelets. Ensuite, ses cheveux nattés de colifichets et les rangées de boucles d'oreilles qui s'alignaient le long de ses lobes.

— Ethan a besoin de ceci ! ai-je hurlé face aux éléments – vent, feu, pluie.

Si les Grands ont continué de nous observer, ils n'ont pas réagi.

Le *Livre des lunes*, lui, si.

L'énergie qui l'habitait a redoublé d'intensité, son pouvoir et sa fureur ont contaminé tout mon corps, tel un poison.

Tiens bon !

Des images ont défilé devant mes yeux.

Genevieve tenant le Livre *et prononçant les paroles qui, pour quelques secondes, ramèneraient à la vie Ethan Carter Wate et maudiraient notre lignée pour les générations à venir.*

Amma et moi récitant les mêmes mots, debout au-dessus d'Ethan Lawson Wate – notre Ethan.

Ses paupières qui se soulevaient, celles d'oncle Macon qui se fermaient.

Abraham près du Livre, *tandis que le feu menaçait Ravenwood au loin, la voix de son frère Jonah le suppliant d'arrêter juste avant qu'il ne le tue.*

Tout cela m'est apparu très clairement.

Ces personnes que l'ouvrage avait touchées et blessées.

Celles qui m'étaient familières, celles que je n'identifiais pas.

De nouveau, j'ai senti la force du *Livre* qui voulait se sauver et j'ai hurlé, plus fort cette fois.

Amma l'a attrapé elle aussi, ses mains autour des miennes. Sa peau a brûlé là où elle était en contact avec le cuir.

Des larmes ont mouillé ses yeux, mais elle n'a pas lâché.

— Aidez-nous ! ai-je crié vers le ciel.

Ce n'est pas de lui qu'est venue la réponse, cependant.

Genevieve Duchannes s'est matérialisée dans le noir, sa silhouette floue si proche que j'aurais pu la toucher.

Donne-le-moi.

Amma la voyait également. Je l'ai déduit à son expression hantée. Mais j'étais la seule à l'entendre Chuchoter.

Ses longs cheveux roux s'agitaient dans le vent, d'une manière qui semblait juste et impossible en même temps.

Je m'en charge. Il n'a pas sa place dans ce monde-ci. Il ne l'a jamais eue.

J'avais envie d'obtempérer, d'expédier le *Livre* à Ethan, envie que les paumes d'Amma cessent de brûler.

Malheureusement, Genevieve était une Enchanteresse des Ténèbres. Il me suffisait de regarder ses prunelles jaunes pour m'en souvenir.

Amma tremblait.

Genevieve a tendu la main. Et si mon choix n'était pas le bon ? Ethan n'aurait jamais l'ouvrage, je ne le reverrais jamais non plus...

Comment puis-je être certaine de pouvoir vous faire confiance ?

Elle m'a dévisagée avec une tristesse infinie.

Tu ne le découvriras qu'après avoir agi.

Les Grands nous contemplaient toujours, je n'avais aucun moyen de deviner s'ils allaient ou non nous aider. Les mains de Mortelle d'Amma se calcinaient au même rythme que les miennes, pourtant d'Enchanteresse, et le *Livre des lunes* n'était pas plus près d'Ethan qu'il ne l'avait été du temps où Abraham Ravenwood l'avait détenu.

Parfois, on n'a guère le choix.

Parfois, il faut savoir sauter.

Ou lâcher prise...

Prenez-le, Genevieve.

J'ai écarté mes paumes, et celles d'Amma ont suivi le mouvement. L'ouvrage a filé, comme s'il avait compris qu'il tenait là son unique chance de fuir. Il a foncé vers le cercle, là où les doigts de John et de Link étaient entrecroisés. La lumière verte ne s'était pas éteinte. John a focalisé son regard sur le *Livre*.

— Oh que non, a-t-il marmonné.

Le volume a frappé le rayon vert et a ricoché vers l'intérieur du cercle, droit entre les mains de Genevieve. Elle les a refermées autour du *Livre* qui a semblé frissonner.

Pas cette fois.

J'ai retenu mon souffle. Amma pleurait.

Genevieve a serré l'ouvrage contre sa poitrine et s'est dématérialisée.

Mon cœur s'est pétrifié.

— Elle est partie avec, Amma !

Je n'étais plus capable ni de réfléchir, ni de sentir, ni de respirer. J'avais fait le mauvais choix. Jamais plus je ne serais avec Ethan. Mes genoux ont cédé, je suis tombée.

Il y a eu un bruit de déchirure, un bras m'a rattrapée par la taille.

— Regarde, Lena !

Link.

Ravalant mes larmes, je l'ai dévisagé. Sa main libre pointait vers le ciel.

Genevieve y flottait, sa chevelure rousse pareille à une traîne. Elle a tendu le *Livre des lunes* à Sulla, qui l'a accepté.

Genevieve m'a souri.

Je suis digne de ta confiance. Et désolée, tellement désolée.

Elle a disparu, laissant les Grands planer au-dessus de nous, pareils à des géants.

Portant ses paumes brûlées à sa poitrine, Amma a contemplé sa famille d'un autre monde. Celui dont Ethan était prisonnier. Les larmes roulaient sur ses joues ; alentour, la lumière verte s'est estompée.

— Portez ce bouquin à mon garçon, entendu ?

Oncle Abner l'a saluée en inclinant son chapeau.

— Je compte bien sur une tarte, maintenant, Amma. Une au citron meringuée m'ira parfaitement.

Amma a étouffé un ultime sanglot, elle s'est effondrée. Je l'ai accompagnée, retenant sa chute. La pluie a éteint le feu, les Grands se sont dissipés. J'ignorais complètement ce qui allait se passer désormais. Je n'étais sûre que d'une chose.

Ethan avait à présent une chance.

À lui de la saisir.

LIVRE TROIS
ETHAN

Chapitre 30
Le temps perdu

L ? Tu es là ? Tu m'entends ? J'attends. Je sais que tu ne tarderas pas à mettre la main sur le Livre.

Si tu voyais cet endroit, tu n'en reviendrais pas. J'ai l'impression d'habiter un temple vieux de dix mille ans ou une forteresse. Ce type aussi te laisserait pantoise. Mon ami Xavier. Enfin, je crois que je peux le considérer comme mon ami. Il ressemble à un moine vieux de dix mille ans également. Ou à quelque antique wombat sacré.

Imagines-tu de quoi a l'air l'attente dans un monde où le temps ne s'écoule pas ? Les minutes donnent le sentiment de durer des siècles – des éternités –, mais en pire puisque l'on ne peut pas les distinguer les unes des autres.

Je me surprends à compter les objets. De manière compulsive. C'est la seule façon que j'ai trouvée de mesurer le temps.

Soixante-deux boutons en plastique. Onze bracelets brisés ayant entre quatorze et trente-six perles. Cent neuf cartes de basket de collection. Neuf piles standard. Douze mille sept cent cinquante-quatre dollars et trois cents *en pièces de monnaie de six pays différents. De six différents siècles, peut-être.*

Plus ou moins.

Je n'ai pas été capable d'évaluer les doublons.

Ce matin, j'ai dénombré les grains de riz qui s'échappaient d'une grenouille en peluche décousue. J'ignore où Xavier ramasse tous ces trucs. Je suis arrivé à neuf cent quatre-vingt-dix-neuf, puis j'ai perdu le compte et j'ai dû recommencer à zéro.

Telle a été ma journée d'aujourd'hui.

N'importe qui deviendrait fou à force de traîner dans un lieu atemporel. Lorsque tu dénicheras le Livre des lunes, *je le sentirai, L. Je déguerpirai d'ici à la première occasion. Mes affaires sont prêtes, à l'entrée de la grotte. La carte de tante Prue, une fiasque et une blague à tabac en métal vides.*

Ne pose pas de questions.

Crois-tu que, après tout ce qui s'est passé, le Livre *nous sépare encore ? Je suis certain que tu vas le récupérer. Un jour. Bientôt.*

J'attends.

Je ne suis pas convaincu que penser à Lena accélère ou ralentisse le temps. Mais ça n'a aucune importance. Quand bien même je voudrais ne pas songer à elle, je n'y parviendrais pas. J'ai pourtant essayé. En jouant aux échecs avec les horribles figurines que collectionne Xavier. En l'aidant à recenser toutes ses possessions, des capsules de bouteille aux vieux bouquins des Enchanteurs. Aujourd'hui, ce sont des pierres. Xavier en a sûrement des centaines, diamants bruts gros comme des fraises, morceaux de quartz et vieux cailloux sans valeur.

— Il est indispensable d'établir des dossiers justes de tout ce que j'ai.

Xavier a ajouté trois bouts de charbon à sa liste.

J'ai contemplé les cailloux. Amma les aurait traités de gravier. D'un gris exactement identique à celui de ceux qui recouvrent l'allée de Dean Wilks. À quoi s'occupait-elle, en cet instant précis ? Et ma mère ? Les deux femmes qui m'avaient élevé dans deux univers totalement différents et que je ne pouvais pas voir.

J'ai ramassé une poignée de gravillons poussiéreux.

— Pourquoi les accumuler ? ai-je demandé. Ce ne sont que des cailloux.

Ma question a eu le don de choquer Xavier.

— Les pierres ont un pouvoir. Elles absorbent les émotions et les craintes des gens. Leurs souvenirs aussi.

Je n'avais certainement pas besoin des peurs des autres. Les miennes me suffisaient.

Tirant de ma poche le galet noir, j'en ai caressé la surface lisse. C'était celui de Sulla. Il avait la forme d'une larme, alors que celui de Lena était plus arrondi.

— Tenez, ai-je dit en le tendant à Xavier. Ajoutez-le à votre collection.

J'étais presque sûr qu'il ne me serait pas utile pour retraverser la rivière. Soit je me débrouillerais pour rentrer chez moi, soit je ne quitterais jamais cet endroit. Bizarrement, je le savais, alors que j'ignorais tout le reste. Xavier a longuement contemplé mon cadeau.

— Gardez-le, jeune défunt, a-t-il fini par répondre. Ceux-ci ne sont pas...

À cet instant, je n'ai plus entendu ce qu'il racontait. Ma vision a commencé à se brouiller. La peau sombre et tannée de Xavier et la pierre dans ma paume ont vacillé jusqu'à se mélanger pour ne plus former qu'une ombre.

Sulla était assise à une vieille table en osier ; une lampe à huile éclairait la petite pièce. Les Cartes de la Providence étaient étalées devant elle en deux rangées bien distinctes, chacune marquée du moineau noir dans un coin – le sceau de Sulla. Un homme de haute taille était installé face à elle, sa tête nue luisait sous la lampe.

— La Lame Sanglante. La Colère de l'Aveugle. La Promesse du Menteur. Le Cœur Volé, énuméra-t-elle en fronçant les sourcils et en secouant la tête. Croyez-moi, ça ne promet rien de bon. Ce que vous cherchez, vous ne le trouverez jamais. Et dans le cas contraire, ce sera encore pire pour vous.

L'homme passa ses énormes mains sur son scalp avec nervosité.

— Qu'est-ce que cela signifie, Sulla ? Cessez de parler par énigmes.

— Qu'ils ne vous octroieront pas ce que vous convoitez, Angelus. La Garde Suprême n'a pas besoin d'une lecture pour savoir que vous avez enfreint ses règles depuis le début.

Angelus s'écarta brutalement de la table.

— Inutile qu'ils me remettent ce que je veux ! J'ai d'autres Gardiens dans ma manche. Des Gardiens qui aspirent à autre chose qu'à être de simples scribes. Pourquoi sommes-nous condamnés à retranscrire une histoire dont nous ne sommes pas les acteurs ?

— Je ne suis pas en mesure de changer la donne, c'est tout ce que je sais.

Angelus regarda la belle femme à la peau dorée et aux délicates tresses.

— Les mots ont le pouvoir de modifier les choses, Voyante. Il suffit de les mettre dans le bon ordre au bon endroit du livre.

Un mouvement attira l'attention de Sulla. Sa petite-fille était accroupie derrière la porte et les espionnait. Sulla s'en serait moquée à n'importe quel autre moment. Amarie avait dix-sept ans, elle était plus âgée que Sulla elle-même quand elle avait appris à maîtriser son don. Mais Sulla ne voulait pas qu'elle voie cet homme. Il émanait de lui un mal indéfinissable. Nul besoin d'être Voyante pour s'en rendre compte.

Angelus entreprit de se lever, ses battoirs serrés en deux poings. Sulla tapota la première carte, sur laquelle deux portes dorées étaient dessinées.

— Celle-ci est dangereuse, murmura-t-elle.

L'homme hésita.

— Que dit-elle ?

— Que, parfois, nous créons notre propre destinée. Des événements que les jeux ne voient pas. Tout dépend du côté des portes que l'on choisit.

Angelus s'empara de la carte incriminée et la froissa entre ses doigts.

— Je suis resté à l'extérieur des portes trop longtemps.

Lorsqu'il fut sorti, Amarie surgit de sa cachette.

— Qui était-ce, grand-maman ?

La vieille femme ramassa la carte abîmée et la lissa.

— Un Gardien du Nord. Un homme qui désire plus que ce qu'un être devrait désirer.

— Et que veut-il ?

Les yeux de Sulla croisèrent ceux d'Amarie et, durant une seconde, elle se demanda si elle devait le lui révéler.

— Falsifier le destin. Changer la donne.

— Mais c'est impossible !

Sulla détourna le regard en se rappelant ce qu'elle avait lu dans les cartes le jour de la naissance d'Amarie.

— Quelquefois, c'est possible. Mais il y a toujours un prix à payer.

Lorsque j'ai rouvert les yeux, Xavier se tenait au-dessus de moi, les traits déformés par l'inquiétude.

— Qu'avez-vous vu, jeune défunt ?

Dans ma main, le galet était tiède. Je l'ai serré plus fort, comme s'il pouvait ainsi me ramener à Amma. Aux souvenirs enfermés sous sa surface noire et luisante.

— Combien de fois Angelus a-t-il modifié les *Chroniques des Enchanteurs*, Xavier ?

Le Factionnaire a détourné le regard en se tordant nerveusement les doigts.

— Répondez-moi, Xavier.

Nos yeux se sont croisés, j'ai discerné le chagrin dans les siens.

— Trop souvent.

— Pourquoi fait-il cela ? Qu'a-t-il à y gagner ?

— Certains hommes souhaitent être plus que de simples Mortels. Angelus est l'un d'eux.

— Êtes-vous en train de suggérer qu'il aspirait à devenir Enchanteur ?

— Oui, a admis Xavier en hochant lentement la tête. Il voulait changer le destin. Découvrir un moyen de défier les lois surnaturelles et de mélanger les sangs Mortel et Enchanteur.

Manipulations génétiques.

— Il espérait donc doter les Mortels de pouvoirs, à l'instar des Enchanteurs ?

Xavier a fait courir sa main anormalement longue sur son crâne chauve.

— Les dons ne servent à rien si l'on n'a personne à tourmenter ou à dominer, a-t-il répondu.

J'avais du mal à saisir. Il était trop tard, pour Angelus. Essayait-il, comme Abraham Ravenwood, de créer une espèce d'enfant hybride ?

— A-t-il mené des expériences sur des enfants ?

Mon interlocuteur s'est détourné et a gardé le silence pendant un long moment.

— Il a mené des expériences sur lui-même en se servant d'Enchanteurs des Ténèbres, a-t-il fini par murmurer.

Un frisson m'a secoué, j'ai dégluti. Je n'osais imaginer ce que leur avait infligé le Gardien. Je cherchais les mots justes quand Xavier m'a devancé.

— Angelus testait leur hémoglobine, leurs tissus et je ne sais quoi encore. Il s'est injecté dans les veines un sérum concocté à partir de leur sang. Cependant, cela n'a pas eu les résultats escomptés. Il s'est acharné. Chaque piqûre le rendait plus pâle et plus désespéré.

— Ça paraît atroce.

Le visage déformé de Xavier m'a de nouveau fait face.

— Ce n'était pas le plus horrible, jeune défunt. Le plus horrible est arrivé plus tard.

Malgré moi, j'ai insisté :

— Que s'est-il produit ?

— Il a enfin trouvé une Enchanteresse dont le sang lui a fourni un pouvoir dévoyé. Elle était Lumière, belle et bonne. Et moi, je...

— Vous l'aimiez ?

— Oui, a-t-il avoué, ses traits soudain plus humains. Or Angelus l'a détruite.

— Je suis navré, Xavier.

Il a accepté mes condoléances d'un signe du menton.

— C'était une puissante Télépathe, a-t-il enchaîné. Avant de perdre la raison à cause des expériences d'Angelus.

Une Télépathe. Brusquement, j'ai eu un éclair.

— Est-ce à dire qu'Angelus lit dans les pensées des autres ?

— Celles des Mortels seulement.

Les miennes, celles de Liv et de Marian.

Il fallait plus que jamais que je découvre ma page dans les *Chroniques des Enchanteurs* et que je rentre chez moi.

— N'ayez pas l'air aussi triste, jeune défunt.

J'ai observé les aiguilles de la montre de Xavier qui tournaient dans des directions opposées, ponctuant le passage d'un temps inexistant. Je n'ai pas voulu lui dire que je n'étais pas triste.

J'avais peur.

J'ai eu beau surveiller les aiguilles de la montre, la notion de temps a continué à m'échapper. À tel point, parfois, que j'ai commencé à oublier ce que j'attendais. Un surplus de temps vous joue ces tours. Il estompe les frontières entre la mémoire et l'imagination jusqu'à ce que tout se mêle et ressemble à un film plutôt qu'à la vie.

Je n'étais pas loin d'abandonner l'idée de jamais revoir le *Livre des lunes*. Ce qui impliquait de renoncer à beaucoup plus qu'à un bouquin d'Enchanteurs.

C'était laisser Gatlin, avec ses bons et ses mauvais côtés.

C'était perdre Amma, mon père et tante Marian. Link, Liv et John. Le bahut et le Dar-ee Keen, la maison familiale et la Nationale 9, l'endroit où j'avais compris pour la première fois que Lena était la fille de mes rêves.

Renoncer au livre, c'était renoncer à elle.

Je ne le pouvais pas.

Je ne le ferais pas.

Au bout de quelques jours – ou semaines, impossible à dire –, Xavier s'est rendu compte que je perdais plus que du temps.

Il était assis par terre dans la caverne et enregistrait ce qui avait l'air de milliers de clefs.

— Comment était-elle ? m'a-t-il demandé.

— Qui ?

— La fille.

Pendant que je me creusais la tête en quête des mots justes, je l'ai observé qui rangeait les clefs par taille puis par forme. D'où venaient-elles ? Quelles portes ouvraient-elles ?

— Elle était... vivante.

— Et belle ?

L'était-elle ? J'avais de plus en plus de difficultés à me souvenir.

— Oui. Je crois.

Cessant de trier ses trousseaux, Xavier m'a regardé.

— À quoi ressemblait-elle, la fille ?

Comment expliquer tout ce qui, dans ma tête, tournoyait et se mélangeait, rendant impossible toute représentation de « la fille » ?

— Ethan ? M'avez-vous entendu ? Vous devez me répondre, sinon vous oublierez. C'est ce qui se produit lorsqu'on reste trop longtemps ici. On perd tout ce qui constituait notre identité. Cet endroit vous le dérobe.

— Je ne sais pas trop, ai-je marmonné en me détournant. C'est très flou.

— Ses cheveux étaient-ils dorés ?

Xavier raffolait de l'or.

— Non, ai-je affirmé, presque sûr de moi sans me rappeler pourquoi.

J'ai fixé la paroi de la grotte en m'efforçant de dessiner son visage. Une idée unique m'a soudain traversé l'esprit.

— Des boucles. Des tas de boucles.

— La fille ?

— Oui.

J'ai examiné les saillies rocheuses au plafond de la caverne.

— Lena, ai-je lâché.

— C'est son nom ?

J'ai acquiescé, cependant que des larmes se mettaient à dégouliner sur mes joues. J'étais tellement soulagé de me souvenir de son prénom.

Dépêche-toi, Lena. L'heure tourne.

Lorsque le corbeau est revenu, j'avais oublié. Mes souvenirs étaient pareils à des rêves, sinon que je ne dormais pas. J'observais Xavier. Je comptais des boutons, je listais des pièces de monnaie. Je contemplais le ciel.

Exactement l'activité à laquelle j'étais en train de m'adonner, sauf que cet imbécile d'oiseau n'arrêtait pas de crier en agitant ses immenses ailes.

— Fiche-moi le camp !

Il a croassé encore plus fort.

Roulant sur le flanc, j'ai essayé de le chasser. C'est alors que j'ai découvert le *Livre*, dans la terre près de moi.

— Xavier ? ai-je appelé d'une voix chevrotante. Venez voir.

— Qu'y a-t-il, jeune défunt ? a-t-il répondu depuis l'intérieur de la grotte.

— Le *Livre des lunes*.

Je m'en suis emparé. Il était tiède entre mes paumes, mais ma peau ne brûlait pas. Je me suis pourtant rappelé qu'elle aurait dû.

Tenir l'ouvrage a ranimé ma mémoire, qui m'a soudain submergé comme un torrent en crue. De même qu'il m'avait un jour ressuscité, il me rendait ma vie à présent. J'étais capable de me représenter le moindre détail passé. Les endroits où j'étais allé ; les choses que j'avais faites ; les gens que j'aimais.

Je discernais le visage délicat de Lena. Ses yeux or et vert, la tache de naissance en croissant de lune sur sa joue. Me revenaient les citrons et le romarin, des vents forts comme des ouragans et des combustions spontanées. Tout ce qui constituait Lena, la fille dont j'étais épris.

J'avais recouvré mon intégrité.

J'ai compris qu'il me fallait partir d'ici avant que les lieux ne m'engloutissent complètement.

Serrant le livre à deux mains, je l'ai porté dans la caverne. Il était temps de passer un marché.

À chaque pas, le volume s'alourdissait. Il ne me ralentissait pas, cependant. Rien ne le pouvait, plus maintenant.

Pas tant qu'il y aurait encore des étapes à franchir.

Les Portes de la Garde Suprême s'élevaient devant moi, hautes et imposantes. À présent, je saisissais l'obsession de Xavier pour l'or. Les grilles étaient d'un brun noirâtre sale qui dissimulait vaguement le métal précieux en dessous. Elles étaient immenses comme des pointes sinistres. Elles ne paraissaient pas donner sur un lieu où l'on pouvait avoir envie de se rendre.

— Elles ont l'air malfaisantes, ai-je dit.

Xavier a suivi mon regard jusqu'au sommet des piques.

— Elles sont ce qu'elles sont, a-t-il répondu. Le pouvoir n'est ni bon ni méchant.

— Peut-être. Il n'empêche, cet endroit est malsain.

— Ethan. Vous êtes un Mortel fort. Vous contenez plus de vie que n'importe quel défunt que j'ai croisé. (Voilà qui, bizarrement, ne m'a guère réconforté.) Je ne puis ouvrir les Portes si vous ne souhaitez pas réellement les franchir.

J'ai décelé une sorte de menace derrière ces mots.

— Il le faut. Je dois retourner à Lena et à Amma, à Link, à mon père et à Marian, à Liv et à tout le monde.

Leurs visages ont défilé dans mon crâne. Chacun d'eux, à tour de rôle. J'ai eu l'impression d'être cerné par eux, par leurs esprits et le mien. Je me suis souvenu de ce qu'était l'existence parmi eux, mes amis.

Je me suis rappelé ce qu'était la vie.

— Lena. La fille aux boucles d'or ? s'est enquis Xavier avec curiosité.

À quoi bon lui expliquer ? Pas à lui. Je me suis borné à opiner, c'était plus facile.

— Et vous l'aimez ? a-t-il insisté avec encore plus de curiosité.

— Oui, ai-je affirmé sans l'ombre d'un doute. Je l'aime au-delà de l'univers. Je l'aime dans ce monde et le prochain.

Il a cligné des yeux, sans expression aucune.

— Ma foi, ça paraît sérieux.

J'ai failli sourire.

— Oui. J'ai essayé de vous le dire. C'est ainsi.

Il m'a longuement observé avant de finalement hocher la tête.

— Très bien. Suivez-moi.

Sur ce, il s'est engouffré sur le sentier poussiéreux devant nous.

Le chemin sinuait avant de se transformer en un incroyable escalier rocheux. Nous l'avons escaladé jusqu'à une étroite falaise qui surplombait ce qui avait des allures d'oubli. Lorsque j'ai tenté de regarder par-dessus la saillie, je n'ai vu que nuages et ténèbres.

Face à moi, les monstrueuses Portes noires. Au-delà, rien n'était discernable. Cependant, des bruits horribles me sont parvenus : cliquetis de chaînes, gémissements et cris.

— On dirait l'enfer.

Xavier a secoué le menton.

— Non. Ce n'est que la Garde Suprême.

Il s'est placé devant moi, me bloquant le passage.

— Êtes-vous certain de vouloir continuer, jeune défunt ?

J'ai acquiescé sans quitter des yeux son visage meurtri.

— Humain. Celui qu'on appelle Ethan. Mon ami, a-t-il poursuivi.

Ses prunelles ont pâli et se sont vitrifiées, comme s'il entrait en transe.

— Qu'y a-t-il, Xavier ?

J'étais impatient : j'étais surtout terrifié. Plus nous nous attardions dehors à écouter les sons atroces de ce qui se tramait de l'autre côté – quoi que ce soit –, plus mon état empirait. Je redoutais de perdre les pédales, de renoncer, de tourner les talons, de gâcher tout ce que Lena avait sans doute affronté pour récupérer le *Livre des lunes*.

— Proposez-vous un échange, jeune défunt ? m'a demandé Xavier en ignorant ma propre question. Que m'offrez-vous pour que je vous ouvre les Portes ? Comment proposez-vous de payer votre entrée dans l'enceinte de la Garde Suprême ?

Je suis resté planté là.

Il a soulevé une paupière, a sifflé :

— Le *Livre*. Remettez-moi le *Livre*.

J'ai obéi, sauf que je n'ai pas réussi à le lâcher. À croire que l'ouvrage et moi ne formions plus qu'un, mais relié à Xavier.

— Qu'est-ce...

— J'accepte cette offrande. En retour, j'ouvre les Portes de la Garde Suprême.

Le corps du Factionnaire a brusquement perdu toute consistance, et un tas d'étoffe est tombé sur le *Livre*.

— Ça va, Xavier ?

— Chut !

Ce son montant du monceau de tunique a été le seul signe m'indiquant qu'il était vivant.

Un nouveau bruit a retenti, celui de rochers qui s'écrasaient ou de voitures qui se tamponnaient – en vérité, ce n'étaient que les énormes Portes qui s'écartaient. Comme si elles n'avaient pas bougé depuis un millénaire. Les battants noircis ont peu à peu dévoilé le monde qu'ils dissimulaient.

Une bouffée de soulagement mêlé d'épuisement et d'adrénaline a accéléré les battements de mon cœur, tandis qu'une pensée se répétait dans mon cerveau.

Ça sera bientôt terminé, forcément.

J'avais sûrement accompli le plus dur. J'avais payé le Passeur. J'avais traversé la rivière. J'avais obtenu le *Livre*. J'avais conclu un marché.

J'ai réussi à atteindre la Garde Suprême. Je suis presque rentré. J'arrive, L.

Encore une fois, son visage s'est dessiné devant moi. Je me suis vu la regarder et la serrer de nouveau contre moi.

Ce ne serait plus très long.

Enfin, c'est ce que je croyais quand j'ai franchi les Portes.

Chapitre 31
Gardiens des secrets

J'ai oublié ce que j'ai découvert quand je suis entré à l'intérieur de la Garde Suprême. Ce dont je me souviens, ce sont mes émotions. Une terreur absolue. L'incapacité de mon regard à se poser sur quoi que ce soit, à trouver quoi que ce soit de familier auquel se raccrocher. Rien qu'il ne soit en mesure de saisir. Aucun des univers que je connaissais ne m'avait préparé au monde que j'ai alors affronté.

Cet endroit était glacial et maléfique, à l'instar de la forteresse de Sauron dans *Le Seigneur des Anneaux*. J'avais l'impression d'être surveillé, le sentiment qu'une sorte d'œil omniprésent voyait ce que je voyais et éprouvait la frayeur la plus enfouie dans mon cœur afin de l'exploiter.

Je me suis éloigné des Portes, encadré par de hauts murs menant à un promontoire, d'où j'ai distingué l'essentiel d'une vaste ville. Comme si j'avais observé une vallée depuis le sommet d'une montagne. En bas, la cité s'étendait à l'infini, succession de constructions. À l'examiner de plus près, je me suis rendu compte qu'elle n'avait pas l'air d'une ville normale.

C'était un dédale, un énorme réseau de sentiers entremêlés taillés dans des haies me séparant d'un immeuble doré qui transperçait la ligne d'horizon, au loin.

C'était le bâtiment que je devais atteindre.

— Es-tu venu affronter le labyrinthe ? Es-tu ici pour les jeux ?

Me retournant, j'ai découvert un homme d'une pâleur surnaturelle, semblable aux Gardiens qui avaient surgi à la bibliothèque municipale de Gatlin avant le procès intenté à Marian. Ses prunelles étaient opaques et ses lunettes prismatiques, typiques des Gardiens.

Il était affublé d'une tunique noire pareille à celle des membres du Conseil qui avaient condamné Marian – ou, du moins, avaient essayé avant que Macon, John et Liv ne les en empêchent.

Les trois personnes les plus courageuses que j'aie rencontrées. Il m'était impossible de les laisser tomber maintenant.

Ni Lena. Ni quiconque, d'ailleurs.

— Je suis ici pour la bibliothèque, ai-je répondu. Pouvez-vous m'indiquer le chemin ?

— C'est bien ce que je disais. Les jeux.

Il a désigné une cordelette dorée drapée autour de son épaule.

— Je suis un officier, a-t-il enchaîné. Mon travail est de veiller à ce que les visiteurs de la Garde ne s'égarent pas.

— Pardon ?

— Tu souhaites accéder à la Grande Garde ? Est-ce là ton désir ?

— Oui.

— Alors, tu es là pour les jeux, a-t-il expliqué en montrant le lacis de haies vertes. Si tu survis au labyrinthe, tu y arriveras. (Son doigt a balayé les tours de l'immeuble doré.) La Grande Garde.

Je ne tenais pas du tout à me frayer un chemin dans un réseau trompeur. L'Autre Monde ne ressemblait qu'à un

gigantesque dédale, et je ne souhaitais qu'une chose : en sortir.

— Vous semblez ne pas comprendre. N'existe-t-il pas une sorte de portail ? Un endroit susceptible de m'y conduire sans que j'aie besoin de participer à des jeux ?

Je n'avais pas le temps pour ce genre de bêtises. Il me fallait trouver les *Chroniques des Enchanteurs* puis décamper. Rentrer à la maison.

Allez, quoi !

L'homme a abattu la main sur mon bras, et j'ai failli me casser la figure. Il était d'une force stupéfiante, comme Link et John.

— Ce serait trop facile, a-t-il objecté. Où serait l'intérêt ?

Je me suis efforcé de cacher mon agacement.

— Que vous dire ? D'entrer, par exemple ?

Il a froncé les sourcils.

— D'où viens-tu ?

— De l'Autre Monde.

— Écoute-moi bien, jeune défunt. La Grande Garde n'a rien de commun avec l'Autre Monde. Elle a beaucoup de noms. Les Nordiques l'appellent Walhalla, le Palais des Seigneurs. Pour les Grecs, c'est l'Olympe. Elle a autant d'appellations qu'il existe d'hommes pour les prononcer.

— OK. Je suis complètement d'accord. Mais moi, je veux juste me rendre dans la bibliothèque. Alors, s'il était possible de m'adresser à quelqu'un qui...

— Il n'existe qu'un chemin qui conduise à l'intérieur de la Grande Garde. Le Chemin du Guerrier.

J'ai poussé un gros soupir.

— C'est tout ? Pas de porte ? Pas même un Portail du Guerrier ?

— Non. La Grande Garde n'a pas de portes.

Tu m'étonnes !

— Un escalier, alors ?

Il a secoué la tête.

— Une allée ?

Mon interlocuteur a jugé que notre conversation était terminée.

— Un seul accès, a-t-il conclu. Une mort honorable. Et une seule issue.

— Cela signifie-t-il que je risque d'être encore plus mort que je ne le suis déjà ?

Il a eu un sourire poli. J'ai insisté :

— Et en quoi consiste exactement une mort honorable ?

— Affronter le labyrinthe. Il fera ce qu'il veut de toi. Tu dois accepter ton destin.

— Et pour ce qui est de s'en aller ?

— Personne ne part, sauf si nous en décidons autrement.

Génial !

— Eh bien, merci pour le renseignement.

Que pouvais-je dire d'autre, hein ?

— Bonne chance, jeune défunt. Puisses-tu te battre en paix.

— Ouais. Pas de souci. J'espère.

L'étrange Gardien, s'il en était bien un, a regagné son poste de garde.

J'ai contemplé le vaste dédale en me demandant dans quoi je m'étais encore fourré et comment j'allais réussir à m'en sortir.

On a tort de remplacer « mourir » par « trépasser ». « Surpasser » conviendrait mieux.

En effet, la partie ne faisait que se compliquer après que j'avais déjà perdu. Et j'étais plus qu'inquiet à l'idée qu'elle venait à peine de débuter.

Inutile de tergiverser. La seule façon de traverser ce fichu labyrinthe était, comme pour tant d'épreuves déplaisantes, de s'y attaquer.

Je devais me frayer un chemin dedans à la dure.

À la Guerrier, ou que sais-je ?

Quant à me battre en paix… Qu'est-ce que cette drôle de formulation cachait, nom d'un chien ?

C'est aux aguets que j'ai descendu d'un pas hésitant un escalier taillé dans la roche. Au fur et à mesure que je me rapprochais de la vallée, les marches s'élargissaient jusqu'à devenir de vastes saillies pentues entre les dalles desquelles poussait de la mousse verte, aux parois desquelles s'accrochait du lierre. Au pied des gradins entourés de murs, j'ai débouché dans un jardin immense.

Pas un comme ceux où les habitants de Gatlin cultivaient leurs tomates derrière leurs climatiseurs. Plutôt un comme on l'entend lorsqu'on parle du jardin d'Éden – et pas le fleuriste de la Grand-Rue.

C'était comme un rêve. En effet, les couleurs juraient. Elles étaient trop vives et trop nombreuses. À force d'avancer, j'ai compris où je me trouvais.

Dans le fameux labyrinthe.

Des rangées de haies constituées d'une multitude de buissons fleuris enchevêtrés qui donnaient au parc de Ravenwood des allures de jardinet mal entretenu.

Plus je progressais, moins j'avais l'impression de marcher et plus celle de crapahuter entre des taillis impénétrables. Je pliais des branches, donnais des coups de pied dans des bosquets et des broussailles qui m'arrivaient à la taille. Marche ou crève. C'est ce qu'aurait grommelé Amma. Autrement dit, continue tes efforts.

Un souvenir m'est soudain revenu. Un jour, à neuf ans, j'avais tenté de rentrer à la maison à pied depuis Wader's Creek. J'avais fouillé dans l'atelier d'Amma, lequel n'avait rien d'un atelier mais abritait les ingrédients de ses divers sortilèges. Elle m'avait secoué pour m'apprendre à fourrer mon nez là où il n'était pas le bienvenu, et j'avais rétorqué que, puisque c'était ainsi, je repartais chez nous.

— Je retrouverai mon chemin, avais-je lancé.

Sauf que je ne l'avais pas trouvé, ni aucun autre au demeurant. Je m'étais de plus en plus enfoncé dans les marais, effrayé par les claquements des queues d'alligators sur la surface de l'eau. Je ne m'étais rendu compte qu'Amma m'avait suivi que lorsque j'étais tombé à genoux, en larmes. Elle avait alors surgi sous la lune, poings sur les hanches.

— À mon avis, tu serais obligé de semer des miettes de pain si tu voulais vraiment fuguer, avait-elle commenté.

Puis, sans ajouter un mot, elle m'avait tendu la main.

— Je me serais débrouillé sans toi, avais-je insisté.

— Je n'en doute pas un instant, Ethan Wate.

Malheureusement, là, tandis que j'écartais des ronces de devant mon visage, je n'avais pas d'Amma pour me remettre sur le droit chemin. Force m'était de me dépatouiller tout seul.

C'était comme labourer le champ de la Lilum afin d'irriguer Gatlin.

Ou sauter du château d'eau de Summerville.

Il ne m'a guère fallu de temps pour m'apercevoir que j'étais dans une galère identique à ce jour où je m'étais égaré dans le bayou. J'arpentais encore et encore le même sentier, à moins qu'un autre type portant des Converse d'une taille identique à la mienne traîne dans le coin également. Bref, j'étais tout aussi perdu que si j'avais voulu revenir de Wader's Creek à la maison.

Je me suis contraint à réfléchir.

Un dédale n'est jamais qu'un gigantesque puzzle.

Je prenais mal le problème. Il fallait que je marque les allées que j'avais déjà empruntées. Des miettes de pain, pour reprendre le conseil d'Amma.

J'ai dénudé le buisson le plus proche de ses feuilles, que j'ai fourrées dans mes poches. Puis, gardant la paume droite sur le mur végétal, j'ai repris ma route, tout en lâchant de la gauche une feuille lustrée tous les quelques pas.

Finalement, c'était comme ces labyrinthes pratiqués dans les champs de maïs pour les touristes, en plus grand. La solution était de se guider selon la même main sur les épis jusqu'à ce qu'on tombe sur une impasse. On repartait alors en arrière en suivant la main opposée. Tous ceux qui se sont adonnés à ce genre d'amusement vous l'expliqueront.

J'ai donc avancé à main droite jusqu'à ce que je déboule dans un cul-de-sac. Là, j'ai changé de sens et de miettes de pain, remplaçant les feuilles par des cailloux.

Après ce qui a semblé des heures à errer de-ci de-là, à me casser le nez sur des voies sans issue successives et à piétiner les mêmes pierres et les mêmes feuilles, j'ai fini par me retrouver au cœur du dédale, là où tous ses chemins aboutissaient. Mais le milieu n'était pas la sortie. C'était une fosse cernée de ce qui ressemblait à d'énormes murs de boue. D'épaisses volutes de brouillard blanc sont montées vers moi, et j'ai été obligé de me rendre à l'évidence.

Le labyrinthe n'en était pas un.

C'était une impasse.

Au-delà de la brume et de la terre, il n'y avait que des taillis impénétrables.

Continue. Avance et repère-toi.

J'ai fait plusieurs pas, me frayant un passage à coups de pied dans le brouillard qui s'accrochait au sol. Soudain, j'ai trébuché sur un obstacle long et dur. Un bâton ou un tuyau, peut-être.

J'ai essayé d'être plus attentif, mais le coton blanc qui m'enveloppait rendait ma progression difficile. C'était un peu comme si j'avais regardé quelque chose avec des lunettes enduites de vaseline. Alors que je me rapprochais du centre, la brume s'est éclaircie, et j'ai de nouveau failli tomber.

Cette fois cependant, j'ai distingué ce sur quoi j'avais buté.

Ce n'était ni un tuyau ni un bâton.

C'était un os humain.

Long et frêle, il avait dû appartenir à une jambe ou à un bras.

— Sainte merde de Dieu !

J'ai tiré dessus, et il s'est libéré, envoyant rouler au passage un crâne dans ma direction. La terre alentour était jonchée d'ossements aussi longs et nus que celui que je tenais.

Je l'ai lâché, j'ai reculé et chancelé sur ce que j'ai cru être une pierre. Sauf que c'était encore un crâne. Je me suis mis à courir, ne cessant de déraper et de perdre pied, allant jusqu'à me tordre la cheville dans l'anneau d'un vieux bassin et à déchirer mes Converse sur un morceau de colonne vertébrale.

Suis-je en train de rêver ?

Qui plus est, j'avais un sentiment de déjà-vu. L'impression de foncer vers un endroit que je connaissais. Ce qui était insensé, parce que je ne me rappelais pas avoir vu de fosse, d'ossuaire ni avoir erré comme une âme morte.

N'empêche.

J'étais presque sûr d'être venu ici, d'y avoir toujours été, d'en avoir été le prisonnier. À l'instar de chacun des sentiers que j'avais essayés dans ce dédale.

Il ne faut pas en sortir, mais le traverser.

Je devais avancer. Je devais affronter ces lieux, cette fosse macabre. Où qu'elle me conduise et vers qui.

C'est alors qu'une ombre a émergé. Je n'étais pas seul.

Au-delà de l'espace dégagé, une personne était assise sur ce qui ressemblait à une caisse juchée sur un monticule atroce de restes humains. Non… c'était un fauteuil, le dossier était plus haut, les accoudoirs plus larges que la structure de base.

Un trône.

La silhouette s'est esclaffée avec une assurance ahurissante, cependant que le brouillard se levait et révélait l'étendue du champ de bataille jonché de cadavres. Cet environnement monstrueux était indifférent à l'occupant du siège.

À elle.

Parce que, alors que la brume s'effilochait pour révéler le centre de la fosse, j'ai immédiatement reconnu qui se tenait, hautaine, sur le trône d'ossements. Dont le dossier était fait de dos cassés, les accoudoirs de bras brisés, les pieds de pieds mutilés.

La Reine des Défunts et des Damnés.

Qui riait si fort que ses boucles noires serpentaient en l'air, telles les vipères du poignet d'Obidias. Mon pire cauchemar.

Sarafine Duchannes.

Chapitre 32
Un trône d'ossements

Son manteau noir claquait au vent, telle une ombre menaçante. La brume s'enroulait autour de ses bottes à boucles noires avant d'être aspirée par les ténèbres, comme si Sarafine était en mesure de l'attirer à elle. Ce qui était peut-être le cas. Après tout, c'était un Cataclyste, l'Enchanteresse la plus puissante des deux univers.

La deuxième plus puissante, en tout cas.

Elle a repoussé son manteau, dégageant ses épaules et ses longs cheveux bruns ondulés. Un grand froid m'a saisi tout entier.

— Le karma est une chiennerie, n'est-ce pas, jeune Mortel ? a-t-elle lancé d'une voix forte et assurée.

Pleine d'énergie et de malignité. Elle s'est étirée avec délectation, a serré ses doigts griffus autour des accoudoirs en os.

— Je réserve mon avis, Sarafine. Face à vous, du moins.

Je me suis efforcé de répondre sur un ton égal. La rencontrer de mon vivant m'avait amplement suffi. La recroiser à présent, c'était une fois de trop.

— Est-ce pour cela que tu te caches ? s'est-elle moquée en m'invitant d'un doigt crochu à me rapprocher. Je t'effraye toujours autant ?

J'ai avancé d'un pas.

— Je n'ai pas peur de vous.

— Ce n'est pas moi qui te le reprocherais, a-t-elle commenté en inclinant la tête. Car je t'ai tué. Un coup de couteau dans le torse, une lame plongée dans ton sang tiède de Mortel.

— Je ne m'en souviens plus, ça remonte à trop loin. Il faut croire que vous n'êtes pas aussi marquante que ça, finalement.

J'ai croisé les bras, histoire de montrer ma détermination à ne pas céder de terrain. Boudeur.

Sans résultat notoire.

Elle m'a expédié une boule de brouillard qui m'a submergé, comblant l'espace qui nous séparait. Je me suis senti attiré vers elle malgré moi, comme si elle me tenait en laisse.

Ainsi, même ici, elle avait conservé ses pouvoirs.

Une bonne chose à savoir.

J'ai trébuché sur un squelette qui n'était pas humain, celui d'une créature deux fois plus grosse que moi et dotée de deux fois plus de bras et de jambes. J'ai dégluti. Des êtres bien plus solides qu'un péquenot de Gatlin avaient trouvé la mort en ces parages. J'ai prié pour que Sarafine ne soit pas celle qui avait scellé leur destin.

— Que faites-vous ici, Sarafine ? ai-je demandé en plantant les talons dans la terre et en essayant de dissimuler ma frousse.

Elle s'est rencognée sur son trône d'ossements, a examiné les ongles de l'une de ses serres.

— Moi ? Ma foi, récemment, j'ai passé l'essentiel de mon temps à être morte. Comme toi. Mais... un instant ! Tu étais là. Tu as assisté au trépas que ma fille m'a infligé en m'immolant. Charmante gamine. Ah, ces ados ! Indomptables !

Sarafine n'avait pas le droit de parler de Lena. Ce droit, elle y avait renoncé lorsqu'elle s'était éloignée de sa maison en flammes en y abandonnant son bébé. Quand elle avait tenté de la tuer, de la même façon qu'elle avait éliminé le père de Lena. Ainsi que moi.

J'ai failli me jeter sur elle, mais mon instinct m'a retenu.

— Vous n'êtes rien, Sarafine. Vous êtes un fantôme.

Ce dernier mot lui a arraché un sourire, cependant qu'elle mordillait le bout de l'un de ses longs ongles noirs.

— Un statut que toi et moi partageons, désormais, a-t-elle répliqué.

— Nous n'avons rien en commun, ai-je objecté, les poings serrés. Vous me donnez la nausée. Et si vous disparaissiez de ma vue ?

Je ne me contrôlais plus. Or je n'étais pas en position de lui lancer des ordres. J'étais désarmé, face à elle, qui me bloquait la route. J'avais beau me creuser la cervelle, je ne disposais d'aucun moyen de pression. Sachant qu'il ne fallait jamais permettre à Sarafine de prendre l'avantage.

Tuer ou être tué, telle était sa devise. Quand bien même nous aurions dû à présent dépasser un stade aussi Mortel que l'était la mort.

— *De ta vue ?* a-t-elle grondé, avant d'éclater d'un rire glacial qui a dégouliné le long de ma colonne vertébrale. Ta chérie aurait mieux fait d'y réfléchir à deux fois avant de me massacrer. C'est par sa faute que je suis ici. Sans cette sale petite ingrate, je continuerais à hanter le monde des Mortels, au lieu d'être coincée dans l'obscurité, d'être contrainte de me battre contre les spectres de garçons égarés minables.

J'étais maintenant assez proche d'elle pour distinguer ses traits. Elle avait une sale mine, même pour elle. Sa robe était déchirée, son corsage réduit à des lambeaux calcinés. De la suie maculait son visage, ses cheveux empestaient la fumée.

Elle a tourné vers moi ses prunelles furieuses et blanches – laiteuses, emplies d'une lumière opaque que je ne lui connaissais pas.

— Sarafine ?

Interloqué, j'ai reculé. À cet instant, elle m'a frappé d'une décharge électrique, et l'odeur de chair brûlée a chatouillé mes narines à une vitesse incroyable.

Un hurlement démentiel a retenti. Un masque funéraire inhumain a remplacé ses traits. Ses dents paraissaient aussi acérées que le poignard qu'elle brandissait à quelques centimètres de ma gorge. En grimaçant, j'ai réussi à échapper à la lame, mais j'ai compris qu'il était trop tard. Je ne lui échapperais pas.

Lena !

Sarafine a soudain stoppé net, comme si un courant invisible la ramenait vers le trône. Au bout de ses bras tendus, la dague était secouée par des convulsions rageuses.

Quelque chose clochait.

Elle a titubé, est retombée sur son siège dans un cliquetis de chaînes. Elle a lâché son arme, mouvement qui a écarté les pans de sa robe. Alors, j'ai découvert des fers à ses chevilles, qui la clouaient aux pieds du fauteuil mortifère.

Elle n'était pas la Reine des Enfers ; elle n'était qu'un chien en colère prisonnier de sa niche. Elle a ululé en abattant les poings sur les accoudoirs en os. J'ai fait quelques pas de côté, elle ne m'a pas regardé.

J'ai saisi.

Ramassant un fémur, je l'ai lancé dans sa direction. Elle n'a pas réagi avant qu'il ne touche son trône et ne s'écrase sur les piles de restes qu'elle piétinait.

— Pauvre idiot ! a-t-elle craché, secouée par la fureur.

Sauf que j'avais découvert la vérité.

Ses yeux blancs ne voyaient rien.

Ses pupilles étaient fixes.

Elle était aveugle.

Peut-être à cause du feu qui l'avait dévorée. Le souvenir de la fin atroce de sa vie atroce m'est revenu avec une clarté aiguë. Les mutilations que le bûcher lui avait infligées n'avaient pas disparu ici. Il y avait pire, cependant. Un événement s'était forcément produit. Le feu n'expliquait pas les chaînes.

— Qu'est-il arrivé à vos yeux ?

Elle s'est ratatinée en entendant ma question. Or elle n'était pas du genre à montrer ses faiblesses. Plutôt de celui à les détecter chez les autres et à les exploiter.

— C'est mon nouveau look. Une vieille femme aveugle, à l'instar des Parques ou des Furies. Qu'en dis-tu ?

Ses lèvres se sont retroussées sur ses dents, elle a émis un grondement. Comme il était impossible d'éprouver de la compassion pour elle, je m'en suis abstenu. Il n'empêche, elle avait l'air amer, brisé.

— J'apprécie la laisse, ai-je répondu.

Son rire m'a évoqué le sifflement d'un animal blessé. Elle s'était métamorphosée en une créature qui n'avait plus rien d'une Enchanteresse des Ténèbres. En un monstre, au destin peut-être encore plus horrible que celui de Xavier ou du Maître de la Rivière. Elle avait perdu la partie.

— Mais votre cécité ? ai-je insisté. Est-ce le feu ?

Lorsqu'elle a répondu, le blanc de ses yeux a semblé brûler.

— La Garde Suprême a décidé de s'amuser un peu à mes dépens. Angelus n'est qu'un porc sadique. Il a jugé que le jeu serait plus équitable si je me battais sans voir mes adversaires. Histoire de m'apprendre à ressentir l'impuissance.

En soupirant, elle a ramassé un tibia.

— Non que cela m'ait beaucoup gênée pour l'instant, a-t-elle terminé.

J'ai contemplé la mer d'ossements qui l'entourait, les taches de sang qui maculaient la terre.

— Mais pourquoi ? ai-je lâché. À quoi bon ? Vous êtes morte, moi aussi. Quelle raison avons-nous encore de lutter ? Envoyez donc cet Angelus de malheur se jeter...

— Du haut d'un château d'eau ? a-t-elle rigolé.

J'avais tapé juste, cependant, si on réfléchissait bien. Tout ceci commençait à avoir des allures de *Terminator*, entre nous. Si je l'éliminais maintenant, j'imaginais sans peine que son squelette aux prunelles rougeoyantes continuerait à ramper à travers la fosse afin de me tuer à mille reprises.

— Que fiches-tu ici ? a-t-elle demandé en cessant brusquement de rire. Pose-toi la question, Ethan.

Elle a levé la main, et j'ai senti ma gorge se serrer. J'ai haleté, la respiration coupée. J'ai voulu reculer, en vain. Même enchaînée comme un chien, elle était encore assez forte pour me pourrir la vie – du moins, ce qui m'en restait.

— Je cherche à entrer dans la Grande Garde, ai-je soufflé, à moitié étranglé.

Est-ce que je respire, seulement, ou est-ce que je l'imagine ?

Ainsi qu'elle l'avait signalé, elle m'avait déjà tué. Qu'y avait-il d'autre à éliminer ?

— Je veux juste arracher ma page, ai-je poursuivi. Vous ne croyez tout de même pas que j'ai envie de passer l'éternité ici, à errer au milieu d'un dédale d'ossements ?

— Tu ne réussiras pas à tromper la surveillance d'Angelus. Il préférerait mourir plutôt que de te laisser approcher des *Chroniques des Enchanteurs*.

Sarafine a souri, a agité les doigts, et j'ai de nouveau manqué d'oxygène. J'avais désormais l'impression que ses mains enserraient mes poumons.

— Alors, je le tuerai !

J'ai enroulé mes propres doigts autour de mon cou. Mon visage devait être violacé.

— Les Gardiens sont déjà au courant de ta présence ici. Ils ont envoyé un officier afin de t'inciter à pénétrer dans le labyrinthe. Ils n'auraient raté ce divertissement pour rien au monde.

Elle s'est retournée comme pour regarder par-dessus son épaule, geste inutile, ce dont elle et moi étions conscients. Par habitude, sans doute.

— Il n'empêche, je me dois d'essayer. C'est le seul moyen que j'ai de rentrer chez moi.

— Et vers ma fille ? a râlé Sarafine en agitant ses chaînes avec répulsion. Tu ne renonces jamais, hein ?

— Jamais !

— Une vraie maladie.

Elle s'est mise debout pour s'accroupir ensuite, pareille à une fillette démoniaque trop vite grandie, et m'a libéré de son emprise. Je me suis affalé sur un tas d'os.

— Penses-tu réellement avoir une chance contre Angelus ?

— Je suis prêt à tout pour retrouver Lena, ai-je riposté en fixant ses yeux morts. Je vous le répète, je le liquiderai si nécessaire. Sa part Mortelle, en tout cas. J'en suis capable.

J'ignore pourquoi j'ai parlé ainsi. Peut-être pour tenter de la convaincre, des fois qu'une part d'elle tienne encore à Lena. Une part d'elle, n'importe laquelle, qui ait besoin d'entendre que je ferais tout au monde pour rejoindre Lena.

Tout au monde.

Un instant, elle n'a pas bronché.

— Tu en es persuadé, hein ? a-t-elle fini par dire. Adorable. Dommage que tu doives mourir de nouveau, jeune Mortel. Tu m'auras amusée.

Une lumière a illuminé la fosse, comme si nous étions deux gladiateurs sur le point de lutter à mort dans l'arène.

— Je ne veux pas me battre. Pas contre vous, Sarafine.

— Décidément, a-t-elle rétorqué avec un sourire sinistre, tu ignores tout des règles, hein ? Le perdant affronte les Ténèbres Éternelles. C'est pourtant simple.

Elle s'exprimait comme si elle s'ennuyait.

— Parce qu'il existe plus Ténébreux que ceci ?

— Beaucoup plus, oui.

— S'il vous plaît, je souhaite seulement retourner à Lena. À votre fille. Je désire la rendre heureuse. Je sais que ces mots n'ont guère de sens pour vous, je sais aussi que vous n'avez jamais œuvré que pour votre propre bonheur, mais je n'exige rien de plus.

— Moi aussi, je veux quelque chose.

Elle a tordu la brume entre ses doigts jusqu'à ce qu'elle se transforme en une boule rouge et vivante, une boule de feu. Puis elle m'a regardé droit dans les yeux, bien qu'elle ne voie rien.

— Tue Angelus.

Sur ce, elle a entonné un sortilège, dont les mots m'ont échappé, car des flammes ont surgi à la base du trône pour se répandre dans toutes les directions en rugissant. L'incendie s'est rapproché, de plus en plus, virant de l'orange au bleu puis au violet, embrasant les ossements les uns après les autres.

J'ai reculé.

Que se passait-il ? Le sinistre s'est amplifié à une vitesse qu'il m'était impossible de fuir. Sarafine n'a pas tenté de l'étouffer.

Au contraire, elle l'alimente !

— Que faites-vous ? ai-je crié. Vous êtes folle ?

Elle était à présent cernée par le brasier.

— C'est une lutte à mort. Vouée à une destruction définitive. Il n'y a qu'un survivant. Or j'ai beau te détester, je hais Angelus encore plus que toi.

Elle a brandi les bras au-dessus de sa tête, et le feu a grimpé comme si elle en tirait les flammes à l'aide de ficelles.

— Débrouille-toi pour qu'il paye.

Son manteau s'est embrasé, ses cheveux se sont racornis.

— Vous n'avez pas le droit d'abandonner ! ai-je hurlé.

J'ignore si elle m'a entendu. Je ne la distinguais plus, derrière la barrière incandescente.

Sans réfléchir, je me suis jeté dedans. Je ne crois pas que j'aurais pu m'en empêcher, quand bien même je l'aurais voulu. Ce qui n'était pas le cas.

Elle ou moi.

Lena ou les Ténèbres Éternelles.

Aucune importance. Il était exclu que j'assiste sans réagir à la mort d'un chien enchaîné. Pas même de Sarafine.

Il s'agissait moins d'elle que de moi.

J'ai tendu les mains vers les fers de ses chevilles, je les ai frappés avec un os arraché au trône.

— Il faut que nous filions d'ici !

J'étais entièrement encerclé quand elle a Hurlé. Sa voix s'est répercutée sur la terre nue avant de s'élever au-dessus de la fosse. On aurait dit une bête féroce à l'agonie. L'espace d'une seconde, il m'a semblé que les lointaines flèches d'or de la Grande Garde vacillaient sous l'effet de ses cris.

Le corps en feu de Sarafine s'est tordu en arrière, secoué par la souffrance, puis il a commencé à se déliter en minuscules fragments de peau et d'os brûlés. Les flammes l'ont avalée sans que je puisse rien faire. J'aurais aimé réussir à baisser les paupières ou à me détourner, mais j'avais l'impression qu'être témoin de ses derniers instants s'imposait. Ou alors, je ne voulais pas qu'elle meure seule.

Au bout de quelques minutes longues comme des heures, les restes ultimes de l'Enchanteresse la plus ténébreuse qui ait été dans les deux mondes se sont envolés en cendres froides et grises.

Quant à moi, j'étais pris au piège.

Le feu s'attaquait à mes bras.

Je serai le prochain sur la liste.

J'ai tenté de me représenter Lena une dernière fois, mais je ne pouvais même plus penser. La douleur était intolérable. J'ai compris que j'allais perdre conscience. C'en était fini.

J'ai fermé les yeux…

Lorsque je les ai rouverts, la fosse avait disparu, et je me tenais debout sur le seuil tranquille d'un hall désert, à l'intérieur d'un bâtiment aux allures de château.

Aucune souffrance.

Pas de Sarafine.

Plus de feu.

Épuisé, j'ai essuyé les cendres qui obstruaient mes yeux, et je me suis roulé en boule au pied des portes en bois. C'était terminé. Par terre, des carreaux de marbre avaient succédé aux ossements.

Je me suis efforcé d'examiner les battants. Ils étaient si familiers.

J'avais déjà vécu cette scène. Elle m'était encore plus connue que le sentiment que j'avais éprouvé quand Sarafine était venue à moi.

Sarafine.

Où est-elle à présent ? Où est son âme ?

Je n'avais pas envie d'y songer. Refermant les paupières, j'ai laissé couler mes larmes. Pleurer sur elle, monstre malfaisant, était inconcevable. Personne n'avait jamais pleuré sur elle.

Ce n'était donc pas ça.

Du moins, c'est ce que je me suis répété jusqu'à ce que je cesse de trembler et que je sois en mesure de me relever.

Les chemins de ma vie m'avaient contraint à revenir en arrière, comme si l'univers avait décidé de me forcer à les choisir de nouveau depuis le début. Je me tenais devant l'inimitable portail qui conduisait à tous les autres portails, autres endroits et autres époques.

J'ignorais si j'avais la force de continuer, mais je n'avais pas le courage de renoncer. J'ai effleuré le bois sculpté de l'antique passage Enchanteur.

La *Temporis Porta*.

Chapitre 33
Le chemin du pilote

Inspirant profondément, j'ai essayé de m'ouvrir au pouvoir de la *Temporis Porta*. J'avais besoin de ressentir autre chose que le choc. Malheureusement, ce portail avait tout d'un double battant en bois normal, bien que vieux de mille ans et encadré d'écritures en niadic, une langue encore plus ancienne.

J'ai appuyé les doigts dessus. J'avais l'impression d'avoir le sang de Sarafine sur les mains en ce monde, comme elle avait eu le mien sur les siennes dans le précédent. Que j'aie tenté de l'arrêter n'y changeait rien.

Elle s'était sacrifiée afin de me donner une chance d'atteindre la Grande Garde, même si seule la haine l'avait motivée. Elle m'avait fourni une occasion de rentrer chez moi et vers ceux que j'aimais.

Force m'était de continuer. Comme l'avait stipulé l'officier à mon arrivée, il n'existait qu'une voie susceptible de me mener là où je voulais aller : le Chemin du Guerrier. Il s'agissait peut-être d'une guerre, en effet.

Affreux.

Je me suis efforcé d'oublier l'autre aspect des choses – l'âme de Sarafine emprisonnée dans les Ténèbres Éternelles. Difficile de se représenter les lieux.

J'ai reculé d'un pas afin d'examiner les vastes battants en bois de la *Temporis Porta*. Cette dernière était identique au sas que j'avais découvert dans les Tunnels, sous Gatlin. Celui qui m'avait conduit à la Garde Suprême pour la première fois. Du sorbier orné des cercles des Enchanteurs.

J'ai plaqué la paume sur la surface brute.

Sans grande surprise, le portail a cédé. J'étais le Pilote, et lui permettait d'accéder au chemin. Il était normal qu'il s'écarte devant moi dans cet univers, à l'instar de ce qui s'était produit dans l'autre. Il me montrait la marche à suivre.

J'ai poussé plus fort.

Les portes se sont largement effacées, j'ai franchi le seuil.

Tant de choses m'avaient échappé du temps de mon vivant. Tant de choses que j'avais prises pour acquises. Mon existence ne m'avait pas semblé précieuse quand j'en avais eu une.

Mais ici, j'avais lutté sur une montagne d'ossements, traversé une rivière, rampé sous une montagne, supplié, marchandé et troqué d'un monde à l'autre afin de réussir à me rapprocher de ces portes et de cette salle.

Il ne me restait plus qu'à localiser la bibliothèque.

Une page dans un livre.

Une page dans les Chroniques des Enchanteurs, *et je pourrai réintégrer mes pénates.*

Le sentiment de toucher au but m'a enveloppé tout entier. Je n'avais éprouvé cette émotion qu'une seule fois auparavant, à la Grande Barrière, énième couture entre deux univers. Puis j'avais perçu les claquements du pouvoir dans l'air, la magie. Comme maintenant. J'étais dans un endroit

où de vastes desseins étaient susceptibles de s'accomplir – où ils s'accomplissaient en général.

Certaines salles étaient en mesure de changer le monde.

Les mondes.

Celle-ci, par exemple, avec ses lourdes tentures, ses portraits poussiéreux, ses lambris en bois sombre et ses portes en sorbier. Un lieu où l'on jugeait et où l'on punissait.

Sarafine avait prédit qu'Angelus viendrait à moi. Qu'il m'avait pratiquement invité ici. Il était donc inutile de tenter de me cacher. Dès le départ, il était sûrement à l'origine de ma condamnation à mort.

S'il existait un chemin pour l'éviter, pour pénétrer dans la bibliothèque et accéder aux *Chroniques des Enchanteurs*, je ne l'avais pas encore décelé. J'espérais un peu qu'il se présenterait de lui-même à moi, comme tant d'idées l'avaient fait par le passé, quand mon avenir était en jeu.

Le seul problème était de savoir qui entre Angelus et cette voie se manifesterait en premier.

J'ai décidé de tenter le tout pour le tout et d'essayer de dénicher la bibliothèque avant qu'Angelus ne me saute dessus. Ça aurait été un bon plan s'il avait fonctionné. Car j'avais à peine traversé la pièce que je les ai aperçus.

L'homme au sablier, la femme albinos et Angelus se sont matérialisés devant moi – le Conseil des Gardiens.

Leurs longues tuniques tombaient jusqu'à terre et s'évasaient sur le sol. Ils bougeaient à peine, au point qu'il m'était impossible de dire s'ils respiraient.

— *Puer Mortalis. Is qui, unus, duplex est. Is qui mundo, qui fruit, finem attulit.*

Quand l'un d'eux parlait, c'étaient toutes leurs bouches qui s'agitaient, à croire qu'ils constituaient une seule et unique personne ou, pour le moins, qu'ils étaient animés par un cerveau commun. J'avais failli l'oublier.

Je n'ai pas répondu, pas bronché non plus.

Ils se sont entreregardés avant de reprendre la parole.

— Jeune Mortel, Unique en valant deux, Celui qui a mis fin au monde tel qu'il était.

— Exprimé ainsi, ai-je répliqué, c'est flippant.

Ce n'était certes pas du latin, mais rien de mieux ne m'est venu à l'esprit. À leur tour, ils ont gardé le silence.

Entendant des murmures alentour, je me suis retourné et j'ai découvert que la salle s'était soudain peuplée d'inconnus. J'ai cherché des yeux les tatouages et les prunelles dorées qui trahissaient les Enchanteurs des Ténèbres. Malheureusement, j'étais trop désorienté pour remarquer autre chose que les trois silhouettes en tunique devant moi.

— Fils de Lila Evers Wate, Gardienne décédée de Gatlin.

Les voix chorales ont résonné dans le vaste hall, telles des trompettes. Elles m'ont fait penser à la fanfare du lycée, sous l'égide de Miss Spider. Sans les fausses notes, toutefois.

— En chair et en os, ai-je acquiescé. Ou peut-être pas, ai-je ajouté avec un haussement d'épaules.

— Tu as emprunté le labyrinthe et défait le Cataclyste. Beaucoup s'y sont risqués. Seul toi as été...

Les Gardiens ont marqué une très légère pause, à croire qu'ils ignoraient comment poursuivre. J'ai respiré un bon coup, m'attendant à ce qu'ils lâchent quelque chose du genre « chanceux ».

— Victorieux.

Ils avaient vraiment eu du mal à le sortir.

— Pas franchement, ai-je objecté. Elle s'est plutôt vaincue elle-même.

J'ai froncé les sourcils à l'adresse d'Angelus, qui se tenait entre ses comparses. Je voulais qu'il me regarde. Qu'il comprenne que je savais ce qu'il avait infligé à Sarafine. Enchanteresse enchaînée comme un chien à un trône d'ossements. Quel divertissement plus malsain y avait-il ?

Cependant, il n'a pas réagi.

J'ai avancé d'un pas.

— À moins que *vous* ne l'ayez vaincue, Angelus, ai-je lancé. C'est ce qu'elle a prétendu, du moins. D'après elle,

vous vous êtes régalé des tortures que vous lui avez fait subir. (J'ai observé l'assemblée.) Est-ce ce à quoi s'occupent les Gardiens, par ici ? Parce que ce n'est pas du tout ainsi que se comportent ceux de chez moi. Là-bas, ce sont de braves gens qui se soucient du bien et du mal, de la justice et de l'injustice, etc. Comme ma mère, par exemple.

Je me suis alors tourné vers la foule derrière moi.

— J'ai l'impression que vous autres êtes sacrément tarés ! ai-je insisté.

De nouveau, les trois Gardiens ont parlé à l'unisson.

— Ce n'est pas notre problème. *Victoria spolia sunt.* Le butin revient aux vainqueurs. La dette a été payée.

— À ce propos…

Si je tenais là mon billet de retour pour Gatlin, je désirais m'en assurer. Mais Angelus m'a imposé de me taire en levant une paume.

— En échange, tu as gagné le droit d'entrer en ces lieux, par le Chemin du Guerrier. Pour cela, tu mérites des félicitations.

Le silence s'est installé dans la salle, ce qui ne m'a pas franchement donné l'impression de félicitations, plutôt d'une condamnation imminente. À moins que ce ne soit mes préjugés sur la façon dont se réglaient les choses ici.

— J'ai comme le sentiment que vous n'êtes pas très sincère, ai-je répondu avec un nouveau coup d'œil autour de moi.

L'assistance s'est remise à chuchoter. Les trois membres du Conseil me fixaient. Enfin, je crois. Il était impossible de discerner leurs prunelles derrière les drôles de lunettes à prismes retenues par des brins entrelacés or, argent et cuivre. Je suis reparti à l'attaque.

— À propos de butin, je songeais plutôt à réintégrer Gatlin. Car c'étaient bien les termes du marché, non ? L'un de nous est voué aux Ténèbres Éternelles, l'un de nous a le droit de partir ?

Mes paroles ont déclenché un véritable charivari dans le hall. Angelus a avancé d'un pas.

— Assez ! a-t-il tonné.

La foule s'est aussitôt calmée. Lorsqu'il a enchaîné, il a été seul à s'exprimer cette fois, ses acolytes se bornant à me toiser sans piper mot.

— Le pacte ne concernait que le Cataclyste. Nous n'avons conclu aucun accord avec un Mortel. Jamais nous n'accepterons d'en ressusciter un.

Le passé d'Amma m'est revenu en mémoire, *via* la pierre noire que je conservais dans ma poche. Sulla l'avait avertie qu'Angelus haïssait les Mortels. Il refuserait de me laisser rentrer chez moi.

— Et si le Mortel en question n'avait pas été destiné à se retrouver ici ?

Angelus a écarquillé les yeux.

— J'exige qu'on me rende ma page ! ai-je insisté.

Un hoquet de stupéfaction a secoué les badauds.

— Ce qui est écrit dans les *Chroniques* vaut loi, a sifflé le Gardien. On n'en ôte pas les pages.

— Cela ne vous empêche pourtant pas de les modifier à votre guise, n'est-ce pas ?

J'avais du mal à contenir ma fureur. Ce type m'avait tout pris. Combien d'autres existences avait-il également démolies ? Et ce, dans quel but ? Simplement parce qu'il n'était pas un Enchanteur !

— Tu étais l'Unique en valant deux. Le châtiment était ton sort. Tu as eu tort de mêler la Lilum à des événements qui ne la regardaient pas.

— Une minute. Qu'est-ce que Lilian English… enfin, la Lilum, a à voir avec tout ça ?

Ma prof de littérature, dont le corps avait été possédé par la créature la plus puissante du monde des démons, était celle qui m'avait expliqué ce qu'il m'incombait de faire afin de sauver l'Ordre des Choses.

Était-ce pour cela que le Gardien me punissait ? Avais-je gêné d'une façon quelconque ce qu'il complotait en compagnie d'Abraham ? Comme détruire l'espèce des Mortels ou se servir d'Enchanteurs comme de rats de laboratoire ?

J'avais toujours été convaincu, depuis que Lena et Amma m'avaient ramené d'entre les morts à l'aide du *Livre des lunes*, qu'elles avaient déclenché un processus irréversible. Ça avait commencé par un trou dans l'univers qui s'était délité jusqu'à ce que je rectifie le tir au château d'eau.

Mais si je me trompais ?

Si cette désagrégation était justement ce qui était censé arriver ?

Si la réparation était le crime ?

Tout me semblait évident, à présent. Un peu comme lorsque le soleil resurgit après que les ténèbres ont englouti le monde. Parfois, ce genre d'illuminations se produit. Sauf que, désormais, je connaissais la vérité.

J'avais été voué à échouer.

La terre en tant que telle aurait dû disparaître.

Les Mortels n'avaient pas été l'objectif. Ils n'avaient été que l'obstacle.

La Lilum n'avait pas été censée m'aider, je n'avais pas été censé sauter.

Elle aurait dû me condamner, j'aurais dû renoncer. Angelus avait parié sur le mauvais cheval.

Au fond de la pièce a retenti le bruit des vastes portes qui s'ouvraient, révélant une silhouette menue. En parlant de mauvais cheval… Je n'aurais jamais parié sur celui-ci, quand bien même on m'aurait accordé mille vies. Sa présence était encore plus surprenante que celle d'Angelus ou de ses comparses.

Un grand sourire a étiré sa bouche. Enfin, je crois que c'était un sourire. Difficile à dire, avec Xavier.

— Bon… bonjour, a-t-il lancé, intimidé, avant de s'éclaircir la gorge. Bonjour, ami.

Le silence était tel qu'on aurait pu entendre l'un de ses précieux boutons tomber par terre. Angelus a rompu la quiétude stupéfaite.

— Comment oses-tu remontrer ton visage abîmé en ces lieux, Xavier ? a-t-il crié. Enfin, pour peu qu'il reste quelque chose de Xavier en toi, espèce d'animal !

L'interpellé a haussé ses épaules ailées. La colère d'Angelus n'en a paru que plus forte.

— Pour quelle raison te mêles-tu de ceci ? Ta destinée ne concerne en rien le Pilote. Tu purges ta peine. Inutile d'en rajouter en épousant les combats d'un Mortel défunt.

— Il est trop tard, Angelus.

— Comment ça ?

— Il a payé son passage, j'ai accepté le prix qu'il m'en offrait. Il est...

Xavier a ralenti, comme si les mots avaient besoin de temps pour se frayer une voie dans son esprit.

— ... mon ami. Or je n'en ai pas d'autre.

— Il n'est pas ton ami, a rugi Angelus. Tu es bien trop stupide pour en avoir un. Tu es un imbécile doublé d'un insensible. Tu ne te soucies que de tes collections idiotes, de tes vaines babioles.

Angelus était très agacé. Je me suis demandé pourquoi il s'intéressait à ce que Xavier pouvait penser ou faire.

Qu'était donc sa victime pour lui ?

Il y avait forcément quelque chose. Mais bon, je ne tenais pas à creuser le sujet du chef des Gardiens et de ses complices, ni des crimes dont ils s'étaient rendus coupables. La Garde Suprême était ce qui s'apparentait le plus à l'enfer, de tous les lieux que j'avais fréquentés dans la vraie vie. Du moins, dans mon vrai au-delà.

— Le peu que vous savez de moi ne représente rien, a répondu Xavier d'une voix lente, ses traits encore plus inexpressifs que d'habitude. Encore moins que ce que je sais moi-même de moi.

— Tu es un sot, a répliqué l'autre. Cela au moins est sûr.

— Je suis un ami. J'ai deux mille boutons assortis, huit cents clefs, mais un seul ami. C'est peut-être une notion qui vous échappe. Je n'ai pas été un ami très doué, jusqu'à présent. J'en serai un désormais.

Il a prononcé cette dernière phrase avec une fierté évidente, que j'ai partagée.

— Tu sacrifierais ton âme pour un ami ? a ricané Angelus.

— Un ami est-il si différent d'une âme ? a riposté Xavier.

Comme son interlocuteur ne réagissait pas, il a ajouté en inclinant la tête :

— Êtes-vous seulement en mesure de répondre à cette question ?

Là encore, Angelus a gardé le silence. Parler n'était pas nécessaire, personne ici n'était dupe.

— Que fiches-tu ici, alors ? a-t-il ensuite lancé. *Mortali Comens*. Ami du Mortel.

Il a avancé d'un pas, Xavier a reculé d'autant. J'ai lutté contre mon envie de m'interposer entre eux tout en espérant que, pour notre bien à tous les deux, le Factionnaire n'essayerait pas de s'enfuir.

— Vous souhaitez le détruire, n'est-ce pas ? a-t-il demandé en déglutissant.

— Oui, a assené Angelus.

— Vous visez la fin de l'espèce des Mortels.

C'était une constatation.

— Naturellement. Comme pour toute infestation, le but ultime est l'annihilation.

J'avais beau m'y attendre, cet aveu de but en blanc m'a désarçonné.

— Vous... quoi ?

Xavier m'a lancé un coup d'œil qui semblait m'intimer de la fermer.

— Ça n'a rien d'un secret. Les Mortels irritent les races surnaturelles. Rien de bien neuf.

— Dommage.

J'avais su qu'Abraham voulait éradiquer les humains. Si Angelus et lui collaboraient, c'est que leurs objectifs étaient identiques.

— Histoire de vous divertir ? est intervenu Xavier.

Angelus a toisé ses ailes épaisses d'un air dégoûté.

— Ce sont les solutions qui me préoccupent, a-t-il riposté.

— À la condition des Mortels ?

— Comme je l'ai dit, ils sont une infestation, a lâché le Gardien avec un sourire lugubre.

J'ai failli vomir. Xavier, lui, s'est contenté de soupirer.

— Appelez-les comme bon vous semble. Je vous propose un challenge.

— Pardon ?

Voilà qui n'augurait rien de bon.

— Un défi.

Angelus a paru soupçonneux.

— Le Mortel a combattu la Reine des Ténèbres et l'a emporté, a-t-il objecté. Il ne relèvera pas d'autre défi aujourd'hui.

— Je vous répète que je n'ai pas tué Sarafine, me suis-je énervé. Elle s'est vaincue elle-même.

— Ergotages sémantiques, a décrété le Gardien en chef.

— Dois-je comprendre que vous refusez d'affronter le Mortel ? a lancé Xavier.

La foule a rugi, Angelus m'a donné l'impression de se retenir à grand-peine d'arracher ses ailes à son ancien collègue.

— Silence !

Les cris se sont immédiatement tus.

— Je ne redoute aucun Mortel.

— Alors, voici ma suggestion, a poursuivi Xavier d'une voix qu'il s'efforçait de maîtriser, alors qu'il était visiblement terrorisé. Le Mortel vous rencontrera dans la Grande Garde. Tandis qu'il tentera de récupérer sa page, vous essayerez de l'en empêcher. S'il réussit, vous lui permettrez d'agir à sa guise. Si vous gagnez, il vous autorisera à disposer de sa page comme vous l'entendrez.

— Hein ?

Xavier était-il réellement en train de proposer que je lutte contre Angelus ? Ce scénario ne me réservait nulle chance !

Conscient que tous les regards étaient tournés vers lui, dans l'attente, Angelus a fini par dire :

— Intéressant.

J'ai manqué de prendre mes jambes à mon cou.

— Pas du tout ! ai-je protesté. Je ne comprends même pas de quoi vous parlez !

Il s'est penché vers moi, les yeux étincelants.

— Laisse-moi te l'expliquer. Une éternité de servitude ou la simple destruction de ton âme. Ça m'est égal. Je prendrai ma décision selon mon humeur. Et *quand* je serai d'humeur.

— Je ne crois pas, non.

Pour le coup, j'avais vraiment le sentiment d'une proposition perdant-perdant. Xavier a posé une main sur mon épaule.

— Vous n'avez pas le choix. C'est l'unique possibilité que vous ayez de rentrer chez vous et vers la fille bouclée.

Se tournant vers Angelus, il lui a tendu la main.

— Marché conclu ?

— J'accepte, a craché l'autre en fixant la main comme si elle était infectée.

Chapitre 34
Les Chroniques des Enchanteurs

Angelus a quitté la salle d'un pas vif, suivi par ses deux acolytes. J'ai exhalé le souffle que je retenais.

— Où vont-ils ?

— Ils sont obligés de vous donner une chance, sous peine d'être accusés d'injustice.

— Pardon ? me suis-je récrié en me demandant si Xavier se moquait de moi. Est-ce à dire que personne n'a encore songé à le leur reprocher ?

— Les membres du Conseil sont craints. Personne ne questionne leur jugement. Mais ils sont également orgueilleux. Surtout Angelus. Il veut que ses fidèles croient qu'il vous laisse votre chance.

— Ce qui n'est pas le cas ?

— Voilà qui dépend de vous désormais, a murmuré Xavier avec ce qui ressemblait à de la tristesse sur ce qu'il restait de son visage humain. Je ne peux pas vous aider. Pas au-delà d'ici, mon ami.

— Excusez-moi ?

— Je ne retournerai pas là-bas. Dans la Chambre des Chroniques. C'est au-dessus de mes forces.

La pièce qui renfermait le livre, bien sûr. Elle ne devait pas être très loin. J'ai observé la rangée de portes qui perçaient un côté du grand hall. Laquelle conduirait au bout de mon voyage… ou à la mort de mon âme ?

— Au-dessus de vos forces, hein ? ai-je raillé. Alors que ce serait dans mes cordes ? Ne jouez pas les froussards avec moi. Vous venez à l'instant de vous en prendre à Angelus, ai-je ajouté en baissant la voix. Vous avez conclu un accord avec le diable. Vous êtes mon héros.

— Je ne suis pas un héros. Je vous le répète, je suis votre ami.

C'était trop, pour lui. Qui l'en aurait blâmé, au demeurant ? La Chambre des Chroniques avait sûrement des allures de maison des horreurs, à ses yeux. Et puis, il s'était déjà assez mis en danger comme ça.

— Merci, Xavier. Vous êtes un super ami. Un des meilleurs qui puissent exister.

Je lui ai souri. Le regard dont il m'a gratifié m'a immédiatement refroidi.

— Ceci est votre voyage, jeune défunt. Uniquement le vôtre. Je n'irai pas plus loin.

Il a posé le bras sur mes épaules, s'est appuyé lourdement sur moi.

— Pourquoi faut-il toujours que je me débrouille tout seul ? me suis-je plaint.

Aussitôt cette phrase formulée, je me suis rendu compte qu'elle était fausse.

Les Grands m'avaient montré le chemin.

Tante Prue avait veillé à ce que je bénéficie d'une seconde chance.

Obidias ne m'avait rien caché de ce que je devais savoir.

Ma mère m'avait donné la force de me lancer dans ma quête.

Amma avait guetté ma présence et n'en avait pas douté lorsque je m'étais manifesté.

Lena m'avait envoyé le *Livre des lunes*. Contre toute attente. À travers tout l'univers. Tante Marian et Macon, Link, John et Liv – ils secondaient Lena, puisque cela m'était impossible.

Même le Maître de la Rivière et Xavier m'avaient aidé à avancer, en des moments où il aurait été plus facile d'abandonner et de faire machine arrière.

Je n'avais jamais été seul. Pas une seconde.

J'étais un Pilote, certes ; il n'empêche, la voie que j'ouvrais était parsemée de gens qui m'aimaient. Je ne connaissais d'autre voie qu'eux.

J'y arriverais.

Je n'avais pas le choix.

— Je comprends, ai-je opiné. Merci, Xavier. Pour tout.

Il a hoché la tête.

— Nous nous reverrons, Ethan. Lorsque vous retraverserez la rivière.

— Pas avant très longtemps, alors, j'espère.

— Moi aussi, mon ami. Plus pour vous que pour moi.

Un instant, ses prunelles ont semblé pétiller.

— En attendant, a-t-il conclu, je m'occuperai d'enrichir et de cataloguer mes collections.

Sans mot dire, je l'ai regardé s'enfoncer dans l'ombre, regagner le monde où il ne se produisait rien et où les jours ressemblaient à des nuits.

J'ai espéré qu'il ne m'oublierait pas.

J'ai songé qu'il y avait peu de chances qu'il le fasse.

J'ai effleuré les portes l'une après l'autre. Certaines étaient froides comme la glace, d'autres n'avaient rien de particulier – juste du bois banal. Une seule a réagi au contact de mes doigts.

Une seule m'a brûlé la peau.

J'ai deviné qu'il s'agissait du bon battant avant même de discerner les cercles des Enchanteurs gravés dans le sorbier.

Il ouvrait sur le cœur de la Grande Garde, un endroit où le fils de Lila Jane Evers Wate, Pilote ou pas, ne manquerait pas de trouver son chemin, à l'instinct.

La bibliothèque.

Me frayant un passage directement depuis la *Temporis Porta* à travers ces battants massifs, j'ai senti que j'avais atteint la partie la plus périlleuse de mon périple.

Angelus attendait.

Ces portes n'étaient qu'un début. À l'instant où je suis entré, je me suis retrouvé dans une pièce presque entièrement réfléchissante. Si c'était bien là une bibliothèque, je n'en avais jamais vu d'aussi étrange.

Les graviers qui s'effritaient sous mes pas, les parois hérissées de pointes qui ressemblaient à celles d'une grotte, le plafond et le sol qui se transformaient en stalactites et stalagmites là où les lieux se repliaient sur eux-mêmes – tous ces éléments avaient l'air d'être composés d'une sorte de pierre précieuse transparente qu'on aurait taillée en millions de facettes, lesquelles reflétaient la lumière dans toutes les directions possibles et imaginables. J'ai eu l'impression de me tenir au milieu d'une des onze boîtes à bijoux de Xavier.

La claustrophobie en moins, cependant. Une petite ouverture dans le plafond laissait entrer suffisamment de jour pour imprégner les lieux d'un éclat vertigineux. Cela m'a rappelé la caverne marine où nous avions rencontré, pour la première fois, Abraham Ravenwood, la nuit de la Dix-septième Lune de Lena. Ici, au milieu de la salle, s'étalait un étang de la taille d'une piscine. L'eau blanche bouillonnait, comme animée par un feu sous la surface. La couleur était celle des yeux opaques et aveugles de Sarafine à l'heure de son trépas...

J'ai frissonné. Il ne fallait pas que je pense à elle. Pas maintenant. Je devais me concentrer sur ma survie face à Angelus. Le battre. Inspirant profondément, j'ai essayé de me repérer. À quoi avais-je affaire ?

Mes yeux se sont fixés sur le liquide blanchâtre qui pétillait. Au centre, une petite langue de terre surnageait, telle une île minuscule.

Un piédestal en occupait le cœur.

Dessus, un volume, cerné de bougies dont les flammes étaient d'une étrange couleur vert et or.

Le livre.

Inutile de me préciser duquel il s'agissait, ni ce qu'il fichait ici. Ni pourquoi une bibliothèque entière était consacrée à un unique ouvrage protégé par des douves.

Je pigeais parfaitement la raison de sa présence ici, et celle de la mienne.

C'était d'ailleurs la seule partie de cette quête que je comprenais. Le seul élément clair depuis qu'Obidias Trueblood m'avait avoué la vérité quant à ce qui m'était arrivé. Les *Chroniques des Enchanteurs*, auxquelles je devais arracher ma page. Celle qui m'avait tué. Qui plus est, il fallait que j'agisse avant qu'Angelus n'ait réussi à m'en empêcher.

Après tout ce que j'avais appris sur mon statut de Pilote et mes capacités à trouver mon chemin, c'était ici que j'avais abouti. Je n'avais nulle part ailleurs où aller, plus d'autre route à définir.

J'avais touché au but.

Je ne voulais plus que rentrer.

Mais d'abord, j'étais obligé d'accéder à cette île. Au piédestal et aux *Chroniques des Enchanteurs*. D'accomplir ce pour quoi j'étais venu.

Un cri, de l'autre côté de la salle, m'a fait sursauter.

— Jeune Mortel ! Si tu t'en vas tout de suite, je te laisserai ton âme. Qu'en dis-tu ?

Angelus a surgi, sur la rive opposée de l'étang. Comment était-il arrivé ici ? J'aurais aimé qu'il existe autant d'issues que d'accès à cette grotte.

Du moins, autant de façons de regagner mes pénates.

— Vous, me laisser mon âme ? Non, c'est faux.

J'ai balancé un caillou dans l'eau bouillonnante. Il a disparu. Je n'étais pas idiot. Jamais Angelus ne m'autoriserait à quitter ces lieux. Je finirais comme Xavier ou Sarafine. Ailes noires ou prunelles laiteuses, la différence était minime. Au bout du compte, nous étions tous prisonniers de ses chaînes, que ces dernières soient visibles ou non.

— Tu crois ? a souri Angelus. J'imagine que tu as raison.

Il a levé une main et, autour de lui, une dizaine de pierres ont suivi le mouvement. L'une après l'autre, elles se sont ruées vers moi, me touchant avec une précision surnaturelle. Je me suis protégé le visage de mes bras.

— Très adulte, ai-je commenté. Et maintenant, quoi ? Allez-vous me lier et me coller dans votre fosse commune ? M'aveugler et m'attacher comme un chien ?

— Ne te hausse pas du col, je n'ai nulle envie d'un Mortel pour animal de compagnie.

Angelus a plié un doigt, et l'eau s'est mise à tourbillonner.

— Je me contenterai de te détruire, a-t-il poursuivi. Ce sera plus simple pour tout le monde. Même si ce défi représente peu d'intérêt.

— Pourquoi avoir torturé Sarafine ? ai-je crié. Elle n'était pas une Mortelle. Pourquoi vous êtes-vous donné cette peine ?

Je tenais à l'apprendre. J'avais le sentiment que nos destins étaient étrangement imbriqués – le mien, celui de Sarafine, celui de Xavier ainsi que ceux de tous les Mortels et Enchanteurs qu'avait anéantis Angelus.

Que représentaient ces gens pour lui ?

— Sarafine ? Tel était donc son nom ? J'avais presque oublié. (Angelus s'est esclaffé.) T'attends-tu vraiment à ce

que je me soucie de tous les Enchanteurs des Ténèbres qui échouent ici ?

L'eau s'agitait avec violence, à présent. M'agenouillant, j'y ai plongé la main. Elle était gelée et comme gluante. Je ne tenais pas du tout à y nager, mais je ne voyais pas d'autre façon de traverser.

J'ai relevé la tête pour regarder mon adversaire. J'avais du mal à imaginer quelle forme allait prendre notre défi ; en attendant, j'ai estimé qu'il valait mieux continuer à le faire parler.

— Frappez-vous de cécité tous les Enchanteurs des Ténèbres ? Les obligez-vous tous à lutter jusqu'à ce que mort s'ensuive ?

J'ai de nouveau baissé les yeux sur l'étang. La surface ondulait à l'endroit où je l'avais touchée, le liquide s'apaisait et s'éclaircissait.

Angelus a croisé les bras, le sourire aux lèvres.

Ma main trempait toujours, de plus en plus engourdie par le froid, le courant transparent se répandait à travers la douve. À présent, je distinguais ce qu'il y avait sous la surface blanche.

Des cadavres. Même spectacle qu'à la rivière.

Ils remontaient à la surface, leurs cheveux verts et leur bouche bleuie faisaient de leur visage un masque sur leur corps boursouflé.

Comme moi. C'est à cela que je ressemble désormais. Quelque part, là où je possède encore une enveloppe charnelle.

Le rire d'Angelus est parvenu à mes oreilles. Je n'entendais, ne pensais presque pas, cependant. J'avais trop envie de vomir.

J'ai reculé. Devinant que le Gardien essayait de m'effrayer, je me suis résolu à éviter de regarder le bassin.

Concentre-toi sur Lena. Reprends ta page, et tu pourras repartir chez toi.

Angelus m'observait, toujours plus hilare.

— N'aie pas peur ! m'a-t-il apostrophé comme si j'étais un petit garçon. Tu n'es pas obligé de mourir ainsi. Sarafine avait échoué à remplir les missions que je lui avais confiées.

— Ainsi, vous n'avez pas oublié son nom, ai-je riposté avec l'ombre d'un sourire.

Cela m'a valu un coup d'œil sévère.

— Je n'ai surtout pas oublié qu'elle m'a fait défaut.

— À vous ainsi qu'à Abraham ?

Il s'est raidi.

— Félicitations. Je constate que tu as mis le nez dans des affaires qui ne te regardaient pas. Autrement dit, tu n'es pas plus malin que le premier Ethan Wate qui nous a rendu visite à la Grande Garde. Et tu n'as guère plus de chances que lui de revoir l'Enchanteresse Duchannes que tu aimes.

Cette fois, c'est mon corps tout entier qui s'est engourdi.

Bien sûr. Ethan Carter Wate était venu ici. Genevieve me l'avait soufflé.

— Que lui avez-vous fait ? ai-je demandé, malgré moi.

— À ton avis ? a répondu Angelus avec un rictus sadique. Il a tenté de s'emparer d'un objet qui ne lui appartenait pas.

— Sa page ?

Chacune de mes questions paraissait alimenter la satisfaction du Gardien. Il était clair qu'il se régalait de notre échange.

— Non. Celle de Genevieve, la fille Duchannes dont il était épris. Il souhaitait lever la malédiction qu'elle avait lancée sur elle-même et ses futures descendantes. Résultat, il a perdu son âme de sot.

Angelus a contemplé les eaux bouillonnantes. Il a hoché la tête, et un cadavre s'est détaché des autres. Des yeux vides qui ressemblaient trop aux miens m'ont alors fixé.

— Un air de famille, Mortel ?

Je connaissais ces traits. Je les aurais identifiés n'importe où.

C'étaient les miens. Ou plutôt, les siens.

Ethan Carte Wate portait toujours l'uniforme confédéré dans lequel il était mort.

Mon cœur s'est serré. Genevieve ne le reverrait jamais. Il avait trépassé à deux reprises, comme moi. Mais lui ne rentrerait pas. Il n'enlacerait plus Genevieve, même dans l'Autre Monde. Il avait tenté de sauver sa bien-aimée, ainsi que Sarafine, Ridley, Lena et les générations à venir d'Enchanteresses Duchannes.

Or il avait échoué.

Voilà qui ne me remontait pas le moral. Quant à l'endroit où je me trouvais présentement ; quant à l'Enchanteresse que j'avais laissée derrière moi, comme lui la sienne.

— Tu n'y arriveras pas toi non plus.

Les mots ont rebondi sur les parois de la caverne.

Angelus déchiffrait donc mes pensées. À ce stade, c'était le moins surprenant de ce qui se produisait alentour.

J'ai deviné alors ce qu'il me fallait faire.

Je me suis efforcé de vider mon esprit au mieux, me suis imaginé le vieux terrain de base-ball où Link et moi avions joué, quand nous étions gosses. J'ai observé Link qui lançait dans la neuvième manche tandis que j'occupais le marbre en tapant dans mon gant. Je me suis représenté le batteur. Qui ? Earl Petty, qui mâchait du chewing-gum parce que l'entraîneur avait interdit qu'on chique ? J'ai lutté afin de focaliser mon cerveau sur la partie, cependant que mes yeux s'affairaient à autre chose.

Allez, Earl ! Balance-la-moi hors du terrain.

J'ai contemplé le piédestal, puis les corps qui flottaient à mes pieds. D'autres cadavres remontaient, se heurtant les uns les autres comme des sardines dans leur boîte. D'ici peu, ils seraient si serrés qu'ils dissimuleraient l'eau.

Si j'attendais encore, je pourrais sûrement sauter dessus comme sur des pierres...

Stop ! Pense au jeu !

Trop tard !

— À ta place, je ne m'y risquerais pas, a crié Angelus depuis sa berge. Nul Mortel ne survit à cet étang. Il faut un pont pour traverser et, ainsi que tu le constates, il a été retiré. Mesure de sécurité.

Il a brandi une main, a serré son poing autour de l'air, formant une bourrasque qui a volé jusqu'à moi.

J'ai été obligé de me camper fermement sur mes jambes pour ne pas tomber.

— Tu ne récupéreras pas ta page. Tu subiras le même sort indigne que ton aïeul éponyme. Le trépas que méritent tous les Mortels.

— Pourquoi moi ? ai-je hurlé par-dessus le vent. Pourquoi lui ? Pourquoi l'un de nous ? Que nous reprochez-vous, Angelus ?

— Vous êtes des inférieurs privés des dons innés des êtres surnaturels. Mais vous nous contraignez à rester cachés pendant que vos villes et vos écoles se remplissent d'enfants qui grandiront sans autre but que celui d'occuper l'espace. Vous avez transformé notre monde en prison. (La tempête a forci, tandis qu'il resserrait encore sa main.) C'est absurde. Comme le serait une cité construite pour des rongeurs.

J'ai patienté sans cesser de me représenter ce match idiot – Earl récupérant la balle dans un fracas de batte – jusqu'à ce que les mots se dessinent et que je les prononce :

— Pourtant, vous êtes né Mortel. Qu'est-ce que cela fait de vous, au bout du compte ?

Angelus a écarquillé les yeux, un masque de rage pure a envahi ses traits.

— Pardon ?

— Vous m'avez très bien entendu.

J'ai empli mon esprit de la vision que j'avais eue, me suis obligé à me rappeler les visages, les mots. Xavier, alors simple Enchanteur, Angelus, qui n'était qu'un homme à l'époque.

La violence du vent s'est derechef renforcée, le bout de ma Converse a effleuré la piscine de cadavres. Je me suis raidi afin de ne pas glisser.

— Tu ne sais rien de rien ! a hurlé Angelus, plus pâle que jamais. Vois ce que tu as sacrifié ! Et pour quoi ? Une ville de Mortels minables !

Fermant les paupières, j'ai laissé les paroles le trouver.

Je sais au moins que vous êtes né Mortel. Toutes vos expériences n'y changeront rien. Je connais votre secret.

— Je ne suis pas un Mortel ! s'est-il époumoné. Je ne l'ai jamais été, n'en serai jamais un !

Bourrasques déchaînées, pierres me frappant, plus fort cette fois. Je me suis protégé la figure, elles ont heurté mes côtes avant de s'écraser contre le mur derrière moi. Un filet de sang a coulé sur ma joue.

— Je te réduirai en pièces, Pilote !

— Vous avez beau disposer de pouvoirs, Angelus, ai-je braillé pour couvrir le vacarme ambiant, vous n'en restez pas moins un Mortel, exactement comme moi.

Vous n'êtes pas capable de maîtriser les forces obscures, contrairement à Sarafine et Abraham. Ni de Voyager comme un Incube. Vous n'êtes pas plus à même de traverser cet étang que moi.

— Je ne suis pas un Mortel ! s'est-il égosillé.

Personne ne peut.

— Menteur !

Prouvez-le.

Durant une seconde, une seconde terrible, lui et moi nous sommes dévisagés d'une rive à l'autre.

Puis, sans une parole de plus, Angelus s'est rué en avant, sautant sur les corps, à croire qu'il ne parvenait plus à se contenir. C'est dire s'il tenait désespérément à me prouver qu'il valait mieux que moi.

Mieux qu'un Mortel.

Mieux que tous ceux qui avaient tenté un jour de marcher sur l'eau.

J'avais visé juste.

Les cadavres en décomposition étaient si nombreux qu'il a réussi à s'en servir pendant un moment avant qu'ils ne se mettent à bouger. Des bras se sont soudain tendus vers lui, des centaines de mains bouffies ont émergé, précipitant sa chute. Ceci ne ressemblait pas à la rivière que j'avais dû franchir pour arriver ici.

Ces eaux étaient vivantes.

Un membre a glissé sur le cou d'Angelus, l'enfonçant sous la surface.

— Non !

L'écho de son cri a retenti sur les parois. J'ai frissonné.

Les défunts s'agrippaient à sa tunique, l'attiraient dans leur abysse de souffrance et de chagrin. Les âmes mêmes qu'il avait torturées s'appliquaient à le noyer.

— À l'aide ! m'a-t-il lancé en croisant mon regard.

En quel honneur vous aiderais-je ?

De toute façon, je n'aurais pas pu intervenir, quand bien même je l'aurais désiré. Je me doutais que les trépassés m'enseveliraient également. J'étais un Mortel, à l'instar d'Angelus ou d'une partie de lui.

Personne ne marche sur l'eau, en tout cas pas là où je vis. Personne, sinon le type du tableau accroché dans la salle de catéchisme.

Dommage pour Angelus qu'il n'ait pas été de Gatlin, sinon il l'aurait su aussi.

Ses mains ont frappé la surface de l'étang jusqu'à ce qu'elles disparaissent de nouveau sous une mer de cadavres. L'odeur omniprésente de la mort était suffocante. J'ai plaqué une paume sur ma bouche, mais la puanteur si particulière de la pourriture était trop puissante.

J'étais conscient de ce que je venais de faire. J'étais coupable. De la disparition de Sarafine, de celle-ci aussi. Angelus avait su lire dans ma tête, et je l'avais poussé à ceci, même si sa haine et son orgueil avaient participé à le propulser dans la piscine mortifère.

Il était trop tard, désormais.

Un bras à moitié décomposé a appuyé sur sa nuque, l'entraînant vers le fond. C'était là une fin que je ne souhaitais à personne.

Pas même à Angelus.

Ou alors, juste à lui.

Quelques minutes plus tard, l'eau est redevenue blanche, cachant les dangers qui couvaient dessous.

— Ce n'était pas un défi si compliqué, au bout du compte, ai-je commenté en haussant les épaules.

Maintenant, je devais dénicher ce pont ou n'importe quoi susceptible de me permettre de passer.

La planche brute n'était pas bien dissimulée. Je l'ai trouvée dans une alcôve, à seulement quelques mètres de l'endroit où s'était tenu Angelus un peu plus tôt. Le bois était sec et fendu, ce qui n'était pas très rassurant vu ce dont j'avais été témoin à l'instant.

Le livre était si proche, cependant.

Quand j'ai glissé la planche par-dessus l'étang, j'ai eu presque la sensation de Lena dans mes bras, celle d'Amma qui me criait dessus. J'avais du mal à organiser mes idées. Une seule chose m'importait : gagner l'îlot et les rejoindre.

S'il vous plaît. Laissez-moi traverser. Je veux juste rentrer chez moi.

Cela en tête, j'ai respiré un bon coup.

Avant d'avancer d'un pas.

Puis d'un deuxième.

J'étais à un mètre cinquante, peut-être deux, de la berge, à présent.

À mi-chemin. Trop tard pour reculer, désormais.

Le pont était d'une légèreté étonnante, en dépit de ses craquements et balancements. Enfin, il tenait bon. Jusqu'à maintenant.

Nouvelle inspiration profonde.

Plus qu'un mètre cinquante.

Un mètre vingt...

Dans mon dos a retenti un bruit de vague. L'eau a commencé à s'agiter. Une douleur fulgurante a traversé ma jambe, qui a cédé sous moi. La vieille planche s'est brisée comme un cure-dent.

Sans avoir le temps de hurler, j'ai perdu l'équilibre et suis tombé dans le bassin mortel. Qui s'est révélé ne plus être rempli d'eau ou, s'il y en avait encore, je n'étais pas dedans.

J'étais dans les bras d'un mort ressuscité.

Pire.

J'étais face à face avec l'autre Ethan Wate. Il était tout autant squelette que homme, ce qui ne m'a pas empêché de le reconnaître. J'ai tenté de me libérer, mais il a enserré ma nuque d'une main osseuse. De l'eau sortait de sa bouche privée de dents. J'avais fait des cauchemars moins terrifiants que cela.

J'ai détourné la tête pour éviter que cette bave n'éclabousse mon visage.

— Crois-tu qu'un Mortel serait capable de lancer un sortilège d'*Ambulans Mortus* ? a plastronné Angelus.

Il a écarté les macchabées qui m'encerclaient et tiraient mes bras et mes jambes dans tous les sens avec une telle force que j'ai cru qu'ils allaient m'écarteler.

— Sous l'eau ? Afin de réveiller les morts ?

Il est monté sur l'île, s'est posté devant le livre, triomphant. Il avait l'air encore plus dingue qu'un cinglé de Gardien pouvait l'être.

— Le défi est terminé. Ton âme m'appartient.

Je n'ai pas répondu. Il m'était impossible de parler. Je me suis surpris à fixer les orbites vides d'Ethan Wate.

— Apportez-le-moi ! Tout de suite !

Obéissant à l'ordre d'Angelus, les cadavres se sont hissés de l'eau nauséabonde afin de m'attirer sur la berge. L'autre Ethan m'a jeté par terre comme si je ne pesais rien.

Au même moment, une petite pierre noire a roulé de ma poche.

Angelus ne s'en est pas aperçu, trop occupé à contempler le livre. Mais moi, je l'ai fort bien vue.

L'œil de rivière.

Le second. Celui de Sulla.

Ça allait de soi. Nul ne pouvait espérer traverser une quelconque étendue à sa guise. Pas dans ces parages. Pas sans payer son passage.

J'ai ramassé le caillou.

Ethan Wate, le défunt, a vivement tourné la tête vers moi. Le regard qu'il m'a lancé – pour peu qu'on puisse l'appeler ainsi, vu qu'il n'avait plus d'yeux – a déclenché un frisson le long de ma colonne vertébrale. J'ai eu pitié de lui. Pour autant, je n'avais aucune envie de le rejoindre.

Et il ne le souhaita sûrement pas.

— Adieu, Ethan, ai-je murmuré.

Avec ce qu'il me restait de force, j'ai balancé la pierre dans l'eau. J'ai perçu le clapotis de sa chute, un son presque infime.

Que seul moi ai été en mesure de remarquer.

Moi ou l'un des défunts.

Car ils ont disparu en quelques secondes. Aussi vite qu'un caillou touche le fond d'une mare de cadavres.

Épuisé, je me suis affalé sur la minuscule langue de terre. Trop terrifié pour bouger.

C'est alors que j'ai vu Angelus, plongé dans le livre qu'il déchiffrait à la lumière des flammes vacillantes vert et or.

Il ne m'a pas fallu longtemps pour décider comment agir.

Je me suis relevé.

Elles étaient là, ouvertes sur leur piédestal, juste devant moi.

Et Angelus.

LES *CHRONIQUES DES ENCHANTEURS*

J'ai voulu m'en saisir, mes doigts ont brûlé.

— Pas touche ! a grondé le Gardien en attrapant mon poignet.

Il avait les yeux brillants, à croire que l'ouvrage exerçait une étrange fascination sur lui. Il n'a même pas redressé la tête. Je ne crois pas qu'il en aurait été capable.

Parce qu'il s'occupait de sa *propre* page.

J'en déchiffrais presque la teneur depuis l'endroit où j'étais, un millier de mots raturés et réécrits les uns sur les autres. La plume à l'extrémité noircie par l'encre tremblait entre ses doigts.

C'était donc ainsi qu'il avait procédé. Ainsi qu'il avait contraint le monde surnaturel à se plier à sa volonté. Il contrôlait l'histoire. Non seulement la sienne, mais la nôtre à tous.

Angelus avait tout modifié.

Une personne pouvait donc réaliser cela.

Alors, une autre pouvait rétablir la situation.

— Angelus ?

Il n'a pas réagi. À force de fixer le volume, il ressemblait plus à un zombie que les cadavres de l'étang.

J'ai fermé les paupières. Puis j'ai tiré sur la page, aussi vite et aussi brusquement que j'en étais capable.

— Que fais-tu ? a crié Angelus d'une voix frénétique. (Je n'ai pas pour autant rouvert les yeux.) Qu'as-tu fait ?

Mes mains étaient en feu. La feuille essayait de se libérer, mais je tenais bon. J'ai même resserré les doigts autour d'elle. Plus rien ne m'arrêterait, désormais.

Elle s'est détachée pour finir entre mes paumes.

Le bruit de la déchirure m'a rappelé celui d'un Incube Voyageant, et je me suis presque attendu à voir John Breed ou Link se matérialiser à côté de moi. J'ai regardé.

Il ne fallait quand même pas rêver.

Angelus a voulu récupérer son bien. Il m'a poussé dans une direction tout en tirant mon bras dans l'autre.

Attrapant une bougie, j'ai mis le feu au bas de la feuille, qui a commencé à s'enflammer et à fumer, cependant que le Gardien hurlait sa rage.

— Laisse-la ! Tu ne sais pas à quoi tu joues ! Tu risques de tout détruire…

Il s'est jeté sur moi, me martelant de coups de pied et de poing, manquant presque d'arracher mon tee-shirt. Ses ongles ont égratigné ma peau, encore et encore. Je n'ai pas lâché prise.

Y compris quand les flammes ont calciné le bout de mes doigts.

Y compris quand le papier couvert d'encre s'est délité en cendres.

Je n'ai cédé qu'au moment où Angelus s'est volatilisé dans le néant, comme s'il avait été lui-même constitué de parchemin.

Lorsque le vent a eu balayé la moindre trace du Gardien et de son destin, les emportant dans un oubli définitif, j'ai constaté que je fixais mes mains noircies et brûlées.

— À mon tour.

J'ai feuilleté le délicat ouvrage. Des dates et des noms avaient été inscrits au sommet des pages par différentes personnes. Je me suis demandé lesquels avait rédigés Xavier. Si Obidias avait modifié le sort d'un autre que moi. J'ai prié pour qu'il n'ait pas été celui qui avait changé celui d'Ethan Carter Wate.

En pensant à mon homonyme, j'ai frissonné et ravalé ma bile.

Ça aurait pu être moi.

J'ai trouvé nos pages à la moitié du livre.

Celle d'Ethan Carter précédait la mienne, deux feuilles visiblement manuscrites par deux auteurs.

J'ai parcouru celle de mon ancêtre jusqu'à l'histoire que je connaissais déjà. C'était comme lire le script de la vision que j'avais eue avec Lena, le récit de la nuit où il était mort et où Genevieve s'était servie du *Livre des lunes* afin de le ressusciter. La nuit qui avait marqué le début de tout.

J'ai contemplé la reliure. J'ai failli arracher sa feuille. Je me doutais cependant que c'était vain. Il était trop tard, pour l'autre Ethan.

J'étais le seul à pouvoir être encore en mesure de changer ma destinée.

J'ai fini par tourner la page et suis tombé sur l'écriture d'Obidias.

Ethan Lawson Wate

Je ne l'ai pas lue. Pas question de courir ce risque. Je sentais déjà que mes yeux étaient attirés par l'ouvrage, lequel était suffisamment puissant pour me Sceller à lui pour l'éternité.

J'ai détourné le regard. Je savais ce qui se passait à la fin de cette copie revue et corrigée.

Mais à présent, c'était moi qui intervenais.

J'ai déchiré le vélin, et la reliure a émis une décharge électrique plus violente et plus brillante qu'un éclair. Malgré un roulement de tonnerre dans le ciel au-dessus de ma tête, j'ai continué mon œuvre.

Cette fois, cependant, j'ai évité d'approcher le parchemin des chandelles.

J'ai étiré le papier jusqu'à ce que les mots se détachent, qu'ils disparaissent comme s'ils avaient été rédigés à l'encre invisible.

Lorsque j'ai de nouveau baissé les yeux sur la feuille, elle était vierge.

Je l'ai lâchée dans l'eau de l'étang, l'ai observée qui s'enfonçait dans les profondeurs laiteuses, qui se dissolvait dans l'ombre infinie du gouffre.

Ma page avait été effacée.

Au même instant, j'ai compris que je l'avais été moi aussi.

J'ai regardé mes Converse
jusqu'à ce qu'elles se volatilisent
puis moi
et cela n'avait plus d'importance...

car
il
n'y
avait
rien
sous
moi
maintenant
puis
plus
de
moi

Chapitre 35
Un trou dans le ciel

Le bout de mes Converse dépassait du rebord métallique blanc, suspendu au-dessus d'une ville qui dormait, des dizaines de mètres plus bas. Les maisons et les voitures minuscules ressemblaient à des jouets, et il n'était pas difficile de les imaginer saupoudrées de paillettes sous le sapin avec la ville de Noël de ma mère.

Sauf qu'il ne s'agissait pas de jouets.

Je connaissais ce point de vue.

On n'oublie pas la dernière chose qu'on voit avant de mourir. Croyez-moi.

J'étais au sommet du château d'eau de Summerville, des veinures de peinture blanche craquelée s'écaillaient sous mes semelles. La courbe d'un cœur dessiné au marqueur noir a attiré mon attention.

Est-ce possible ? Suis-je vraiment rentré ?

Je n'en ai eu la certitude que lorsqu'elle m'est apparue.

Ses chaussures orthopédiques noires étaient dans l'alignement exact de mes Converse.

Amma portait sa robe du dimanche noire parsemée de petites violettes ainsi qu'une vaste capeline noire. Ses gants blancs agrippaient l'anse de son sac en cuir.

Nos regards se sont croisés durant une fraction de seconde, et elle m'a souri, cependant que le soulagement envahissait ses traits d'une manière indescriptible. La paix ou presque, un mot que je n'aurais jamais songé à utiliser à propos d'Amma.

C'est alors que je me suis rendu compte que quelque chose clochait. Le genre de truc qu'on ne peut ni arrêter, ni changer, ni réparer.

J'ai tendu la main vers elle à l'instant même où elle avançait au-dessus du vide, sous le ciel bleu-noir.

— Amma !

J'ai tenté de l'attraper comme je le faisais avec Lena lors de mes rêves et de ses chutes vertigineuses. Je n'ai pas réussi à la retenir.

Elle n'est pas tombée, cependant.

Le firmament s'est fendu, à croire que l'univers se déchirait, ou que quelqu'un avait fini par y percer ce fameux trou dont Amma m'avait rebattu les oreilles. Elle a tourné la tête dans cette direction. Les larmes ruisselaient sur ses joues, alors qu'elle continuait à me sourire.

Le ciel l'a soutenue, l'air d'estimer qu'elle méritait d'y figurer, jusqu'à ce qu'une main surgisse par la fissure, au milieu des étoiles scintillantes. Je l'ai identifiée – c'était la même qui m'avait offert son corbeau pour m'aider à me transférer d'un monde à l'autre.

À présent, oncle Abner tendait cette main à Amma.

Son visage flou côtoyait ceux de Sulla, d'Ivy et de Delilah. La seconde famille d'Amma. Twyla avec ses amulettes nouées dans ses tresses m'a souri elle aussi. La parentèle d'Enchanteurs d'Amma l'attendait.

Mais je m'en fichais.

Je refusais de la perdre.

— Amma ! ai-je hurlé. Ne me quitte pas !

Ses lèvres n'ont pas frémi, ce qui ne m'a pas empêché d'entendre sa voix, aussi claire et nette que si elle s'était tenue à mon côté.

Je ne te quitterai jamais, Ethan Wate. Je garderai toujours un œil sur toi. Rends-moi fière.

J'ai eu l'impression que mon cœur s'effondrait, qu'il explosait en fragments si infimes que je risquais de ne pas les retrouver de sitôt. Tombant à genoux, j'ai contemplé les cieux en criant avec une force dont je ne me savais pas capable.

— Pourquoi ?

Amma, qui s'éloignait, franchissait la fente que le firmament avait ouverte pour elle, a répondu :

Une femme bien n'a qu'une parole.

Encore une de ses devinettes.

La dernière.

Elle a posé les doigts sur ses lèvres avant de les tendre vers moi, puis l'univers l'a avalée. Ses mots ont résonné alentour comme si elle les avait prononcés tout fort.

Et tout le monde disait que je ne pouvais pas changer la donne...

Les cartes.

La main qui avait prédit ma mort tant de mois auparavant. Celle qu'elle avait obtenu de modifier en marchandant avec le bokor. Celle qu'elle s'était juré de transformer à n'importe quel prix.

Elle y était parvenue.

Elle avait défié l'univers, le destin et toutes ses croyances. Pour moi.

Amma avait troqué sa vie contre la mienne, protégeant ainsi l'Ordre des Choses. Tel était le pacte qu'elle avait conclu avec le sorcier vaudou. Je comprenais désormais.

J'ai observé le ciel qui se raccommodait, point après point.

Il n'était plus pareil, toutefois. Je distinguais encore la couture invisible à l'endroit où le monde s'était délité pour l'accueillir. Je saurais toujours où elle se trouvait, même si je devais être le seul.

Et ce serait identique avec les contours déchiquetés de mon cœur.

Chapitre 36
L'ENLÈVEMENT AU CIEL

Assis sur le métal froid dans l'obscurité, je me demandais si je n'avais pas tout imaginé. Tout en étant conscient que ce n'était pas le cas. Je voyais ces points de raccommodage dans le ciel, si sombre qu'il soit.

Je n'ai pas bougé, cependant.

Si je m'en allais, cela deviendrait réel.

Si je m'en allais, elle serait morte.

J'ignore combien de temps je suis resté là à essayer de donner un sens à tout ça mais, quand le soleil a fini par se lever, j'étais au même endroit. J'avais beau me creuser la cervelle, je revenais toujours à mon point de départ.

Une vieille histoire biblique me trottait dans la tête, encore et encore, à l'instar d'une mauvaise chanson entendue à la radio. Je me trompe sans doute, mais voici ce dont je me souviens : une ville était peuplée d'habitants si justes qu'ils avaient été transportés directement de la terre au ciel. Comme ça.

Ils n'avaient pas été obligés de mourir.

Ils avaient échappé au trépas, comme on va directement en prison sans passer par la case départ lorsqu'on tire la mauvaise carte au Monopoly.

L'enlèvement au ciel, ou la translation – tel est le nom qu'on donne à leur aventure. Je n'avais pas oublié ce détail car Link, qui suivait les mêmes cours de catéchisme que moi, n'avait cessé de dire que ces types s'étaient téléportés, transportés puis, à bout de ressources, télétransportés.

Nous étions censés faire montre de jalousie envers ces élus, à croire qu'ils avaient eu un pot inouï d'être choisis et installés dans le giron de Dieu.

Comme si ce giron était un chouette endroit ou je ne sais quoi d'extraordinaire.

J'étais rentré à la maison afin d'interroger ma mère à ce sujet – c'est dire si j'étais déstabilisé. Je ne me rappelle pas ce qu'elle m'avait expliqué, mais j'avais aussitôt décidé que le but n'était pas d'être bon. Seulement assez bon.

Je ne tenais pas à courir le risque d'être enlevé au ciel ni même téléporté.

Je n'avais pas envie de vivre dans le giron de Dieu. Les championnats de basket m'intéressaient beaucoup plus.

Il semblait cependant que c'était ce qui venait d'arriver à Amma. Elle avait été accueillie dans ce fichu giron, transportée, télétransportée – la totale.

L'univers, Dieu et son giron ou les Grands espéraient-ils que j'en serais heureux ? J'avais vécu l'enfer afin de regagner le monde normal de Gatlin, de retrouver Amma, Lena, Link et Marian.

Combien de temps nous était-il accordé ?

Étais-je censé m'en satisfaire ?

Elle avait disparu en un clin d'œil. Fin de l'histoire. Le ciel était redevenu le ciel, étendue bleue, lisse et paisible, comme du plâtre peint, comme le plafond de ma chambre. Alors que quelqu'un que j'aimais était emprisonné quelque part derrière.

J'éprouvais une sensation identique. Celle d'être prisonnier – du mauvais côté de la nue.

Seul au sommet du château d'eau de Summerville, à contempler l'univers que j'avais toujours connu, un monde de chemins de terre et de routes goudronnées, de stations-service, d'épiceries et de galeries commerciales. Tout était pareil, plus rien ne l'était.

Je n'étais plus le même.

J'imagine que c'est en cela que consiste une quête héroïque. On débute loin d'être un héros et on a de fortes chances de ne pas terminer en héros, mais on change. Autrement dit, tout change. Le voyage vous transforme, que vous en ayez ou non conscience, que vous le vouliez ou non. J'avais changé.

J'étais revenu d'entre les morts, et Amma était morte, même si elle appartenait désormais à la bande des Grands.

Y avait-il plus violent bouleversement ?

L'échelle a cliqueté, et j'ai deviné quelle personne la grimpait avant même de la sentir s'enrouler autour de mon cœur. Une déflagration de chaleur s'est produite en moi, au-dessus du château d'eau et de Summerville. Le ciel était rayé d'or et de rouge, comme si le lever du soleil faisait demi-tour, illuminant de nouveau la nue.

Il n'y avait qu'une fille capable d'infliger cela au firmament et à mon cœur.

Ethan ? Tu es là ?

J'ai souri, bien que mes yeux soient mouillés et ma vision floue.

Oui, L. Je suis juste ici. Tout va s'arranger, maintenant.

J'ai tendu la main, l'ai serrée autour de la sienne, la tirant au sommet de mon perchoir.

Elle s'est glissée entre mes bras, a éclaté en lourds sanglots qui martelaient mon torse. Je ne sais pas lequel de nous deux pleurait le plus fort. Je ne suis même pas certain de me souvenir d'un baiser échangé. Ce que nous partagions là allait tellement au-delà d'un baiser.

Lorsque nous étions ensemble, elle me mettait entièrement à l'envers.

Que nous soyons vivants ou morts ne comptait guère. Rien ne nous séparerait jamais. Certaines choses sont plus puissantes que les mondes et les univers. Elle était mon monde autant que j'étais le sien. Nous étions conscients de ce que nous avions.

Les poèmes se trompent. C'est un éclat, un vraiment gros éclat. Pas un cri plaintif[1].

Et, parfois, l'or perdure[2].

Tout être ayant aimé vous le dira.

---

1. Référence au poème de T. S. Eliot, *The Hollow Men*, qui se termine par ces vers : « ainsi s'achève le monde sans éclat mais sur un cri plaintif ».
2. Référence au poème de Robert Frost, *Nothing Gold Can Stay*.

Chapitre 37
Ce que ne disent jamais les mots

« Le décès d'Amma Treadeau a été officiellement déclaré, suite à sa disparition de la maison des Wate, résidence de Mitchell et Ethan Wate, sur Cotton Bend, à Gatlin. »

J'ai interrompu ma lecture à voix haute. J'étais assis à la table de sa cuisine, sa Menace du Cyclope attendait tristement dans le bocal en verre sur le comptoir, et il me semblait impossible que je sois en train de lire la notice nécrologique d'Amma. Pas quand je sentais encore les effluves des bonbons à la cannelle et des mines de crayon.

— Continue ! m'a ordonné tante Grace.

Appuyée à moi, elle s'efforçait de déchiffrer l'article, alors que ses lunettes à double foyer étaient loin d'y suffire. Tante Charity était assise dans son fauteuil roulant, de l'autre côté de la table, près de mon père.

— Y z-ont intérêt à causer de ses gâteaux. Sinon, le Seigneur m'en soit témoin, je m'en vais z-aller trouver ces gars du *Stars'n'Bars* pour te me les 'sticoter.

Tante Charity pensait que le journal local portait encore le nom originel du drapeau confédéré.

— C'est le *Stars and Stripes*, l'a corrigée mon père avec douceur. Et je ne doute pas qu'ils ont veillé à ce que tous ses talents soient mentionnés.

— Mouais, a reniflé tante Grace. Par z-ici, les gens, y connaissent r'en de r'en au talent. La chorale a tordu le nez pendant des années quand la Prudence Jane chantait.

— Alors qu'elle avait une voix d'ange sans égale, a confirmé sa frangine en croisant les bras.

J'étais étonné que tante Charity puisse entendre quoi que ce soit sans son sonotone. Elle continuait sur le même ton quand Lena s'est mise à Chuchoter.

Ethan ? Ça va ?

Oui, L.

Ça n'en a pas l'air.

On fait aller.

Tiens bon. J'arrive.

Amma me fixait depuis le journal, son portrait en noir et blanc. Elle était vêtue de ses beaux habits du dimanche, sa robe à col blanc. Le cliché avait-il été pris lors de l'enterrement de ma mère ? De celui de tante Prue ? Voire de celui de Macon ?

Il y en avait eu tant.

J'ai reposé la feuille de chou sur le bois scarifié. Je détestais cette nécrologie. Elle avait été rédigée par un employé du canard, pas par quelqu'un qui avait connu Amma. Tout était naze. Une raison supplémentaire, sans doute, pour que je haïsse le *Stars and Stripes* avec autant de vigueur que tante Grace.

Fermant les paupières, j'ai écouté les Sœurs discutailler le moindre détail de l'article et se plaindre que Thelma était incapable de cuisiner correctement le porridge d'avoine. Telle était leur façon de rendre hommage à la femme qui nous avait élevés, mon père et moi. À celle qui leur avait préparé d'innombrables pichets de thé glacé et avait veillé à ce que l'ourlet de leur robe ne soit pas coincé dans leur culotte quand elles partaient à la messe.

J'ai fini par ne plus capter leurs bavardages. Je ne percevais plus que la maison qui pleurait doucement. Les parquets craquaient, mais pas à cause d'Amma dans une pièce voisine. Ses casseroles ne tintaient pas. Ses hachoirs n'attaquaient pas la planche à découper. Aucune nourriture chaude ne me serait servie.

Pas tant que mon père et moi n'apprendrions pas à cuisiner.

Notre véranda ne croulait pas non plus sous les offrandes de bouche. Pas cette fois. Pas une âme de Gatlin n'aurait osé apporter un triste rata en hommage à la mémoire de Mlle Amma Treadeau, cordon-bleu hors pair. Ces âmes s'y seraient-elles risquées, nous n'y aurions pas touché.

Certains habitants refusaient encore de croire qu'elle était morte. En tout cas, ils l'affirmaient. « Elle reviendra, Ethan. Tu te rappelles quand elle a débarqué sans crier gare le jour où tu es né ? » En effet. Amma s'était occupé de mon paternel puis avait déménagé à Wader's Creek avec les siens. La légende locale racontait cependant que, lorsque mes parents m'avaient ramené de la maternité à la maison, elle était arrivée avec son sac à couture et s'était réinstallée chez nous.

À présent, elle avait disparu et ne réapparaîtrait pas. Plus que quiconque, je savais comment ça fonctionnait. J'ai regardé le sol usé devant la cuisinière, près du four.

Elle me manque, L.

Elle me manque aussi.

Toutes les deux me manquent.

Je sais.

Thelma est entrée dans la pièce, un brin de tabac collé sous la lèvre.

— Allez, les filles, a-t-elle lancé. M'est avis que vous avez eu votre compte d'excitation ce matin. Passons à côté voir ce qu'on peut gagner au *Juste Prix*.

Après m'avoir adressé un clin d'œil, elle a poussé le fauteuil de tante Charity dans le salon. Tante Grace a suivi le mouvement, Harlon James sur les talons.

— J'espère qu'y vont donner de ces glacières qui font de l'eau toutes seules !

Mon père s'est emparé du journal et a repris la lecture de la nécrologie là où je l'avais laissée :

— « La messe du souvenir se déroulera à la chapelle de Wader's Creek. »

Un souvenir m'a brusquement traversé l'esprit, celui d'Amma et Macon s'affrontant dans les marais humides, du mauvais côté de la minuit.

— Bon sang ! a-t-il soupiré. J'ai pourtant essayé d'expliquer aux gens qu'Amma n'aurait pas souhaité de service religieux.

— C'est clair.

— Elle doit être en train de pester quelque part, à dire un truc du genre : « Je ne vois pas pourquoi vous perdez votre temps à me pleurer. Aussi sûr et certain que le bon Dieu existe, moi, je ne perdrai pas le mien à vous rendre la pareille. »

J'ai souri. Il a incliné la tête sur la gauche, exactement comme Amma quand elle était furax.

— C.A.R.A.B.I.S.T.O.U.I.L.L.E.S. Quinze vertical. Autrement dit, tout ça, ce ne sont que balivernes et bêtises, Mitchell Wate.

Cette fois, je n'ai pu me retenir de rire franchement, parce qu'il avait visé juste. Je l'entendais nous sortir cette diatribe. Elle détestait être au centre de l'attention, surtout lorsque la Pitoyable Parade Funéraire de Gatlin était impliquée. Mon père a enchaîné sur la suite :

— « Mlle Amma Treadeau est née dans le comté de Gatlin, en Caroline du Sud. Elle était la sixième enfant d'une famille de sept, tous défunts. »

La sixième d'une fratrie de sept ? Amma avait-elle un jour mentionné ses frères et sœurs ? Je ne me souvenais que de ses allusions aux Grands.

— « Sa réputation locale de pâtissière exceptionnelle a perduré pendant au moins cinquante ans. » (Mon père a secoué la tête.) Et rien sur son bœuf braisé à la moutarde ? Seigneur, j'espère qu'elle ne lit pas ceci du haut de son nuage. Elle risque de balancer quelques éclairs à droite et à gauche.

Non, ai-je songé. *Amma se fiche de ce qui peut désormais être raconté à son sujet. Du moins, par les habitants de Gatlin. Elle est installée sur une véranda quelque part, en compagnie des Grands.*

— « Mlle Amma laisse derrière elle une vaste parentèle de cousins et un cercle d'amis intimes. »

Repliant le journal, mon père l'a jeté sur la table.

— Et où évoque-t-on qu'elle laisse derrière elle deux des garçons les plus nuls, affamés et tristes à vivre dans la maison des Wate ?

Ses doigts ont tapoté nerveusement le bois. D'abord, je n'ai su comment réagir.

— Papa ? ai-je ensuite demandé.

— Oui ?

— On va s'en tirer, tu sais ?

Pour sûr. Quand on y réfléchissait, c'était ce qu'elle avait fait toute sa vie. Nous préparer au moment où elle ne serait plus là pour nous préparer à tous les moments à venir.

À cet instant précis.

Mon paternel a dû piger, car il a posé une main lourde sur mon épaule.

— Oui, m'sieur. J'en suis conscient.

Je n'ai rien ajouté.

Nous sommes restés assis à regarder par la fenêtre de la cuisine.

— Nous comporter autrement serait extrêmement irrespectueux, a-t-il marmonné d'une voix tremblotante, signe qu'il pleurait. Elle nous a élevés plutôt bien, Ethan.

— Absolument.

J'ai lutté contre mes propres larmes. Par respect, j'imagine, ainsi que l'avait formulé mon père. C'est ainsi que cela devrait être, dorénavant.

Réel.

Ça me faisait un mal de chien – ça me tuait presque –, mais c'était réel. Comme la disparition de ma mère. Je devais l'accepter. L'univers était peut-être censé se déliter ainsi ; en partie en tout cas.

« Ce qui est bien et ce qui est facile sont rarement la même chose. »

Ma mère m'avait enseigné cela. Amma aussi.

— Elle et Lila Jane veillent l'une sur l'autre, à présent, a chuchoté mon père. Elles sont sûrement assises ensemble à discuter de tomates frites et de thé glacé.

Il a ri en dépit de ses larmes.

Il ignorait à quel point il était près de la vérité. Je ne lui ai pas dit.

— De cerises, ai-je simplement précisé.

— Quoi ? a-t-il sursauté en me dévisageant d'un air bizarre.

— Maman adorait les cerises. Piochées directement dans l'égouttoir. Tu t'en souviens ? Mais je crois que tante Prue ne les autorisera pas à placer un mot.

Il a acquiescé, a tendu la main jusqu'à effleurer mon bras.

— Ta mère s'en moque. Elle veut juste qu'on lui fiche la paix avec ses livres pendant un moment. Tu ne penses pas ? En attendant que nous la rejoignions, du moins.

— Oui, ai-je opiné.

J'ai évité de le regarder. Mon cœur était tiraillé dans des directions opposées. J'étais incapable de savoir ce que j'éprouvais. J'aurais aimé pouvoir lui avouer que j'avais vu ma mère. Lui annoncer qu'elle allait bien.

Nous avons cessé de parler et de bouger. Soudain, mon cœur a commencé à battre.

L ? C'est toi ?

Sors, Ethan. J'arrive.

La musique m'est parvenue aux oreilles avant que La Poubelle n'apparaisse de l'autre côté de la fenêtre. Me levant, j'ai adressé un signe de tête à mon père.

— Je vais chez Lena un moment.
— Prends tout le temps dont tu as besoin.
— Merci, papa.

Alors que je m'apprêtais à quitter la pièce, je me suis retourné et l'ai vu, assis seul à la table avec le journal devant lui. Ça a été plus fort que moi. Je ne pouvais l'abandonner comme ça.

J'ai pris le canard.

J'ignore pour quelle raison. Je voulais peut-être conserver Amma par-devers moi un peu plus longtemps encore. Ou alors, je ne tenais pas à ce que mon père reste seul avec toutes ces émotions emballées dans une feuille de chou débile aux mots croisés idiots et à la notice nécrologique encore plus bête.

Puis une idée m'est venue.

J'ai ouvert le tiroir d'Amma et j'en ai sorti un crayon n° 2. Je l'ai brandi sous les yeux de mon paternel.

— Toujours prête à tailler la route et ses crayons, a-t-il commenté avec un sourire.

— C'est ce qu'elle aurait voulu. Une dernière fois.

Se penchant, il a attrapé une boîte de bonbons à la cannelle et me l'a lancée.

— Une dernière fois, a-t-il opiné.

Je l'ai enlacé.

— Je t'aime, papa.

Puis j'ai balayé le rebord de la fenêtre du revers de la main, expédiant du sel sur tout le sol de la cuisine.

— L'heure est venue de laisser entrer les fantômes.

Je n'avais dégringolé que la moitié des marches de la véranda quand Lena s'est précipitée sur moi. Elle a sauté dans mes bras, a enroulé ses jambes maigrichonnes autour des miennes. Elle s'agrippait à moi, je m'accrochais à elle, comme si aucun de nous n'était prêt à lâcher l'autre.

Des décharges électriques, des tonnes de décharges. Il n'empêche, sa bouche a trouvé la mienne, et il n'y a plus eu que douceur et sérénité. Un peu comme lorsqu'on rentre chez soi, si tant est que la maison soit toujours un foyer et non un ouragan.

Tout avait changé entre nous. Plus rien n'était en mesure de nous séparer. Était-ce à cause de l'Ordre Nouveau ou parce que j'avais voyagé jusqu'au bout de l'Autre Monde et que j'en étais revenu ? Aucune idée. Quoi qu'il en soit, je pouvais désormais tenir la main de Lena sans qu'un incendie me troue la paume.

Son contact était tiède. Ses doigts étaient doux. Son baiser n'était plus que ça : un baiser. Un qui était en tout point aussi vaste et aussi petit qu'un baiser peut l'être.

Ce n'était plus une tempête électrique ni un brasier. Rien n'a explosé, rien n'a brûlé, rien n'a provoqué un court-circuit. Lena était mienne, comme j'étais sien. Nous pouvions être ensemble maintenant.

Un coup de klaxon nous a séparés.

— C'est quand vous voulez ! a crié Link. Je vais finir par avoir des cheveux blancs à force de vous regarder vous bécoter, les enfants.

Je lui ai adressé un immense sourire, sans réussir à m'arracher à Lena cependant.

— Je t'aime, Lena Duchannes. Je t'ai toujours aimée et je t'aimerai toujours.

Ces mots étaient aussi authentiques aujourd'hui que la première fois que je les avais prononcés, lors de sa Seizième Lune.

— Et moi, je t'aime, Ethan Wate. Je t'ai aimé depuis notre première rencontre. Avant, même.

Elle m'a regardé droit dans les yeux, les lèvres rieuses.

— Bien avant, ai-je renchéri en souriant moi aussi, plongé dans son regard.

— Il faut cependant que je t'avoue quelque chose.

Elle s'est rapprochée.

— Un truc que tu dois savoir au sujet de la fille que tu aimes.

— Quoi donc ? ai-je demandé, un brin inquiet.

— Mon nom.

— Tu rigoles ?

Les Enchanteurs découvraient leur vrai prénom après avoir été Appelés. Lena n'avait jamais voulu me révéler le sien en dépit de mon insistance. J'avais compris qu'elle me le dirait quand elle serait prête. Aujourd'hui, donc, apparemment.

— Tu as toujours envie de le connaître ?

Elle se marrait, ne doutant pas de ma réponse.

J'ai hoché la tête.

— Joséphine Duchannes. Joséphine, fille de Sarafine.

Ce dernier mot murmuré, ce qui ne m'a pas empêché de l'entendre comme si elle l'avait crié par-dessus les toits.

J'ai serré sa main.

Son nom. La dernière pièce manquante du puzzle familial, le détail qu'on ne trouverait pas sur un arbre généalogique.

Je n'avais pas encore annoncé à Lena la mort de sa mère. Je désirais à moitié croire que Sarafine avait donné son âme pour que je puisse rejoindre Lena, que son sacrifice ne relevait pas seulement de la simple vengeance. Je dirais un jour à Lena ce que sa mère avait fait pour moi. Elle méritait d'apprendre que Sarafine n'était pas entièrement mauvaise.

De nouveau, La Poubelle a claironné :

— Magnez-vous, les amoureux ! Il faut qu'on aille au Dar-ee Keen. Tout le monde attend.

J'ai entraîné Lena vers la pelouse et la voiture.

— Il va falloir que nous nous arrêtions en chemin. Rapide.

— Cela implique-t-il de se confronter à des Enchanteurs des Ténèbres ? Dois-je emporter mes cisailles ?

— Non, on passe simplement à la bibliothèque.

Link a appuyé la tête sur le volant.

— Je n'ai pas renouvelé ma carte depuis mes dix ans. Je crois que je préfère encore les Enchanteurs.

Debout devant la bagnole, j'ai regardé Lena. La portière arrière s'est ouverte toute seule, nous avons grimpé à bord.

— Merdalors, les mecs ! Parce que je suis votre chauffeur, maintenant ? Vous autres Enchanteresses et Mortels avez une drôle de façon de montrer à un gars que vous l'appréciez.

Link a augmenté le volume de la musique, comme s'il ne tenait pas à entendre ce que j'avais à répondre à ça.

— Je t'apprécie, ai-je crié.

Je lui ai balancé une bonne baffe sur la nuque. Il n'a même pas paru la sentir. Si je m'adressais à mon pote, c'était Lena que je dévorais des yeux. Je ne pouvais me retenir. Elle était plus belle que dans mon souvenir, plus belle et plus réelle.

J'ai tortillé une mèche de ses cheveux entre mes doigts, et elle a appuyé la joue contre ma main. Nous étions réunis. Il était difficile de penser, de voir ou même d'évoquer autre chose. Puis je me suis reproché d'être aussi bien alors que le *Stars and Stripes* était toujours dans ma poche arrière.

— Une minute ! a soudain braillé Link. C'est exactement ce dont j'avais besoin pour terminer ma nouvelle chanson. La fille sucette. Elle te torture avec tant de suavité que tu voudrais te couper les roup...

Lena a posé la tête sur mon épaule.

— T'ai-je précisé que ma cousine était revenue en ville ?

— Ça ne m'étonne pas, ai-je rigolé.

Link m'a adressé un clin d'œil dans le rétroviseur. Je lui ai assené une nouvelle claque, cependant que la voiture filait.

— Je suis sûr que tu vas devenir une rock star, ai-je dit.

— Je vais me remettre à ma cassette démo, tu sais ? Parce que, dès qu'on a le bac, je fonce droit à New York, et ça va saigner...

Link débitait tellement de merdouilles qu'on aurait pu le confondre avec une cuvette de toilettes. Comme au bon vieux temps. Comme c'était censé être.

Une preuve supplémentaire ne m'était pas nécessaire.

J'étais vraiment à la maison.

Chapitre 38
Huit horizontal

— Allez-y seuls, les enfants, nous a dit Link en mettant le dernier enregistrement des Crucifix Vengeurs. Je vous attends ici. J'ai déjà assez de bouquins au bahut.

Descendant de La Poubelle, Lena et moi nous sommes plantés devant la bibliothèque municipale de Gatlin. Les travaux de réfection avaient avancé par rapport au souvenir que j'en gardais. Toutes les grosses réparations extérieures étaient achevées, et les charmantes dames des FRA avaient déjà planté des arbrisseaux près de la porte.

L'intérieur était moins brillant. Des bâches en plastique coupaient la pièce en deux. Un côté était occupé par des outils et des chevalets de sciage ; mais Marian avait entrepris d'aménager l'autre espace, ce qui ne m'a guère surpris. Elle préférait avoir une moitié de bibliothèque que pas de bibliothèque du tout.

— Tante Marian ?

Mes mots ont résonné plus que d'ordinaire et, en un rien de temps, elle a surgi au bout d'une allée, en chaussettes.

Des larmes ont mouillé ses yeux tandis qu'elle se précipitait vers moi pour m'enlacer.

— Je n'arrive toujours pas à y croire, a-t-elle murmuré en m'étreignant très fort.

— À qui le dis-tu !

Des souliers vernis ont couiné sur le béton nu.

— Monsieur Wate, quel plaisir de vous voir !

Macon arborait un immense sourire. Une espèce d'habitude nouvelle, chaque fois qu'il me croisait désormais. Et qui commençait à me flanquer les jetons. Après avoir serré l'épaule de Lena, il s'est approché de moi. Je lui ai tendu la main ; l'ignorant, il a passé un bras autour de mon cou.

— Ravi également, monsieur. Nous voulions justement vous parler, à vous et à tante Marian.

Cette dernière a arqué un sourcil.

Lena tripotait son collier de babioles en attendant que je m'explique. Elle n'avait pas spécialement envie de révéler à son oncle que nous pouvions à présent nous peloter à l'envi sans risquer ma vie. À moi l'honneur, donc. Vu sa réaction, j'aurais parié que, si intrigué qu'il soit, Macon regrettait déjà l'époque où les baisers que j'échangeais avec sa nièce provoquaient la menace d'une décharge électrique.

— Remarquable, a commenté Marian, ahurie, en se tournant vers lui. Qu'est-ce que cela signifie, selon vous ?

— Je ne sais pas trop, a-t-il répondu en faisant les cent pas devant les rayonnages de livres.

— Quelle qu'en soit l'origine, est intervenue Lena, crois-tu que ça touchera aussi les autres Enchanteurs et Mortels ?

Elle espérait que ce phénomène constituait une sorte de changement dans l'Ordre des Choses. Une espèce de bonus cosmique, peut-être, après toutes les épreuves que j'avais affrontées.

— Il y a peu de chances, mais nous allons enquêter, a répondu Macon avec un coup d'œil à Marian.

— Naturellement, a opiné celle-ci.

Lena s'est efforcée de cacher sa déception. Son oncle la connaissait trop bien pour être dupe, cependant.

— Même si cela n'affecte pas d'autres Enchanteurs et Mortels, cela vous affecte tous les deux. Il faut bien que les changements débutent quelque part, y compris dans l'univers surnaturel.

Soudain, il y a eu un craquement, puis la porte a claqué.

— Docteur Ashcroft ?

J'ai regardé Lena. J'aurais identifié cette voix n'importe où. Macon aussi, apparemment, parce qu'il a filé se planquer derrière des piles de bouquins. Avec Lena et moi.

— Bonjour, Martha, a dit Marian avec une politesse toute professionnelle.

— Est-ce bien la voiture de Wesley qui est garée dehors ? Est-il ici ?

— Non, désolée.

Link était sans doute tapi sur le plancher de La Poubelle.

— Puis-je vous être utile en quoi que ce soit d'autre ?

— Et comment ! Tâchez donc de lire ce livre de sorcellerie et expliquez-moi comment une bibliothèque publique a le culot de le prêter à nos enfants !

J'ai aussitôt deviné de quel ouvrage il s'agissait. Malgré moi, j'ai jeté un coup d'œil. La mère de Link brandissait un exemplaire de *Harry Potter et le Prince de sang-mêlé*.

J'ai souri, content de constater que certaines choses, à Gatlin, ne changeraient jamais.

Je n'ai pas sorti le *Stars and Stripes* pendant le déjeuner. On raconte que ceux qui pleurent un être cher n'ont pas d'appétit. Personnellement, ce jour-là, je me suis enfilé un cheeseburger avec rab de cornichons, double portion de frites, un milk-shake à la framboise et un banana split recouvert de caramel chaud et d'une bonne dose de crème Chantilly.

J'avais l'impression de ne rien avoir mangé depuis des semaines. Je n'avais en effet rien avalé dans l'Autre Monde, ce que mon corps paraissait savoir d'instinct.

Lena et moi déjeunions pendant que Link et Ridley plaisantaient – se chamaillaient, pour qui n'était pas au courant de leur relation conflictuelle.

— Franchement ! s'est exclamée Rid en secouant la tête. La Poubelle ? Je croyais qu'on en avait parlé en route ?

— Je n'écoutais pas, a répliqué Link aussi sec. En général, je ne capte que dix pour cent de ce que tu racontes. Les quatre-vingt-dix pour cent restants, je les passe à te mater en train de pérorer.

— Et moi, je suis occupée à cent pour cent à regarder ailleurs ! a-t-elle riposté.

Le coup de la femme blessée n'était qu'un jeu. D'ailleurs, Link s'est marré.

— Et dire qu'on t'accuse d'être nulle en maths !

Ridley a déballé une sucette, sans manquer d'en faire des tonnes, comme d'habitude.

— Si tu espères que je vais t'accompagner à New York dans ce tas de boue, tu te fourres le doigt dans l'œil jusqu'au coude, Chaud Bouillant !

Link a bécoté son cou, elle l'a repoussé d'une tape.

— Allons, poupée, c'était génial, la dernière fois. Et puis, nous ne serons plus obligés de dormir dans La Poubelle.

— Parce que tu as pioncé dans une voiture ? a demandé Lena, ébahie, à sa cousine.

Cette dernière a rejeté en arrière ses cheveux blonds et roses.

— Je n'allais quand même pas laisser Dingo Dink tout seul ! Il n'était pas hybride, à l'époque.

Link a essuyé ses mains grasses sur son tee-shirt Iron Maiden.

— Tu m'aimes, Rid. Admets-le.

Elle a prétendu se tasser d'horreur sur elle-même, ne s'est en réalité pas éloignée d'un pouce.

— Je suis une Sirène, je te rappelle. Je n'aime personne.

— Sauf moi, a-t-il répondu en embrassant sa joue.

— Il reste de la place pour deux ?

C'était John, un plateau de glaces et de frites à la main, l'autre serrée autour de celle de Liv.

— Pour vous, toujours, oui, a souri Lena en se poussant.

Il y avait eu un temps où les deux filles ne supportaient pas d'être dans la même pièce. Mais j'avais l'impression que ça remontait à une autre vie. Ce qui, techniquement parlant, n'était pas faux, pour ce qui me concernait.

Liv s'est blottie contre l'épaule de John. Elle était vêtue de son tee-shirt décoré du tableau périodique des éléments, ses cheveux blonds étaient tressés, comme d'ordinaire.

— Ne compte pas sur moi pour partager, a-t-elle prévenu son amoureux en attirant à elle l'assiette de frites à la sauce piquante.

— Jamais je ne me permettrais d'interférer entre toi et tes frites, Olivia.

Se penchant, il a déposé un petit baiser sur ses lèvres.

— Sage décision, a-t-elle commenté.

Elle semblait heureuse. Vraiment. Ce qui me réjouissait pour elle comme pour lui.

Au comptoir, Charlotte Chase, dont le job d'été avait l'air d'être devenu un boulot permanent après les cours, a crié :

— Quelqu'un veut une part de tarte aux noix de pécan ? Juste sortie du four !

Elle brandissait un gâteau qui n'avait rien de frais et n'était sorti du four de personne, pas même de la chaîne Sara Lee.

— Non merci, a décliné Lena.

— Je te parie que ce truc ne vaut pas la pire tarte d'Amma, a dit Link.

Amma lui manquait également, c'était évident. Elle avait beau eu l'attraper constamment, elle l'adorait. Ce qu'il savait. Amma lui autorisait des bêtises qu'elle ne m'aurait jamais passées. Ce qui m'a rappelé quelque chose.

— Que fabriquais-tu dans notre cave à neuf ans, Link ? ai-je demandé.

Jusqu'à ce jour, il ne m'avait jamais avoué ce qu'Amma lui reprochait. J'avais toujours eu envie de le savoir. Malheureusement, c'était le seul secret qu'il avait réussi à garder. Il s'est tortillé sur son siège.

— Hé, mec ! Y a des trucs intimes qui doivent le rester.

Ridley l'a contemplé avec suspicion.

— Est-ce cette fois-là que tu a bu du schnaps et dégobillé partout ? a-t-elle lancé.

— Non, a-t-il répondu. Ça, c'était dans la cave de quelqu'un d'autre. Ben quoi, a-t-il ajouté devant nos visages consternés, il y en a des tonnes, de caves, par ici.

Le silence s'était installé autour de la table.

— Bon, d'accord, a-t-il poursuivi en passant une main nerveuse dans ses cheveux hérissés. Elle m'a chopé…

Il a hésité.

— … déguisé.

— Pardon ? ai-je marmonné.

Pitié ! Je ne voulais pas de détails supplémentaires. Il s'est frotté la figure, très gêné.

— C'était horrible, mon pote. Et si ma mère l'apprenait, elle te tuerait pour avoir osé raconter pareille calomnie avant de m'étrangler pour avoir osé faire ça.

— Mais déguisé en quoi ? est intervenue Lena. Tu avais une robe ? De hauts talons ?

— Non, a-t-il avoué, rouge de honte. C'était encore pire.

Ridley l'a frappé sur le bras.

— Crache le morceau ! Qu'est-ce que tu portais, bon sang ?

— Un uniforme des soldats de l'Union, a-t-il fini par avouer en baissant la tête. Je l'avais fauché dans le garage de Jimmy Weeks.

J'ai explosé de rire. Il n'a pas tardé à m'imiter. Personne d'autre que nous deux ne pouvait prendre la mesure de ce péché, celui d'un gamin du Sud – dont le père dirigeait la cavalerie confédérée lors de la reconstitution de la bataille de Honey Hill et dont la mère s'enorgueillissait d'être membre des Sœurs de la Confédération – qui avait essayé un uniforme de l'ennemi. Pour piger ça, il fallait être né à Gatlin.

Ce genre d'abomination allait de soi sans qu'il soit nécessaire de la formuler. Comme il allait de soi que personne ne préparait de tarte pour les Wate car elle ne serait jamais aussi bonne que celles d'Amma. Qu'on évitait de s'asseoir devant Sissy Honeycutt à l'église, parce qu'elle parlait en même temps que le pasteur durant tout le service. Qu'on ne choisissait pas la couleur de sa porte sans avoir auparavant consulté Mme Lincoln – sauf quand on s'appelait Lila Evers Wate.

Gatlin était ainsi.

C'était une famille, avec tous ses bons et ses mauvais côtés.

Mme Asher avait même dit à Mme Snow de dire à Mme Lincoln de dire à Link et à moi qu'elle était contente que je sois revenu entier de chez ma tante Caroline. J'avais demandé à Link de transmettre que je la remerciais, et j'étais sincère. Peut-être même qu'un jour Mme Lincoln accepterait de recuisiner pour moi ses fameux brownies.

Auquel cas, j'étais certain que je n'en laisserais pas une miette.

Quand Link nous a eu déposés, nous avons filé directement à Greenbrier. Notre endroit. Si terribles qu'aient été les événements qui s'étaient déroulés à la plantation, elle serait toujours le lieu où nous avions découvert le médaillon ; où j'avais été témoin du talent de Lena à déplacer les nuages pour la première fois, même si, sur le moment, je ne l'avais pas compris ; où nous avions appris quasiment tous seuls le latin à force de vouloir traduire le *Livre des lunes*.

Le jardin secret de Greenbrier renfermait nos secrets depuis le début. D'une certaine façon, ceci était un nouveau début.

Lena m'a adressé un drôle de regard lorsque j'ai fini par dérouler le journal que j'avais trimballé tout l'après-midi.

— Qu'est-ce que c'est ?

Elle a refermé son carnet à spirale, celui dans lequel elle passait son temps à écrire avec frénésie.

— Les mots croisés.

Nous nous sommes allongés dans l'herbe sur le ventre, blottis l'un contre l'autre à notre place préférée, près de l'arbre qui avoisinait les citronniers, non loin de la dalle de cheminée disparue. Fidèle à son nom, Greenbrier était vert comme jamais. Pas un criquet ni un brin d'herbe desséché en vue. Gatlin avait réellement retrouvé la forme.

Grâce à nous, L. Nous ignorions que nous détenions ce pouvoir.

Elle a posé la tête sur mon épaule.

Maintenant, nous le savons.

Combien de temps cela durerait-il ? Je me suis juré que, quoi qu'il arrive, je ne considérerais plus cela comme acquis. Que je chérirais chaque minute qui nous serait accordée.

— Je me suis dit que nous pouvions les faire. Pour Amma.

— Les mots croisés ?

J'ai acquiescé, elle a ri.

— Sais-tu que je n'y ai jamais jeté un coup d'œil ? Pas une seule fois. Jusqu'à ce que tu t'en ailles et t'en serves pour communiquer avec moi.

— Plutôt malin, non ? ai-je fanfaronné en la poussant doucement.

— Mieux que tes tentatives pour écrire des chansons, même si tes grilles n'étaient pas terribles.

Elle a souri en se mordillant la lèvre, et je n'ai pu résister à l'envie de l'embrasser encore et encore et encore, jusqu'à ce qu'elle s'écarte, hilare.

— OK, elles étaient super !

Elle a posé le front contre le mien.

— Avoue, L. Tu adorais mes mots croisés.

— Tu plaisantes ? J'en étais folle. Tu me revenais dès que je regardais une de ces fichues grilles !

— J'étais au désespoir.

Après avoir déplié le journal entre nous deux, j'ai tiré de ma poche le crayon n° 2. J'aurais dû me douter de ce qui nous attendais. Amma m'avait laissé un message, comme je l'avais fait pour Lena.

Quatre horizontal.

S.O.I.S.

Autrement dit, être ou ne pas être à l'impératif.

Quatre vertical.

S.A.G.E.

Autrement dit, le contraire de vilain.

Cinq vertical.

E.T.H.A.N.

Autrement dit, la victime d'un accident de traîneau dans un roman d'Edith Wharton[1].

Huit horizontal.

A.L.L.É.L.U.I.A.

Autrement dit, expression d'allégresse.

J'ai froissé le canard, ai attiré Lena à moi.

Amma était chez elle.

Amma était avec moi.

Et Amma était morte.

Ensuite, j'ai pleuré jusqu'à ce que le soleil se couche et que le ciel et le pré soient aussi Ténèbres et Lumière que moi.

---

1. *Ethan Frome* (1911).

Chapitre 39
Hymne à Amma

l'ordre n'est pas plus ordonné
que les choses ne sont des choses
alléluia
les châteaux d'eau non plus
que les villes de Noël n'ont de sens
quand on ne peut distinguer le haut du bas
alléluia
les tombes ne sont que des tombes
de l'extérieur comme de l'intérieur
et l'amour brise ce qui est incassable
alléluia
j'ai aimé qui j'ai aimé, perdu qui j'ai aimé
elle est à présent forte bien que défunte
elle a trouvé et réglé son passage
elle s'est envolée
alléluia
lumière sur les ténèbres, chantent les grands
un jour nouveau
alléluia

Épilogue
Après

Cette nuit-là, j'étais couché dans l'antique lit en acajou de ma chambre, comme des générations de Wate avant moi. Des livres sous moi. Un téléphone portable cassé à côté de moi. Un vieil iPod autour du cou. Même la carte avait réintégré sa place sur le mur. Lena en personne l'y avait scotchée. Malgré le confort douillet, je n'arrivais pas à dormir. J'étais trop préoccupé par ce que je devais faire.

Du moins, ce dont je devais me souvenir.

Mon grand-père était mort quand j'étais tout petit. Je l'aimais pour des tas de raisons que je ne saurais vous détailler, un tas d'histoires que j'avais presque oubliées.

Après son trépas, je m'étais caché dans le jardin de derrière, dans l'arbre qui poussait au milieu de la clôture, là où les voisins avaient la sale habitude de nous bombarder, mes amis et moi, de pêches vertes, là où nous avions la sale habitude de les leur renvoyer.

Je n'étais pas parvenu à cesser de pleurer, malgré mes poings enfoncés dans les yeux. J'imagine que c'était la première fois que je prenais conscience de la mort.

Mon père était venu le premier et avait tenté de me faire descendre de cet imbécile d'arbre. Ma mère avait pris le relais. Aucune de leurs paroles ne m'avait soulagé. J'avais demandé si papi était au paradis, comme on nous l'enseignait au catéchisme. Ma mère avait répondu qu'elle n'en savait trop rien. Son côté historienne. D'après elle, personne n'était en mesure d'expliquer ce qui se passait après qu'on décédait.

On devenait des papillons. On redevenait des gens. Ou alors, on disparaissait, simplement.

Cela n'avait servi qu'à redoubler mes sanglots. Une historienne n'est pas vraiment à la hauteur, dans ce genre de situations. Sur le coup, je lui avais dit que je ne voulais pas que papi meure et, surtout, que je ne voulais pas qu'elle meure et, enfin et par-dessus tout, que je ne voulais pas mourir. C'est là qu'elle avait craqué.

C'est son père qu'elle venait de perdre.

Ensuite, j'avais dégringolé de mon perchoir, et nous avions pleuré de conserve. Elle m'avait pris dans ses bras, sur le porche arrière de la maison, et m'avait promis que je ne mourrais pas.

Jamais.

Elle l'avait juré.

Je ne mourrais pas, et elle non plus.

Après, je ne me rappelais qu'être retourné à l'intérieur et avoir boulotté trois morceaux de tarte à la fraise et aux cerises, une tarte décorée de triangles en sucre. Amma ne la cuisinait que lors des deuils.

J'avais fini par grandir et par arrêter de me réfugier sur les genoux de ma mère chaque fois que l'envie de pleurer s'emparait de moi. J'avais même cessé de me planquer dans cet arbre. Il me faudrait cependant des années pour m'apercevoir que ma mère m'avait menti. Ce n'était que lorsqu'elle avait disparu à son tour que je m'étais souvenu de notre conversation.

J'ignore ce que j'essaye de vous dire. J'ignore vraiment pourquoi je vous raconte ça.

Pourquoi nous sommes inquiets.
Pourquoi nous sommes sur terre.
Pourquoi nous aimons.

J'avais eu une famille qui représentait tout pour moi, ce dont je n'avais pas eu conscience sur le moment. J'avais une copine qui représentait tout pour moi, et je savourais le moindre instant en sa compagnie.

Je les avais perdus. J'avais perdu tout ce qu'un gars peut désirer.

J'avais retrouvé le chemin de chez moi, mais ne vous y trompez pas. Rien n'est plus comme avant. Et je ne crois pas que je voudrais qu'il en aille autrement.

Quoi qu'il en soit, je suis un des mecs les plus chanceux au monde.

Je ne suis pas croyant, pas du genre à prier. Honnêtement, pour moi, cela relève plutôt du simple espoir. Pourtant, je suis sûr d'un truc, et je tiens à le dire. Je souhaite réellement que quelqu'un m'écoute.

Rien n'est vain. Je ne sais pas quel est le but de l'existence, mais tout ce que j'ai eu, tout ce que j'ai perdu et tout ce que j'ai ressenti – ça n'a pas été en vain.

La vie n'a peut-être pas de sens. C'est vivre qui en a un, sans doute.

Voilà ce que j'ai appris. Voilà ce que je vais tâcher de faire dorénavant.

Vivre.

Et aimer, si bêtement romantique que cela puisse sonner.

Lena Duchannes, dont le nom rime avec « chaîne ».

Je ne tombe plus. C'est ce que L dit, et elle a raison.

À la place, on pourrait dire que je vole.

Nous volons tous les deux.

Je ne doute pas non plus que, quelque part dans le vrai ciel bleu et le royaume des xylocopes, Amma vole elle aussi.

Nous le faisons tous, selon la manière dont on observe les choses. Voler ou tomber, cela dépend de chacun de nous.

Parce que le firmament n'est pas du tout composé de peinture bleue, et qu'il n'existe pas juste deux sortes de personnes sur terre, les bouchés et les bornés. Ça, c'est seulement ce que nous croyons. Ne perdez pas votre temps avec, ne perdez votre temps avec rien. Ça n'en vaut pas la peine.

Vous pouvez demander à ma mère, si c'est le bon genre de nuit étoilée. Celle dotée de deux lunes d'Enchanteurs, d'une étoile polaire du Nord et d'une étoile polaire du Sud.

Moi, je sais que je peux.

Je me lève au milieu de la nuit et j'arpente le plancher qui craque. Il est d'un réalisme étonnant et, pas un instant, je crois que je rêve. Dans la cuisine, je sors une brassée de verres immaculés d'un placard au-dessus du plan de travail.

Je les aligne sur la table l'un après l'autre.

Ils ne sont pleins que de clair de lune.

La lumière du réfrigérateur est si violente qu'elle me surprend. Je trouve ce que je cherche sur l'étagère du bas, derrière une tête de chou en décomposition.

Du lait chocolaté.

Comme je le soupçonnais.

J'aurais pu ne plus vouloir en boire, j'aurais pu ne plus être ici pour en boire, mais j'étais certain qu'Amma n'aurait cessé pour rien au monde d'en acheter.

Je déchire le carton, je déplie le bec verseur, activité que je serais en mesure d'accomplir en dormant, état dans lequel je suis pratiquement. Ma vie en dépendrait que je ne saurais pas faire une tarte à oncle Abner. J'ignore aussi complètement où Amma range la recette de son moelleux au chocolat.

Mais ça, ça ne me pose aucun problème.

Je remplis les verres à la queue leu leu.

Un pour tante Prue, qui a tout vu sans jamais ciller.

Un pour Twyla, qui a tout abandonné sans hésiter.

Un pour ma mère, qui m'a laissé partir, non pas une fois mais deux.

Un pour Amma, qui a gagné sa place parmi les Grands pour que je retrouve la mienne à Gatlin.

Un verre de lait chocolaté a l'air de pas grand-chose, mais ce n'est pas le lait qui compte vraiment. Nous en sommes tous conscients. Nous ici, s'entend.

Le clair de lune scintille sur les chaises vides autour de moi et, comme toujours, je devine que je ne suis pas seul.

Je ne le suis jamais.

Je pousse le dernier verre dans une flaque de lune, sur la table en bois scarifié. La lumière frémit comme cligne l'œil d'un Diaphane.

— Santé, dis-je, même si ce n'est pas ce que je veux dire.

Surtout pas à Amma et à ma mère.

Je vous aime et vous aimerai toujours.

J'ai besoin de vous et vous conserverai par-devers moi.

Le bien et le mal, le sucre et le sel, les coups et les baisers, ce qui vient avant ce qui adviendra après, vous et moi…

Nous sommes tous mélangés là-dedans, sous une croûte de tourte tiède.

Puis j'attrape un cinquième verre dans le placard, le dernier qui soit propre, et je le remplis à ras bord, à tel point que je suis obligé de laper le lait pour qu'il ne déborde pas.

Lena se moque de la façon dont je remplis toujours mes tasses jusqu'en haut. Je sens qu'elle sourit dans son sommeil.

Je lève mon verre à la lune et j'avale son contenu.

La vie n'a jamais eu un aussi bon goût.

ICI S'ACHÈVENT

LES CHRONIQUES DES ENCHANTEURS

FABULA PERACTA EST.
SCRIPTA AETERNA MANENT.

De Voyante les lunes, de Sirène les pleurs
Mortel Dix-neuf, de Pilote les peurs,
Tombes d'Incubes, rives d'Enchanteurs
La dernière page livre la finale teneur.

Remerciements

Nous avons adoré le moindre instant de cette aventure.
Chaque personnage, chaque chapitre, chaque page.
Par-dessus tout, les seuls remerciements
qu'il nous reste à adresser
vont aux personnes qui ont permis
à tout cela de se produire :
VOUS.
Nos lecteurs Enchanteurs.
Merci. Pour tout. Pour tout ceci.
Ça a été un parcours difficile…
Nous espérons que vous continuerez de lire
et de croire
au véritable amour,
aux choses cachées en plein jour,
aux mondes entre les fissures,
et, surtout, à vous-mêmes.
Nous ne doutons pas que vous le ferez.

À vous pour toujours – sincèrement,

Kami & Margie

Composition JOUVE – 45770 Saran
N° 939698G

Impression réalisée par CPI BRODARD ET TAUPIN
La Flèche
En octobre 2012

« Pour l'éditeur, le principe est d'utiliser des papiers composés de fibres naturelles, renouvelables, recyclables et fabriquées à partir de bois issus de forêts qui adoptent un système d'aménagement durable. En outre, l'éditeur attend de ses fournisseurs de papier qu'ils s'inscrivent dans une démarche de certification environnementale reconnue. »

Dépôt légal 1re publication octobre 2012

20.2355.4 – ISBN 978-2-01-202355-0
Édition 01 – Dépôt légal : octobre 2012
N° d'impression : 70220

Loi n° 49-956 du 16 juillet 1949
sur les publications destinées à la jeunesse.